La ville oubliée

Roger Gariépy

La ville oubliée

roman

Catalogage avant publication de Bibliothèque et Archives nationales du Québec et Bibliothèque et Archives Canada

Gariépy, Roger, 1953-
La ville oubliée
ISBN 978-2-89455-511-8
I. Titre.
PS8613.A755V54 2012 C843'.6 C2012-940086-6
PS9613.A755V54 2012

Nous reconnaissons l'aide financière du gouvernement du Canada par l'entremise du Fonds du livre du Canada (FLC) ainsi que celle de la SODEC pour nos activités d'édition. Nous remercions le Conseil des Arts du Canada de l'aide accordée à notre programme de publication.

Canada

SODEC Québec

Gouvernement du Québec — Programme de crédit d'impôt pour l'édition de livres — Gestion SODEC

Conception graphique: Christiane Séguin
Révision: Nathalie Viens
Illustration de la page couverture: © iStockphoto.com / Peter Zelei.
Dépôt légal — Bibliothèque et Archives nationales du Québec, Bibliothèque et Archives Canada, 2012
ISBN: 978-2-89455-511-8
ISBN ePub: 978-2-89455-512-5
ISBN PDF: 978-2-89455-513-2

Distribution et diffusion
Amérique: Prologue
France: De Borée/Distribution du Nouveau Monde (pour la littérature)
Belgique: La Caravelle S.A.
Suisse: Transat S.A.

Guy Saint-Jean Éditeur inc.
3440, boul. Industriel, Laval (Québec) Canada. H7L 4R9 • 450 663-1777
Courriel: info@saint-jeanediteur.com • Web: www.saint-jeanediteur.com

Guy Saint-Jean Éditeur France
30-32, rue de Lappe, 75011, Paris, France. (1) 50 76 40 28 • Courriel: gsj.editeur@free.fr

Imprimé et relié au Canada

À Johanne, Hugo et Janie.
Vos encouragements et votre tranquille confiance
m'ont permis d'achever cet ouvrage.

« Ne laissez jamais tomber vos rêves.
Ce sont eux qui façonnent l'espoir. »

Lesser Slave Lake

Au lever de ce jour d'août 1909, un épais brouillard chargé d'humidité et de fraîcheur, contrastant avec les journées trop chaudes des semaines précédentes, surprit le capitaine Coolidge sur le pont du *Victoria*. Ancré au milieu de la rivière Athabaska, au nord d'Edmonton, Coolidge dut se rendre à l'évidence : il devrait patienter avant que le bateau à aubes de la Northern Transportation Company puisse reprendre son cours. Les passagers à son bord provenaient pour la plupart de l'est du Canada. Des gens simples, sans histoires, alléchés par les nouvelles terres et la promesse d'un avenir meilleur, comme sans doute l'avaient été leurs ancêtres plusieurs générations auparavant.

Leur périple avait d'abord vu s'écouler plusieurs jours d'une longue et harassante randonnée en train jusqu'à Winnipeg, au centre du pays. Malgré une nuit passée à l'hôtel, aucun d'eux ne réussit vraiment à chasser la fatigue accumulée. Elle s'accrochait farouchement à chaque voyageur et s'imprégnait dans les traits de leurs visages rompus. Ils s'étaient tout de même entassés de bonne grâce avec les nouveaux passagers, plus dispos, dans les wagons du train qui les avait emmenés brinquebalant jusqu'à Edmonton, beaucoup plus à l'ouest. De là, ils avaient poursuivi leur route en voiture à cheval jusqu'à Athabaska Landing. À cet endroit, soulagés de quitter la route cahoteuse, ils s'étaient enfin embarqués sur le *Victoria* à destination de Lesser Slave Lake, une petite ville isolée au nord de cette nouvelle province canadienne que l'on avait nommée Alberta.

Territoire autrefois habité exclusivement par des tribus indiennes, puis connu par la suite comme lieu de passage des chercheurs d'or chevauchant vers le Yukon, Lesser Slave Lake était devenue une ville en plein essor. L'évêque missionnaire de l'endroit, Mgr Grouard, attirait à lui seul bon nombre de Canadiens français venus grossir les rangs de cette population à la croissance fulgurante.

Malgré l'heure matinale, les voyageurs fourbus s'éveillèrent les uns après les autres à bord du *Victoria*, sans doute tirés de leur sommeil par le tintamarre du cuistot brassant sans ménagement ses casseroles. Le premier passager à paraître sur le pont semblait d'humeur maussade. Ses cheveux grisonnants en bataille lui poussaient encore au milieu de la tête jusqu'à l'arrière du crâne. Une barbe de quelques jours et des vêtements débraillés n'arrangeaient en rien sa mine rébarbative. Il pivota lentement sur lui-même en plissant davantage ses yeux ridés, cherchant à percer le brouillard opaque qui s'était abattu sur la rivière. Son regard s'arrêta ensuite sur le capitaine immobile. Il glissa les mains dans ses poches et s'en approcha en se traînant les pieds.

— Est-ce qu'on va rester coincés icitte encore longtemps, gériboire ?

— C'est pas moi qui peux décider de ce que fera le brouillard, Charron. Mais tant qu'on verra pas à vingt pieds en avant du bateau, on bouge pas de là.

Le capitaine connaissait fort bien Charron pour l'avoir maintes fois pris à son bord. Celui-ci renâcla et s'éclaircit la gorge. Il sortit une main de ses poches et pointa son index encrassé sous le nez de Coolidge.

— Écoute ben ! vociféra-t-il. Moi, j'ai autre chose à faire que de niaiser icitte à attendre que le beau capitaine soit prêt à lever l'ancre. Ça fait qu'arrange-toi donc pour faire tourner tes maudites roues à aubes, qu'on puisse se remettre à avancer un peu !

Tournant aussitôt les talons devant le capitaine médusé, il se dirigea de son pas traînant vers la cuisine. Il lança au passage un crachat dans la rivière et s'engouffra à l'intérieur par la porte qu'il avait laissée entrebâillée.

D'autres voyageurs, alertés par ses éclats de voix, se présentèrent à leur tour sur le pont du bateau. Étonnés devant le paysage fantomatique qui s'offrait à eux, ils saluèrent le capitaine Coolidge avec un mélange de respect et de consternation. Gardant son calme, Coolidge se contentait de hocher la tête sur laquelle s'écrasait sa casquette de marin défraîchie. Il s'alluma une pipe dont les volutes de fumée se confondirent rapidement avec les nuées brumeuses qui flottaient dans l'air et enveloppaient son bateau.

Il y avait, parmi ces personnes venues sur le pont, la famille Harper. Les deux plus jeunes enfants s'accrochaient timidement à la longue robe grise de leur mère. Leur sœur aînée, Laura, avait enfilé une robe marine à large col blanc expressément pour le voyage en bateau. Elle toussotait et reniflait encore derrière ses parents, comme elle l'avait fait depuis le début du voyage. Les Harper étaient des gens modestes du nord de l'Ontario. Ils étaient partis dans l'espoir d'échapper à la misère des travailleurs saisonniers. Monsieur Harper souhaitait trouver dans l'Ouest un lopin de terre où ils pourraient faire l'élevage d'animaux de boucherie. C'est du moins ce que les racoleurs leur avaient promis pour les attirer si loin.

Tout près d'eux se tenaient, guindés, monsieur et madame Donnelly. Ceux-là, habillés en noir de la tête aux pieds, étaient de prospères commerçants de Lesser Slave Lake rentrant à la maison. Ils avaient séjourné trois semaines à Kingston, appelés au chevet de la sœur mourante de madame Donnelly. Cette sœur mal aimée avait eu l'impudence de se montrer plus coriace que prévu, avant de s'éteindre enfin dans un excès de délire. Gordon Donnelly était un homme aux principes autoritaires pour qui la dignité des gens devait prévaloir jusqu'à leur dernier souffle. Il avait toutefois eu du mal à cacher sa satisfaction lorsque sa femme, le visage à demi enfoui dans un mouchoir brodé, avait mis la main sur une somme rondelette de l'héritage légué par la défunte.

Plus loin, un jeune couple aux cheveux foncés et aux formes tout en rondeurs s'amena, sourire aux lèvres, en tenant un petit garçon de deux ans par la main. Honoré Corbeil avait été contremaître en construction dans une région agricole du Québec. En manque de travail, il avait gratté les fonds de tiroir pour se lancer dans cette aventure vers l'Ouest. Téméraire et orgueilleux, il rêvait de faire fortune et d'étaler son succès aux yeux de tous. Antoinette, sa femme, l'avait suivi à contrecœur. Celle qui affichait habituellement une attitude de meneuse s'était laissé séduire en ces temps difficiles par la perspective d'un avenir meilleur pour ses enfants et, bien entendu, par l'enthousiasme débordant de son mari. « Qui prend mari prend pays », s'était-elle répété pour s'en convaincre tout au long du trajet, sans pour autant réussir à se débarrasser de l'inquiétude qui la rongeait. Les Corbeil déclinèrent poliment l'invitation du capitaine qui les pressait vers la cuisine. Ils préférèrent attendre le réveil de Joseph-Omer Boulanger et de sa femme, Florida, avec lesquels ils s'étaient liés d'amitié en cours de route.

Joseph-Omer et Florida venaient à peine de se marier, bien qu'ils aient tous deux atteint la trentaine. Même s'il était fils de cultivateur, Joseph-Omer n'éprouvait aucun attrait pour la terre. Il s'était donc appliqué à apprendre le métier de forgeron et il s'en accommodait fort bien. Florida était la fille de l'un de ces nombreux travailleurs québécois exilés en Nouvelle-Angleterre, partis travailler à la dure dans les usines de textiles. Elle était née là-bas. Au bout de quelques années, sa famille était revenue dans sa Beauce d'origine. À sa majorité, Florida avait migré à Montréal avec son frère Laurent. Ils s'étaient installés dans un petit logement minable de la rue Maisonneuve. Elle faisait des travaux de couture pour gagner sa pitance pendant que son frère entamait des études en médecine.

Sa rencontre avec Joseph-Omer avait été fortuite et tardive. Elle était survenue lors d'une de ses rares sorties avec une amie à la cabane à sucre des Boulanger. Le hasard voulut qu'il existât un lien ténu de parenté entre cette amie et la famille de Joseph-Omer. Après plus d'un an de fréquentations sporadiques, ils avaient convenu que s'ils devaient se marier, ils iraient rejoindre le frère de Florida dans l'Ouest, car Laurent Gauthier pratiquait maintenant la médecine dans ce coin perdu depuis plus de deux ans déjà et Florida s'en ennuyait. Il y soignait surtout les Indiens et les Métis. C'était là une façon, à l'époque, de parfaire sa médecine quand les moyens financiers vous manquaient. Sans aucune famille dans ces contrées lointaines, il n'avait compté ni les heures ni les déplacements de campement indien en campement indien pour tromper l'ennui. La perspective d'accueillir sa sœur et le mari de celle-ci à Lesser Slave Lake représentait pour lui un cadeau inespéré.

Contrairement à Antoinette qui angoissait à la vue de ces lieux inconnus, Florida s'en trouvait pour sa part exaltée. Chaque nouveau paysage qui avait défilé devant elle avait attisé sa curiosité et elle était impatiente de découvrir celui qui clôturerait son voyage. Après tout, elle était issue d'une famille d'exilés et elle en était elle-même à son troisième déracinement. Cependant, la certitude de retrouver son frère Laurent était sans doute ce qui l'enthousiasmait le plus. Pour Joseph-Omer, tout avait été plus difficile. Non seulement avait-il dû faire suivre tout son attirail de forgeron dans de grosses caisses en bois, mais sa famille s'était opposée presque en bloc à un tel départ. L'argument le plus souvent employé par ses frères pour tenter d'infléchir sa décision consistait à lui faire remarquer toute la peine qu'il causerait à ses vieux parents. Il avait dû rencontrer son père et sa mère en privé et leur expliquer tout doucement ses aspirations afin d'obtenir leur bénédiction. Par la suite, il n'était plus jamais revenu sur cette décision.

Il y avait un autre passager sur ce bateau, le révérend James Matthewson. C'était un pasteur protestant aux dehors plutôt aimables, contrastant avec son costume sobre et sévère. Cette apparente bonhomie envers tout le monde ne l'empêchait pas de s'isoler fréquemment dans sa cabine pour y lire la Bible. On le voyait surtout durant les repas où il bavardait souvent avec les Donnelly. On n'aurait su dire si c'était pour leur apporter une certaine forme de réconfort en ces jours de deuil, ou bien pour discuter des futures exigences de la paroisse protestante. Quoi qu'il en fût, c'était avec la Bible en main, ce matin-là, qu'il se dirigea d'un pas rapide vers la cuisine, en adressant un sourire bienveillant et un « *Good morning !* » à ceux et celles qu'il croisa sur le pont.

Finalement, on retrouvait également Buck, le cuistot métis, et Andy Boots, désigné comme homme à tout faire sur l'élégant *Victoria*. Boots s'affairait à cette heure matinale à chauffer la chaudière du bateau avec quelques bonnes grosses bûches de bois sec. La pression dans le bassin de vapeur devait être suffisante pour faire tourner les roues à aubes lorsque le capitaine donnerait enfin l'ordre de lever l'ancre.

Les Boulanger firent leur apparition, l'œil pétillant, se tenant bras dessus bras dessous. Joseph-Omer était de stature moyenne, même si ses cheveux châtains lissés vers l'arrière avec une houppe sur le devant le faisaient paraître un peu plus grand qu'il ne l'était en réalité. Ses yeux gris semblaient sourire autant que sa bouche et lui donnaient un air déluré. Il avait profité de l'air frais du matin pour étrenner une veste carrelée aux couleurs fauves achetée chez Eaton, au départ de Montréal. Arborant une chemise chocolat au lait et un pantalon beige qui s'harmonisaient joliment ensemble, il ne pouvait qu'attirer tous les regards. Florida ne le lâcha pas d'un pouce, même si l'endroit et l'heure étaient loin d'être propices à toute forme de séduction.

Celle-ci devait souvent lutter contre la jalousie, ce qui la faisait parfois douter d'elle-même et suspecter les autres. Elle avait pourtant un visage agréable, plus ovale que celui de son mari, avec de grands yeux d'un brun presque aussi foncé que ses cheveux savamment remontés en chignon sur le dessus de la tête. Des lèvres minces et un menton volontaire suggéraient un caractère fonceur. Pour ne pas détonner avec son mari ce jour-là, elle avait enfilé sa blouse blanche à jabot et une longue jupe noisette.

Apparemment, la nuit avait été agréable et les Boulanger n'avaient pas ressenti le besoin de se lever d'aussi bonne heure que tous les autres. Seul passager présent sur le pont depuis plusieurs minutes, Honoré Corbeil patientait toujours, un sourire accroché aux lèvres.

— Bon ! Enfin, vous v'là ! Ouais, mon Joseph-Omer, ça dormait ben à matin.

Le jeune marié sourit gentiment pendant que sa femme rougissait à vue d'œil, sachant très bien ce que ce coquin d'Honoré avait en tête.

— J'aurais dormi encore un peu, répliqua Joseph-Omer, mais j'avais peur qu'on me serve des crêpes froides.

Honoré partit d'un grand éclat de rire.

— Va raconter ça à d'autres que moi, mon sacripant ! Par contre, si on se dépêche pas, c'est vrai qu'on va manger froid s'il y a encore de quoi se remplir la panse. D'autant plus que le cuisinier est pas mal bougon. Pas autant que Charron, évidemment, mais pas loin. Allez, venez-vous-en. J'ai une faim de loup !

— Pourquoi est-ce qu'il est toujours grognon comme ça, le bonhomme Charron ? demanda Florida, toujours accrochée au bras de son mari.

— C'est un vieux fou, répondit Honoré. D'après le capitaine, qui le connaît ben mieux que moi, il est devenu insupportable juste après son retour du Klondike. Il aurait trouvé assez d'or là-bas pour vivre convenablement. Ben non ! Aussitôt revenu à Winnipeg, il s'est mis à boire et à jouer aux cartes dans les saloons de la ville. Il aurait pratiquement tout perdu, du moins à ce qu'on raconte. Apparemment, à chaque automne il remonte dans le Nord pour trapper pis vendre ses fourrures à la Compagnie de la Baie d'Hudson. Au printemps suivant, quand il retourne à Winnipeg, il se remet à boire avec l'argent qu'il a gagné pendant l'hiver. En fin de compte, il a jamais une cenne qui l'adore, pis il s'imagine que c'est de la faute de tout le monde, sauf de la sienne.

— C'est ben effrayant ce que la boisson peut faire, murmura Florida pensive.

— Un petit verre de vin de temps en temps, Florida, t'haïs pas ça toi non plus, lui fit remarquer Joseph-Omer, sourire en coin.

— Je te demande ben pardon, Joseph-Omer Boulanger, s'indigna Florida, gênée du jugement qu'Honoré aurait pu porter à son endroit. Moi, j'en prends juste quand c'est fête !

— Bon, pas de chicane. Allons plutôt manger, reprit Honoré en riant. S'il n'y a pas de vin, au moins il y aura du bon thé chaud.

Il régnait une chaleur agréable dans cet espace aménagé en salle à manger. Une dizaine de petites tables rondes recouvertes de nappes vert menthe occupaient l'essentiel de la pièce. Trois grandes fenêtres de chaque côté laissaient filtrer la lumière du jour, épargnant ainsi l'utilisation des lampes à l'huile. La salle à manger ressemblait en fait à une cafétéria. Chacun devait aller chercher son assiette au comptoir, derrière lequel se tenait Buck, l'imposant Métis. Installée dans un coin, Antoinette finissait de siroter sa deuxième tasse de thé, pressant contre elle son petit garçon assis sur ses genoux.

Elle parut soulagée de voir entrer le petit groupe et se mit à leur faire de grands signes de la main pour signaler sa présence. Les traînards reçurent leur petit déjeuner de façon plutôt bourrue au comptoir. De toute évidence, le cuisinier n'aimait pas trop les retardataires. Le trio alla ensuite s'attabler auprès d'Antoinette, qui les attendait sur le bout de sa chaise.

— Il était temps que vous arriviez, chuchota-t-elle. Charron arrête pas de me regarder depuis tout à l'heure.

Son mari jeta un coup d'œil vers Charron qui, bien avachi, rotait insolemment son déjeuner à deux tables de là, un cure-dents planté de travers entre ses lèvres souillées de sirop collant.

— Je te dis que c'est pas lui qui a inventé la politesse, ronchonna Honoré.

Charron les observait du coin de l'œil et il entendit la remarque. Il sauta sur la trop belle occasion qui s'offrait à lui pour déverser tout le fiel de la mauvaise humeur qui grondait en lui.

— Ça t'arrive jamais de roter, toi, gériboire ? À manger comme un cochon comme tu le fais depuis que tu t'es assis, il faudra pourtant que tu te soulages autant que moi, lui dit-il d'un air narquois.

Le bonhomme appuya ses deux coudes sur la table et dévisagea insolemment le gros menuisier qu'il venait d'insulter. Honoré reçut la réplique tel un direct sur le nez. Déposant ses ustensiles, il se redressa l'air menaçant. Joseph-Omer lui posa une main sur le bras pour tenter de le calmer et éviter que la situation ne s'envenime.

— S'il y en a un qui est un maudit cochon icitte, c'est ben toi, Casimir ! riposta Honoré. Tu passes ton temps à roter pis à péter devant tout le monde. Sans parler de la manière dont tu t'es habillé. On dirait que tu sors d'une soue !

Le bonhomme, qu'on évitait habituellement de provoquer sur ce ton, parut secoué. Il retrouva cependant vite sa contenance, réalisant du même coup qu'on l'avait interpellé par son prénom, ce qu'il détestait souverainement.

— Appelle-moi plus jamais Casimir, toi, mon gériboire! vociféra-t-il.

— Qu'est-ce qu'il y a? C'est pourtant ben ton nom, ça. Casimir Charron. Pis si tu continues à nous écœurer comme tu le fais, ça sera plus Casimir, ça sera quasi mort!

Cette fois, c'en était trop. Serrant les dents, Charron se leva d'un trait, renversant du même coup sa chaise derrière lui. Buck, qui dépassait à peu près tout le monde d'une tête, accourut aussitôt devant ce tapage.

— Wo! Wo! tonna-t-il de sa voix puissante qui écorchait le français. Je veux pas de bataille sur le *boat*. *I swear* sur la tête de ma mère que si vous me faites du trouble, je *call* la police montée aussitôt qu'on aura mis les pieds à Mirror Landing. *Right?*

Il mit sa grosse main sur l'épaule de Charron pour lui faire comprendre qu'il ne laisserait plus rien passer.

— Toi, t'as fini manger, lui dit Buck. Sors dehors respirer le *fresh air* du matin, ça va t'aider à *diriger* la crêpe.

— Je vais sortir, couina Charron. Mais laisse-moi te dire que le gros Corbeil, je vais lui faire ravaler ses paroles à un moment donné, pis en gériboire à part de ça!

Il lança un regard hargneux vers Honoré, puis pivotant sur lui-même, il partit la tête plus haute qu'à son habitude et claqua la porte de la salle à manger en sortant. Buck remit la chaise en place. Ensuite, il desservit lentement la table qu'avait occupée l'importun. Il y flottait encore un âcre mélange d'odeurs du petit déjeuner et de linge sale.

— Charron est en manque de boisson, dit-il sans lever la tête de son occupation. *Don't worry,* le voyage achève.

Le cuisinier retourna derrière son comptoir, laissant le silence retomber sur la salle pétrifiée. Seul le bruit déplaisant des chaises grinçant sur le plancher de pin, retirées à la hâte par quelques convives fuyant vers leurs cabines, brisa ce silence lugubre. Honoré raclait doucement son assiette, avec une mine grave qu'on ne lui connaissait pas. Antoinette, pensive, fixait sa tasse de thé refroidi. Soudainement, Joseph-Omer pouffa de rire devant les autres qui le regardèrent hébétés.

— Casimir, quasi mort, parvint-il à dire entre deux soubresauts. Tu l'as quasiment insulté, Jupiter !

Honoré se mit à siler, le visage crispé. Puis tous éclatèrent d'un rire joyeux, heureux de revenir à ces sentiments familiers qui les faisaient se plaire en compagnie les uns des autres.

À l'extérieur, le soleil perça enfin le brouillard laiteux. Le *Victoria* put alors reprendre son périple, au grand soulagement du capitaine Coolidge. Celui-ci n'en pouvait plus d'entendre maugréer Charron qui faisait les cent pas sur le pont du bateau depuis qu'il avait été chassé de la salle à manger.

Quand ils arrivèrent à Mirror Landing, à l'embouchure de la petite rivière des Esclaves, tous les passagers descendirent tel qu'il avait été convenu. Ils devaient alors longer les rapides en charrette jusqu'à Soto Landing. À cet endroit, un autre bateau à vapeur peint en rouge et blanc les attendait. Le capitaine du *Beaver* accueillit les voyageurs avec un plaisir évident. Le jeune matelot de faction, un certain Willy Jobin, s'affaira vaillamment dès l'arrivée des passagers en charrette. Il aida tout le monde à charger les bagages sur le bateau avec une bonne humeur et une disponibilité exemplaires.

Le matelot Jobin, comme on le surnommait, était originaire de Lac la Biche, à quelque distance à l'est de Lesser Slave Lake où il avait grandi par la suite. Âgé de dix-huit ans, il avait réussi à se faire engager comme matelot en insistant sur sa connaissance des trois langues usuelles et des hauts fonds du lac, ainsi qu'en vantant son ardeur au travail. Ce dernier critère s'était avéré décisif. Opportuniste, la Northern Transportation avait accepté de l'embaucher à la condition qu'il travaillât plus fort que quiconque. Ce qu'il avait fait. Il avait développé de cette façon une force et une agilité à faire pâlir d'envie ses copains les plus en forme. Il prenait plaisir dans ce travail qui lui permettait d'être le premier à connaître les nouveaux arrivants et, parfois, de se lier d'amitié avec quelques-uns d'entre eux.

Lorsqu'il eut traversé le Petit Lac des Esclaves de part en part, le *Beaver* arriva en vue de la petite ville de Lesser Slave Lake, située au fond d'une petite baie complètement à l'ouest du lac. Tous les passagers se tenaient sur le pont, non sans une certaine fébrilité. Ceux qui connaissaient l'endroit étaient contents d'y revenir et surtout heureux de l'aboutissement de cet interminable voyage. Ils parlaient à voix basse, anticipant le retour dans le confort de leurs foyers. Les autres demeuraient silencieux, observant avec curiosité tous les détails qui surgissaient peu à peu à l'horizon, guettant un signe qui leur aurait permis de croire en un destin prometteur.

La première chose qu'ils remarquèrent fut la surprenante animation qui régnait dans la baie, alors que la ville, tout au fond, paraissait figée dans un calme serein. Elle était hérissée de petites maisons blanches et carrées avec des toits rouges, aux couleurs du bateau qui les emmenait. On apercevait un autre bateau-vapeur quitter la ville et se diriger en aval de la rivière La Paix. Un troisième navire semblable était amarré le long du grand quai en bois. Çà et là, quelques canots allaient et venaient, glissant harmonieusement au rythme des pagayeurs. Un peu plus loin, une barque de pêcheurs faisait du sur-place, ses occupants attendant la prise de ce qui constituerait un bon repas.

Au fur et à mesure que le bateau se rapprochait, on se rendait compte que les maisons étaient en fait beaucoup plus imposantes qu'on ne l'aurait cru. Construites sur deux étages, elles étaient sans doute idéales pour héberger des familles nombreuses. Le couvent des religieuses se distinguait facilement au milieu de ce décor, dominant par sa taille tous les autres édifices environnants. On discernait également les églises, sinon les trois clochers qui les représentaient. La végétation cachait en partie d'autres bâtisses qu'on devinait vaguement à l'arrière-plan. Les résidants qui descendaient vers le quai captaient maintenant toute l'attention des passagers. Ils espéraient reconnaître un visage familier parmi ces badauds qui n'étaient, pour l'instant, que des taches de couleurs agitant la main en leur direction.

— Ton beau-frère doit être là à vous attendre, évoqua Honoré songeur, en se tenant appuyé sur la rampe du navire tout près de Joseph-Omer.

Ce dernier ne répondit pas tout de suite, se contentant de hocher la tête, à la fois inquiet de débarquer dans ce lieu qui lui semblait être le bout du monde et heureux d'y avoir un contact.

— Toi, Honoré, tu connais personne dans cette ville ? Ça doit pas être facile d'arriver comme ça, sans avoir de parenté ou ben un ami sur qui compter.

Honoré rit nerveusement devant cette vérité qu'on lui mettait crûment sous le nez.

— Je vous connais vous autres ! se reprit-il. Pis, il y a des hôtels où on peut se loger en attendant de se revirer de bord. Le matelot m'a même dit que les sœurs au couvent pouvaient nous héberger pour un temps, si jamais on était mal pris.

— Tu regrettes pas d'avoir quitté ta région ? lui demanda Joseph-Omer, pas beaucoup plus rassuré que son compagnon.

— À Saint-Pie, il y avait pas assez d'ouvrage pour un gars de la construction. Les vieux sont tous au village. Quand il y en a qui meurent, d'autres les remplacent dans les mêmes maudites maisons. Dans les rangs aux alentours, si quelqu'un décide de se construire une grange ou n'importe quoi d'autre, il fait venir toute sa parenté, pis même jusqu'au troisième voisin, pour l'aider à bâtir. S'il t'engage, tu es le seul à te faire payer, pis tout le monde te regarde de travers. Ça fait que les annonces qui ont paru dans les journaux m'ont facilement attiré icitte. C'est une place qui est en plein boum. Vois-tu les maisons ? Il y en a pas beaucoup dans le tas qui ont plus de dix ans. Au moins, j'aurai pas le temps de m'ennuyer icitte.

— Joseph-Omer ! Joseph-Omer ! Regarde, il est là !

Florida venait d'accourir auprès de son mari et pointait de son index le groupe de personnes agglutinées sur le quai. Elle s'était ensuite mise à envoyer de grands signes de la main en affichant l'éclat de ses dents blanches dans la luminosité du soleil.

— Tout d'un coup que ce serait pas lui, l'avertit Joseph-Omer sur un ton moqueur.

— Ah ! Je le connais, mon frère, répliqua Florida sans cesser d'agiter la main. Il y en a pas d'autres que lui pour descendre sur les quais en chemise blanche, comme ça. Laurent ! On est là ! C'est nous autres ! s'écria-t-elle aussi fort qu'elle pouvait.

Le docteur Gauthier répondit aux salutations de la silhouette féminine au loin, se disant que ça ne pouvait être que sa sœur qui trépignait sans arrêt sur le bateau. Cependant, plusieurs personnes eurent le même réflexe que lui et c'est une demi-douzaine de mains qui s'élevèrent en même temps pour saluer Florida.

— Dis-moi pas que c'est toute ta parenté ! s'exclama Joseph-Omer en se retenant pour ne pas rire.

Florida cessa de s'exciter sur le pont du navire. Elle se rendit compte qu'elle était devenue l'objet de tous les regards.

— Ben non, dit-elle en rougissant. C'est pour les autres passagers qu'ils envoient la main. Pis arrête donc de me taquiner, toi !

Quelques minutes plus tard, le *Beaver* s'amarrait au quai,

guidé par les mains expertes de son capitaine. Dans l'énervement général qui régnait de part et d'autre, on entendait la rumeur des voix tant en français qu'en anglais. Quand ils mirent pied à terre, les voyageurs s'empressèrent de se diriger vers ceux qui les attendaient. Florida, surexcitée, sauta dans les bras de son frère dans une étreinte à lui couper le souffle. Laurent, vêtu plutôt élégamment, retrouva lui aussi sa sœur dans un élan de joie non dissimulée et reçut ce beau-frère, qu'il rencontrait pour la première fois, avec beaucoup de cordialité.

— Eh! que je suis contente d'être là, ne cessait de répéter Florida.

Même si Laurent Gauthier avait le visage plus étroit que celui de sa sœur, ses lèvres minces tout comme la carrure de son menton lui donnaient à coup sûr un air de famille. Grand, élancé, impeccablement coiffé et doté d'un regard perçant, il imposait le respect par sa seule présence. On s'empressa de lui présenter les Corbeil qui piétinaient tout près de là, et qu'il accepta immédiatement comme s'ils étaient de vieux amis. Ils demeurèrent regroupés aux abords du quai pendant que des manœuvres s'affairaient à décharger le bateau de ses malles, coffres, caisses et bric-à-brac de tous genres.

Au même instant, le révérend Matthewson était reçu avec beaucoup d'empressement par l'aumônier anglican suppléant et d'élégantes dames de sa communauté. Elles le cajolaient presque pendant que le révérend les complimentait sur leur chic tenue. Les Harper, un peu à l'écart, écoutaient avec attention les conseils judicieux que prodiguait un représentant municipal. Les Donnelly, quant à eux, ne démontrèrent pas beaucoup d'enthousiasme devant l'arrivée brusque de leur fils avec la calèche familiale. Son unique tâche, semblait-il, consistait à ramener ses parents à la maison le plus rapidement possible. Charron, lui, quoiqu'il fût de tous celui qui comptait le moins de bagages, descendit du bateau après tout le monde. Il transportait sur son dos une simple poche en coton, qui ne paraissait pas entièrement remplie et qu'il tenait d'une seule main par son extrémité lacée. En posant le pied au sol, il se contenta d'y envoyer un crachat, marquant ainsi son retour dans ce coin de pays. Ensuite, il se dirigea de son éternel pas traînant vers l'hôtel Western où il avait ses habitudes, buvait du whisky bon marché et pouvait parfois s'offrir une fille, en échange de quelques dollars.

Pendant ce temps, une jeune religieuse au regard intense et aux traits délicats s'approchait doucement du docteur Gauthier. Sa démarche assurée s'accordait avec son maintien décontracté. Elle paraissait déjà connaître le médecin, qu'elle regardait en souriant. La religieuse portait la longue robe noire caractéristique des congrégations catholiques. Une cornette blanche lui encerclait le visage, sur le front et de chaque côté des joues. Ses yeux vert grisaille tranchaient par leur couleur sur la pâleur de son teint. Ses lèvres, particulièrement fines, dessinaient un sourire affable.

— Bonjour, Docteur ! Je vois que vous avez reçu votre grande visite. Je suis sœur Rébecca, dit-elle en devançant les présentations et en tendant la main vers Florida. Je suis ici pour m'assurer que les nouveaux venus ne seront pas laissés à eux-mêmes à leur arrivée.

— Ne vous en faites pas, ma sœur, intervint tout de suite Laurent. Ma petite sœur Florida, dont je vous ai déjà parlé abondamment, et son mari Joseph-Omer, que voici, s'installeront chez moi le temps qu'il faudra pour qu'ils se trouvent un logis. Quant à la famille Corbeil, je suis prêt à les accueillir également, si cela peut les accommoder.

— Non, non, Docteur, s'interposa Honoré en sortant subitement de son mutisme. C'est beaucoup de gentillesse de votre part, mais vous recevez déjà des membres de votre famille que vous avez pas vus depuis longtemps. Vous aurez plein de choses à vous raconter. Vous comprenez ben qu'Antoinette, Raoul pis moi, on se sentirait de trop. S'il y a autant d'ouvrage qu'ils le prétendaient dans le journal avant que je parte, ça me prendra pas de temps pour en trouver. Je réussirai ben à profiter de mes moments libres pour construire notre propre maison. Il faut s'attendre à ce que la famille finisse par s'agrandir bientôt.

Il en profita pour lancer un clin d'œil à Antoinette qui se mordilla les lèvres. S'il avait pu entendre les pensées qui se bousculaient dans son esprit, il aurait sans doute déchanté.

« De toute évidence, Honoré ne s'est pas demandé si je serais contente d'être hébergée chez un médecin, se disait-elle. Il me semble que ça nous aiderait à chasser toute cette fatigue du voyage. J'en aurais de besoin, j'ai mal partout. Quant à ses clins d'œil, je vais lui en faire tout un, moi, tantôt. »

Laurent et Joseph-Omer avaient encouragé Honoré à la blague avec des « Ouais ! » prometteurs et la religieuse avait souri timidement.

— Si vous cherchez un endroit où loger en attendant, suggéra sœur Rébecca, il y a l'hôtel Royal qui est très bien tenu, avec de belles grandes chambres. Ils offrent des tarifs au mois, incluant trois repas par jour. La plupart des gens qui nous arrivent y séjournent un certain temps. Cependant, si votre condition ne le permet pas pour le moment, nous pouvons vous fournir le gîte et le couvert. Évidemment, ce n'est pas aussi spacieux ni aussi copieux qu'au Royal, mais vous aurez tout au moins un toit sous lequel dormir.

— Je vous remercie de votre générosité, ma sœur, dit Honoré. Mais l'hôtel Royal devrait nous convenir en masse pour le moment.

Antoinette écarquilla les yeux et regarda son mari, se contenant avec difficulté pour ne pas lui exposer immédiatement et sans retenue sa façon de penser.

— D'accord, acquiesça sœur Rébecca. Dans ce cas, je me ferai un plaisir de vous y mener tout à l'heure. Pour l'instant, je dois aller voir le capitaine. Ça fait un bon moment qu'il nous promet d'apporter les marchandises destinées au couvent. Alors à tous, bienvenue à Lesser Slave Lake ! Et... bonne journée à vous, Docteur Gauthier.

Florida regarda la religieuse s'éloigner en une gracieuse ondulation vers le bateau.

— Eh ben ! On croirait que tu lui as tapé dans l'œil, mon Laurent, commenta-t-elle.

— C'est moi qui suis le responsable de la santé des religieuses au couvent, se contenta-t-il de répondre en guise d'explication.

Il leva un sourcil interdit vers sa sœur qui continuait à lui lancer un regard scrutateur. Pendant ce temps, Antoinette avait tiré son mari à l'écart et le questionnait à voix basse sur un ton de reproche.

— Voyons donc ! Pourquoi t'as pas sauté sur l'occasion d'être logé à si bon prix ? On a pas d'argent plein les poches, nous autres ! Veux-tu ben me dire qu'est-ce qui t'a passé par la tête ? J'en reviens pas !

— Antoinette ! C'est pas en logeant au couvent que la famille va s'agrandir. Pis, si c'était le cas, ça ferait pas des enfants forts, répondit-il en la prenant par le bras.

— Non mais, ça se peux-tu ? Il pense rien qu'à ça, ma parole ! Pis moi, là-dedans ? As-tu pensé à ce que moi j'aurais souhaité, pour une fois dans ta vie ?

Mal à l'aise, Honoré évita de croiser le regard de sa femme qui lui décochait des flèches enflammées. Il la ramena, navré, vers ses nouveaux amis, en bredouillant des excuses sincères tout en lui tapotant doucement le bras.

* * *

Entre-temps, arpentant la ville avant tout le monde, Charron faisait irruption au Western. Le bavardage des quelques clients attablés dans la salle, sinon accoudés au bar, cessa sur-le-champ. On connaissait trop bien Charron: sa mauvaise réputation le suivait partout. Dans le passé, plusieurs habitués avaient eu maille à partir avec lui et ils avaient amplifié sa notoriété de façon caricaturale en racontant leurs altercations avec le trappeur. Le bonhomme ne leur accorda à peine qu'un bref regard qui balaya la salle au complet. Une demi-douzaine de grandes tables jaunâtres, bordées de bancs noueux, s'étiraient en équerre de chaque côté de la porte. Les murs, retapés, étaient tapissés de larges bandes verticales où alternaient le gris pâle et l'amande. Quelques hommes au teint basané s'étaient réunis dans un coin, près de la fenêtre. Ils avaient posé leurs chopes de bière et lorgnaient maintenant en sa direction. Au centre de la pièce, trois tables carrées sur la dizaine qui s'y trouvaient recevaient un petit groupe d'habitués. Tout au fond, là où s'étendait le bar, deux buveurs solitaires placés à chacune de ses extrémités s'étaient seulement retournés, taciturnes. Charron, indifférent au silence qu'il venait de provoquer, alla s'asseoir comme de coutume sur le tabouret situé au beau milieu du comptoir.

— *Hi*, Tommy ! À ce que je vois, ta clientèle s'est pas beaucoup améliorée depuis la dernière fois que je suis venu icitte, gériboire !

— *Goddam !* Ça m'a l'air que ce sera pas encore pour aujourd'hui, *Mister* Charron, répliqua le tenancier sur le ton de celui qui en avait vu d'autres.

Charron s'efforça de sourire et se gratta le menton.

— Sers-moi donc un whisky, en attendant de me louer ta meilleure chambre. Toujours au meilleur prix, évidemment, étant donné que tu me connais autant.

— On te garde toujours *le* même chambre, Charron, affirma Tommy en lui versant un verre. Je pense à écrire ton nom sur *le* porte. *By the way,* les prix ont pas changé *depouis* l'année passée. Ça, c'est bon pour toi, *my friend.*

— Gériboire ! Pas autant que ton petit remontant...

Plus de deux heures s'étaient écoulées, durant lesquelles Charron avait siroté verre après verre sans décoller de son siège, avant que le matelot Jobin ne fasse irruption à son tour.

— Hé ! Ti-bout ! Arrive icitte ! l'interpella aussitôt Casimir Charron sans lui donner la chance de dénicher un autre endroit où s'asseoir.

Jobin, visiblement mal à l'aise, s'installa sur l'un des deux tabourets libres de chaque côté du bonhomme.

— Veux-tu un whisky, matelot ? Je te paye la traite.

— Vous êtes ben aimable, Monsieur Charron. J'aimerais mieux une bière par contre, si ça vous dérange pas.

— Gériboire, de la bière... Vous autres, les jeunes, vous savez pas boire. Tommy ! Amène une bière au matelot. Lui, c'est un ti-gars qui travaille fort. Pis toi mon jeune, laisse faire le « Monsieur Charron ». On est pas assis dans le salon du premier ministre.

Pendant plusieurs minutes, Charron monologua plus qu'il ne discuta avec Willy Jobin. Il raconta comment on voyageait avant la venue des bateaux à aubes et à quoi ressemblait alors la région, sans aucun des villages qui avaient surgi ici et là par la suite. Le matelot ne l'écoutait qu'à demi, savourant lentement sa bière fraîche à la fin de cette journée harassante. Son attention disparaissait presque totalement chaque fois que la jolie serveuse passait tout près de lui, laissant flotter dans l'air un parfum de fruits exquis. Il la suivait du coin de l'œil, agacé par la hardiesse des propos de certains clients qu'il jugeait offensants à son endroit. La jeune serveuse se prénommait Clara. Il avait entendu Tommy et les clients attablés l'appeler à plusieurs reprises. Ce prénom sonnait comme de la douce musique à l'oreille du matelot. Pourtant, elle ne se souciait guère de l'attention de Jobin à son endroit ni ne paraissait froissée par ceux qui lui manquaient d'égards. Elle continuait de les servir toujours avec le même entrain.

Clara Manning se disait orpheline. Pourtant, elle était issue d'une famille de quatre enfants. Elle avait grandi à Saskatoon dans une pauvreté dont elle ne pouvait réaliser l'ampleur, à l'époque. Le maigre salaire d'ouvrier de son père, ajouté aux malheureuses cuites qu'il s'offrait trop souvent, laissait la famille sans ressources. Ils se terraient dans une bicoque malsaine au fond d'une allée terreuse, où ils échappaient aux regards de la société. C'était un milieu propice pour l'éclosion de la maladie. Sa mère et son frère aîné étaient morts de la tuberculose durant la même année. Clara et ses deux jeunes sœurs avaient été prises en charge par les religieuses. Elles y avaient été recommandées par le médecin qu'on avait fait venir trop tardivement. Son père, dépassé par l'ampleur de ces événements survenus coup sur coup, avait divagué pendant plusieurs jours. Ivre mort, il avait vainement tenté de s'enlever la vie en se tailladant les poignets avec un tesson de bouteille. Les autorités statuèrent alors qu'ils devaient le placer en maison de santé, à Winnipeg.

Clara se révéla être la terreur des religieuses au cours de l'année qu'elle passa parmi elles. Presque trop vieille pour être encore considérée comme une adolescente, elle n'en démontra pas moins une totale rébellion envers toute autorité et se fichait éperdument des obligations de la communauté. Elle montra constamment un sans-gêne redoutable qui fournit du matériel intéressant au confesseur de ces pieuses. Réprimandée, enfermée, privée de tout, elle s'était enfuie, laissant derrière elle ses deux petites sœurs qui se plaisaient déjà dans ce milieu réglementé à la table bien garnie.

Elle était partie à l'ouest, jusqu'à Edmonton. La jeune fille avait survécu difficilement, dénichant des petits boulots au hasard dans les restaurants de la ville ou au marché local. Heureusement, elle était jolie. Elle joua cette carte à maintes reprises auprès d'employeurs qu'elle charmait d'un sourire coquin. C'est sans aucun doute cette verte beauté qui attira l'attention d'un hôtelier de High Prairie. L'homme était venu à Edmonton pour y faire du recrutement. Ce jour-là, Clara regardait de loin le va-et-vient nonchalant autour des hôtels, comme elle aimait souvent le faire. Peut-être pour se remémorer ce père qui lui manquait, malgré tous les défauts dont il était affligé. Quoi qu'il en soit, l'inconnu qui s'arrêta en la voyant lui offrit du travail dans son hôtel. Il lui promit qu'elle gagnerait dix fois plus d'argent là-bas qu'elle n'en ferait jamais ici. Elle le suivit naïvement. Au bout de quelques jours seulement, il la força sous la menace à se prostituer. Il lui avait présenté un long couteau dans une main et une liasse de dollars dans l'autre main, comme si elle disposait d'un choix. Clara sombra pendant six mois. Puis, jouant d'audace une fois de plus, elle s'enfuit vers le nord à bord d'une charrette de colons qui migraient inconfortablement vers Lesser Slave Lake. Là-haut, elle s'était réfugiée au Western, où Tommy ne l'avait obligée à rien d'autre que de servir gentiment la clientèle. Pourvu que les clients soient contents et qu'ils reviennent souvent: « *Business is business* ».

Willy Jobin ignorait tout de ce passé. À demi tourné vers Charron, il continuait à suivre discrètement les déplacements de la serveuse. Il s'étonna encore lorsqu'il la vit caresser doucement la joue de quelques types, en disant qu'ils feraient mieux de se raser de près s'ils voulaient avoir une chance de plaire aux dames. Cela déclencha aussitôt de grands éclats de rire chez ces rustauds.

Un grand gaillard, attablé non loin de là, s'approcha pour demander une autre bouteille à l'hôtelier. Jobin reconnut tout de suite Sam Perkins. Un homme dur qui ne se gênait pas pour défier quiconque aux poings. Invitation que l'on déclinait poliment, la plupart du temps. Du coin de l'œil, le grand Perkins jaugea Charron. Ce dernier ne lui prêtait aucune attention, trop occupé à son bavardage et perdu dans ses souvenirs.

— Tommy, j'espère qu'on héritera pas d'une grande gueule fatigante comme celle-là en ville, grogna Perkins. Encore un autre qui pense tout connaître ! Ça sait même pas comment ça se passe vraiment par icitte. Ça fait juste semblant, pour se donner de l'importance devant les morveux.

Charron se tourna lentement vers celui qui venait de l'écorcher au passage et se leva pour lui faire face. Habitué aux injures de toutes sortes, il n'était guère impressionné par celle qu'on venait de lui servir, même venant du rude Perkins.

— Tu sauras, mon grand fendant, que je connaissais la région comme le fond de ma poche pendant que tu faisais encore dans tes culottes. Quant à s'installer dans ce trou perdu que tu te pètes les bretelles en appelant une ville, t'en fais pas… J'aime mieux laisser ça aux rats, ajouta-t-il en dévisageant le grand bougre qui se mordillait les lèvres derrière sa grosse moustache noire.

— Wo ! Les gars, je veux pas avoir de bagarre dans l'hôtel. C'est compris ? s'empressa d'intervenir Tommy. *No fights here*, Sam.

— Je peux ben y arranger la face dehors, Tommy, répliqua Perkins. Ça me fera tout autant plaisir. Mais peut-être qu'il est trop peureux pour sortir s'essayer contre moi.

— Bonne idée ça, renchérit aussitôt Charron. Au moins dehors, tu sentiras un peu moins l'écurie !

Casimir Charron ne vit jamais venir le coup de poing qui l'étendit inconscient sur le plancher. Pas plus qu'il ne vit la mêlée qui s'ensuivit dans un tumulte de tables et de chaises renversées. Lorsqu'il reprit connaissance, il était couché sur le lit de sa chambre avec une serviette d'eau froide sur le front. La jolie serveuse le regardait, assise au pied de son lit. Tommy, les bras croisés sur le seuil de la porte, attendait en silence que le bonhomme amoché retrouve ses esprits.

— *Leave us alone, Clara,* dit simplement le tenancier lorsque Charron revint à lui.

Il referma derrière elle et alla s'asseoir à la place qu'elle venait de quitter.

— Comment ça va, le père ?

Il n'eut pour toute réponse qu'un grognement de douleur, alors que le bonhomme se frottait délicatement la mâchoire.

— *Listen to me,* Charron. *Tou* es un bon client, mais arrête de chercher le *trouble, Goddam* ! *Tou* m'en donnes autant à moi que *tou* t'en donnes à toi. Le *lounge* s'est vidé, tout à l'heure. Ça, c'est mes *revenous* qui s'en vont ! *You've been lucky* que Jobin saute sur Perkins, sinon *tou* serais à la clinique plutôt qu'icitte.

— Quoi ? Jobin s'est battu avec lui ?

— Ça m'a pris *dou* temps avant de les séparer, expliqua Tommy. Je *poux* te dire que c'est la première fois que je vois Perkins recevoir *un* raclée. Le *kid* l'a complètement *sourpris. He is strong and fast*. Soyez *sour* vos gardes, *toutes* les deux. À partir de maintenant, Perkins sera encore *plous dangerous* qu'avant.

Tommy se releva en lui tapotant la jambe et il ajouta avec un clin d'œil :

— Repose-toi un *pou*. Je vais demander à Clara de t'apporter un *lunch.* Il faut que *tou* reprennes des forces, parce que *tou* as vraiment pas *un bon* mine.

Clara achevait de ramasser quelques verres brisés pendant l'échauffourée, quelques bouteilles vides également qui avaient roulé çà et là, afin de pouvoir remettre les tables et les chaises en place.

— Une journée de foutue ! se dit-elle à mi-voix alors que son patron revenait dans la salle.

— Laisse-moi replacer tout ça, Clara, lui offrit gentiment Tommy en anglais. Prépare un sandwich pour Charron avec une tasse de thé. Ça devrait l'aider à se dégriser et à reprendre graduellement ses esprits. Ensuite, tu pourras aller te reposer jusqu'à demain.

— Merci, Tommy. La journée avait pourtant bien commencé, comme d'habitude, avant que tout soit mis sens dessus dessous en moins de cinq minutes.

— Quand Charron est en ville, rien n'est comme d'habitude.

— J'haïs ça, la bagarre, moi. C'est juste bon pour les abrutis, et Perkins donne pas sa place dans cette catégorie. Qui est l'autre gars qui s'est battu contre lui ?

— C'est Jobin, le matelot du *Beaver*. Il a du cran, le jeune. Faire face à Perkins devant tout le monde. En tout cas, je vais avoir besoin de tes plus belles manières au cours des prochains jours pour regagner la clientèle. Je sais que c'est pas toujours facile, surtout avec des clients comme le grand Sam, ou même Charron. Mais ils apportent de l'argent dans nos poches, ma belle.

— Je le sais, Tommy. Je connais mon travail, t'inquiète pas.

— À propos, les petits extras que tu fais parfois dans les chambres, t'es pas obligée d'accepter tout le temps, Clara. On s'était bien mis d'accord, toi et moi, lorsque je t'ai embauchée. Tu es libre de faire comme tu veux.

— J'accorde des… « petits extras » qu'à ceux qui me méritent et qui sont capables de payer généreusement. J'ai connu bien pire pendant les six mois que j'ai passés à High Prairie. Ici, c'est pas comparable. N'empêche que je ferai pas ce métier-là toute ma vie. Ça, tu peux me croire, Tommy. Mais en attendant, quand une bonne occasion se présente, par ici la monnaie !

— Mon *lunch* ! beugla Casimir Charron du fond de sa chambre.

— J'arrive ! lui cria à son tour Clara en pouffant de rire.

* * *

Durant les semaines qui suivirent, chacun des nouveaux arrivants tâcha de s'accommoder du mieux qu'il pouvait de sa situation temporaire. Les Harper visitèrent des lots qu'on leur proposait et dont la plupart étaient désormais situés à une certaine distance de la ville. Cela ne les embêtait pas le moins du monde, puisqu'ils recherchaient la tranquillité. Ils trouvèrent finalement le terrain qu'ils espéraient deux milles plus au nord. Dès que l'achat fut complété, ils se hâtèrent d'entreprendre les constructions indispensables avant la venue de l'hiver.

Les Boulanger, quant à eux, conseillés et financés par le docteur Gauthier, achetèrent un petit magasin général d'un commerçant aux prises avec le mal du pays. Ce marchand désirait retourner rapidement dans son Ontario d'origine. Il permit donc au jeune couple de s'installer dans sa nouvelle propriété moins d'une dizaine de jours après la transaction. Joseph-Omer y construisit tout de suite une annexe qu'il aménagea en boutique de forge. Florida avait déjà informé son mari qu'elle était enceinte depuis le voyage en bateau. Elle fit de son mieux pour tenir le magasin pendant les mois qui suivirent. Heureusement pour elle, la clientèle de la boutique de forge n'était pas encore bien établie. Joseph-Omer passa donc toutes ses heures libres à lui apporter une aide précieuse au magasin.

Tel qu'il l'avait promis, Honoré Corbeil ne mit pas de temps à se trouver du travail. Les Harper furent les premiers à l'embaucher. Son habileté et ses prix concurrentiels lui firent rapidement une bonne réputation. Il dut engager deux employés pour mener à bien tous les travaux qu'on lui demandait d'effectuer. L'arrivée de l'automne ne l'empêcha pas de mettre sa propre maison en chantier au travers de ses différents contrats. Celle-ci se distingua des autres habitations par sa couverture normande, laquelle se prolongeait à l'avant et recouvrait entièrement la galerie qui s'étalait sur toute la façade. Ce fut, pour les années qui suivirent, un peu comme sa propre signature sur plusieurs maisons qu'il allait ériger de la même façon aux alentours.

Bien qu'il eût entendu parler des frasques de Charron, grâce aux cancans des uns et des autres, Honoré ne le croisa qu'une seule fois après sa prise de bec à bord du *Victoria*. Cela se présenta au cours d'une de ces journées maussades, quand la pluie tombe abondamment sans offrir le moindre répit. Un peu moins d'une semaine s'était écoulée depuis qu'Honoré était à Lesser Slave Lake. Il marchait courbé en direction du moulin à scie, fouetté par le vent et la pluie dont il cherchait à se protéger le visage. Le menuisier avait l'intention de s'y réserver un lot de bois de planches qui lui servirait chez les Harper. Au moment où il traversait la grande rue boueuse en y pataugeant jusqu'à mi-bottine, il croisa Casimir Charron qui, lui, arrivait à dos de cheval.

— Hé ! Le gros ! Cale-toi pas trop dans la vase. Même mon cheval avec un câble arriverait pas à te tirer de là.

Honoré reconnut très bien cette damnée voix qui l'avait hanté pendant plusieurs jours. Il releva la tête vers l'insolent cavalier, laissant l'eau dégouliner de chaque côté des rebords de son chapeau de feutre.

— Casse-toi pas la tête pour moi, Charron. Contrairement à toi, j'ai pas besoin d'un cheval pour marcher dans la vase. Au fait, puisque t'es là pis que je te regarde comme il faut avec ton œil enflé, sais-tu que ça te va plutôt ben, une face de raton laveur !

— Va donc chez le diable, gériboire ! rugit Charron, mécontent de laisser paraître sur sa figure les traces d'une défaite aux poings. Un de ces jours, moi, je vais te l'arranger d'aplomb, ton portrait !

Sans attendre son reste, il éperonna vivement le cheval emprunté à un compagnon de beuverie du Western. Plus loin au travers du rideau de pluie, il tourna brusquement le coin de la rue dans un clapotis de sabots, projetant sur son passage une multitude d'éclaboussures de boue liquéfiée sur le trottoir en bois.

Grouard

Eugène Régimbald était vicaire général. Ces deux derniers mots le faisaient sourire chaque fois qu'ils lui venaient à l'esprit. Non pas pour la beauté du verbe, mais pour le prestige du titre dont ils l'auréolaient secrètement. Le brio avec lequel le vicaire avait complété ses études théologiques ainsi que l'ensemble des cours connexes l'avaient solidement préparé à occuper une telle charge administrative. Il aurait probablement pu remplir une fonction identique à Saint-Boniface, sa ville natale. Cependant, il y avait un hic. L'épiscopat de l'endroit trouvait le jeune curé d'alors présomptueux. En fait, un prêtre mégalomane qui bavait à la seule idée de monter dans la hiérarchie s'avérait un irritant pour l'évêché. On décida de le ramener à de plus humbles sentiments sans devoir pour autant étouffer son talent. Après quelques correspondances avec Mgr Grouard, l'évêque missionnaire de Lesser Slave Lake, Eugène Régimbald y fut envoyé pour administrer ce diocèse éloigné.

Si à Saint-Boniface, on avait le goût de fredonner après s'être enlevé cette épine du pied, l'évêque missionnaire, là-bas, se frottait vigoureusement les mains devant cette acquisition. Ce religieux, dont la renommée n'était plus à faire, était un homme corpulent, un bon vivant, qui adorait les grands espaces qu'il parcourait en canot ou en traîneau, selon la saison. Il se plaisait davantage à partager le quotidien des Indiens dans leur campement de tipis plutôt que d'errer comme une âme en peine dans son presbytère. L'administration du diocèse le rebutait et il la céda à son vicaire avec une joie manifeste.

Le vicaire Régimbald, comme tout le monde l'appelait familièrement, avait trouvé la nomination à ce poste quelque peu ambiguë. Il se complaisait, certes, dans la paperasse de son joli bureau du presbytère de Lesser Slave Lake. Contrairement à son évêque, il n'était pas de ceux qui souhaitaient partir à l'aventure. D'ailleurs, il préférait de loin les ragots des mégères aux récits des voyageurs. Cependant, il se demandait si tout cela n'allait pas freiner malencontreusement ses vastes ambitions personnelles.

Comment avait-il pu se retrouver dans un tel endroit ? C'était la question qu'il se posait parfois, lorsque le verre terni de son grand miroir lui retournait son image. Il y voyait la représentation d'un homme soigné, petit et fluet, les cheveux courts lissés sur le côté. Pas un seul cheveu gris n'était encore apparu. Des yeux noirs bien ronds, perçants et intelligents, faisaient sa fierté. Un nez aquilin étroit, allant de pair avec son visage émacié. Des lèvres charnues qui contrastaient avec tout le reste de sa maigreur. Il se regardait et en oubliait de répondre à la question. Il s'aimait béatement.

Eugène Régimbald n'était pas quelqu'un de méchant pour autant. S'il avait été moins imbu de lui-même, il aurait peut-être compris les raisons pour lesquelles on l'avait pratiquement isolé dans le nord de l'Alberta. Néanmoins, ce fils d'avocat bourgeois n'avait pas l'intention de demeurer dans l'ombre éternellement. Il voulait devenir une personne d'influence et recevoir le crédit pour les actions qu'il poserait.

Au cours de l'automne 1909, alors que tous les paroissiens se rassemblaient à l'église pour la messe dominicale, le vicaire Régimbald profita de l'occasion pour faire une suggestion du haut de la chaire. Déjà reconnu pour l'éloquence dont il aimait faire usage, il inséra son idée tout de suite après l'habituel sermon adressé aux fidèles, histoire de les réveiller un peu.

— Mes amis, dit-il après s'être éclairci la voix, j'ai eu le bonheur d'avoir plusieurs entretiens avec les membres du conseil municipal, de même qu'avec plusieurs de nos concitoyens les plus respectables. Nous nous sommes mis d'accord sur le fait qu'il serait devenu tout à fait pertinent de changer le nom de notre belle localité. Ce n'est pas pour le simple plaisir de changer, mais nous avons à l'esprit la volonté sincère de rendre hommage à un illustre personnage qui a marqué profondément cette région. Celui-là même qui a largement contribué au développement et à l'évangélisation du Nord-Ouest canadien. Vous aurez sûrement compris que je veux parler de Mgr Grouard, que j'ai l'honneur d'assister dans cet évêché. Vous ne serez certainement pas surpris d'apprendre que monseigneur est présentement en visite chez les tribus indiennes du lac Esturgeon, auxquelles il apporte le réconfort de la parole de Dieu. Grouard est donc le nouveau nom proposé pour notre municipalité qui ne cesse de se développer. Il y aura une grande assemblée, ici même à l'église, dans trente jours. Chaque citoyen en âge de voter aura le droit d'y exprimer son accord ou son désaccord. Des écriteaux seront affichés un peu partout dans les commerces ou dans des endroits bien en vue de la ville. Nous devons nous assurer que tout le monde en sera informé. Prenez le temps d'y réfléchir et venez donner votre opinion durant cette grande réunion dans un mois, car cela vous concerne tous.

Il y eut un concert de murmures parmi les fidèles nettement surpris par cette proposition. Certains hochaient la tête comme s'ils étaient déjà vendus à cette idée. D'autres paraissaient incrédules devant ce projet inopiné. Jamais une fin de messe ne fut si peu écoutée à Lesser Slave Lake. Tous les paroissiens présents n'avaient en tête que la suggestion du vicaire Régimbald et ils continuaient d'échanger à voix basse avec leurs voisins de banc.

Dans les jours qui suivirent, un véritable branle-bas vit le jour au sein de la ville. La plupart des francophones se rangeaient déjà du côté du vicaire. Cependant, plusieurs résidants parmi les Métis et les anglophones suggéraient plutôt de revenir à l'ancien nom indien de l'endroit, qu'on appelait Miounouk. Un groupe d'anglophones plus radical insistait pour que l'on conserve le nom de Lesser Slave Lake. Ils furent les premiers à placarder la ville d'affiches. Comme il fallait s'y attendre, les deux autres groupes répliquèrent rapidement de la même façon. On se retrouva bientôt dans une espèce de campagne électorale où le nom de la ville était l'enjeu. Dans les commerces de l'endroit, toutes les conversations ne tournaient qu'autour de cela. Chacun défendait âprement son choix en s'efforçant de convaincre les autres, s'ils s'en trouvaient. Il y avait un tel tapage électoral qu'un Indien demanda même à Joseph-Omer si Mgr Grouard allait vraiment se présenter contre Miounouk.

Le soir de l'assemblée arriva enfin dans une atmosphère survoltée. Dès dix-huit heures, plusieurs citoyens commencèrent à se regrouper sur le parvis de l'église. Certains portaient des pancartes affichant leur choix. Par la suite, ils se mirent à affluer par vagues successives, la plupart en petits groupes associés au même toponyme. Pratiquement tous les hommes de la ville se retrouvèrent bientôt entassés dans l'église diocésaine pour le débat final. Le vicaire Régimbald présenta avec sa verve légendaire l'estimé maire Thompson. Ce dernier allait agir comme animateur de la soirée. Il veillerait aussi à ce que l'assemblée se déroule dans la discipline et le respect des règles démocratiques.

Après les quelques mots de bienvenue usuels, le maire Thompson, habillé d'un complet marine taillé aussi finement que sa moustache, se passa nerveusement la main dans son épaisse chevelure argentée. Il ajusta ses petites lunettes ovales et aborda la raison de cette soirée en faisant d'abord l'étalage des promesses de sa mairie.

— Vous savez tous, mes chers amis, que notre ville fait l'objet d'un développement exceptionnel. Premièrement, à cause du dynamisme des gens qui y vivent. Bien sûr aussi, parce qu'il y aura prochainement l'installation de la ligne de chemin de fer qui reliera Edmonton à Dunvegan, en Colombie-Britannique. Cette ligne est connue sous le nom d'EDBCR. Elle assurera une continuité à cet essor remarquable qui fait notre fierté. Les visées de notre ville ne s'arrêtent pourtant pas là. D'autres réseaux ferroviaires pourraient bientôt venir s'ajouter à cette première ligne. Dans un avenir plus ou moins rapproché, nous pourrions être un carrefour important pour la Canadian Northern Railway, la Peace River and Great Western Railway, l'Alberta Railway et finalement la Peace River and Hudson Bay Railway. Cette dernière ligne ferroviaire raccorderait notre ville au centre du monde commercial. Elle nous fournirait une voie directe vers la Grande-Bretagne, par l'intermédiaire d'un terminal maritime situé sur les rives de la baie d'Hudson.

Ce préambule évocateur fut suivi d'un roulement de chuchotements incrédules dans l'assistance, ébahie par autant de promesses présageant un avenir mirifique.

— Un peu de silence, s'il vous plaît ! Pour ceux qui douteraient de la possibilité pour notre ville d'accepter un tel développement, sachez que des plans d'avenues bien droites ont d'ores et déjà été dressés. Les infrastructures suivront au fur et à mesure que nous progresserons. Elles feront de Lesser Slave Lake, ou du nom que vous pourriez choisir de lui donner, une ville moderne, une véritable capitale du Nord canadien. Voilà donc pour nous tous un moment important, car l'option choisie devra être représentative de ce futur. Chacun pourra venir en avant énoncer respectueusement les raisons de son choix. Quand tous ceux qui voudront bien s'exprimer auront pu le faire, nous passerons alors au vote qui déterminera officiellement le nom de cette ville.

Joseph-Omer et son ami Honoré s'étaient assis côte à côte dans le jubé, puisque la nef tout en bas était bondée. Ils avaient là-haut un excellent siège pour observer la foule grouillante de citoyens et surtout ceux qui iraient prendre la parole.

— Ouais, dit Honoré. J'aurais jamais pensé être venu m'établir dans la ville de demain.

— Je pense plutôt que le maire tente de se faire réélire, rigola Joseph-Omer.

— Es-tu toujours en faveur de Grouard, toi ?

— Oui, mais je le dis pas trop fort. Tu comprends, il y a plusieurs clients de Florida qui penchent pour Miounouk. Étant donné que je suis pas établi icitte depuis ben longtemps, je vais me contenter de laisser parler les autres.

— Sage décision, Joseph-Omer, l'approuva Honoré.

Le débat prit son envol. Tour à tour, chaque orateur vanta les mérites du nom qu'il défendait. Plus la soirée avançait et plus les discussions devenaient enflammées. Les interventions étaient souvent suivies d'une salve d'applaudissements et même d'acclamations de leurs partisans. Comme les catholiques francophones étaient en majorité, il apparut évident que le nom de Grouard avait la faveur populaire. Les autres groupes durent sortir des arguments tout à fait inédits pour se montrer convaincants.

— Miounouk, c'est facile à articuler pour tout le monde, déclara un vieil Indien. Grouard ne se dit aisément que pour les Français. Les Indiens, eux, disent *Grou wow*. Pis les Anglais prononcent *Grew hard*. On peut pas avoir une ville que l'on nomme de deux ou trois manières différentes. Miounouk, c'est Miounouk ! C'est compliqué pour personne.

Cette déclaration fut suivie par un tonnerre d'applaudissements et ébranla l'aplomb des francophones. Un jeune Métis, cependant, allait venir leur donner un regain de confiance.

— Moi, je suis pour Grouard, dit-il d'entrée de jeu. Mgr Grouard m'a appris tout ce qu'il y a à savoir dans les livres. Il m'a enseigné le catéchisme au cours de ses nombreuses visites à la petite école. Il a fait de moi une meilleure personne. Où était Miounouk pendant ce temps-là ? Miounouk n'a jamais rien fait pour moi.

À leur tour, les catholiques se levèrent en bloc pour acclamer cette prise de position favorable à leur évêque. L'un des leurs, Léopold Arcand, un homme solide qui travaillait comme ouvrier au moulin à scie, allait pourtant les refroidir de nouveau.

— Je vous entends depuis un bon moment invoquer toutes sortes de raisons pour choisir Grouard ou Miounouk. Je doute pas une seconde que tout le monde icitte ait de bonnes intentions. Monsieur le maire lui-même nous a fait miroiter d'extraordinaires prévisions dans son discours de présentation concernant le destin de notre ville. Mais voilà, justement cet avenir est pas encore joué. Pourquoi aller courir le risque de changer le nom qui est déjà en place ? On risquerait peut-être de déplaire à des personnes influentes aux gouvernements. Là-bas, dans leurs bureaux, ils connaissent ni l'un ni l'autre des noms proposés. Le moment est ben mal choisi. À mon avis, on est mieux de garder Lesser Slave Lake intact pour tout de suite.

Les partisans du statu quo, qui se sentaient de plus en plus négligés, eurent un sursaut d'énergie. Le maire Thompson, debout à l'avant, applaudissait déjà vigoureusement à l'idée de ne pas compromettre tous les plans grandioses qu'il avait échafaudés. Le commerçant Donnelly, rouge d'émotion, prit à son tour la parole.

— Personnellement, déclara-t-il sur un ton solennel, je crois que nous devrions garder un nom qui reflète bien l'esprit du Canada. Rien ne peut décrire mieux notre région que Lesser

Slave Lake. Ce nom est associé à la tribu des Esclaves, qui habitaient cette contrée bien avant nous. Sans oublier que nous sommes reliés par des cours d'eau à un lac encore plus immense, le Grand Lac des Esclaves. Comme vous le savez, ce lac situé plus au nord, dans les Territoires du Nord-Ouest, apparaît sur toutes les cartes géographiques illustrant notre pays. Malheureusement, pour certains d'entre vous, cela ne semble pas encore suffisant. Alors, si Lesser Slave Lake devait être rejeté, j'opterais davantage pour Miounouk, puisque c'est l'ancien nom attribué par les Indiens à cet endroit. Quant à *Grew hard*, sans rien vouloir enlever au travail acharné de ce bon évêque catholique, j'aimerais vous faire remarquer que ce monsieur n'est même pas né au Canada, mais plutôt en France. Nous avons donc là un nom insuffisamment représentatif de notre région et nous devons le rejeter.

Il y eut plusieurs murmures d'approbation au sein de l'assistance. Cependant, on évita de manifester trop bruyamment, de peur de froisser les francophones. Malgré cela, plusieurs d'entre eux se sentirent vexés. Après tout, Mgr Grouard ne les avait-il pas grandement aidés depuis leur établissement dans cette contrée éloignée ? Une voix forte résonna au milieu de l'église et ne laissa planer aucun doute sur les sentiments éprouvés par tous ceux-là.

— Ben là, on va vous montrer que nous autres, on a encore du sang français dans les veines. Au vote !

— Ouais ! Au vote ! Au vote ! reprirent plusieurs voix en écho avec de plus en plus de vigueur.

Le maire eut du mal à ramener l'ordre dans cette assemblée exaltée par plusieurs heures de discussion. Las d'avoir eu à diriger les débats, il demanda tout de même si d'autres personnes désiraient intervenir. Aucun citoyen ne se présenta en avant pour ajouter un commentaire à ce qui avait déjà été dit. Avec un soulagement mêlé d'appréhension, il décida alors de passer au vote.

Pour abréger les choses à cette heure tardive, on vota à main levée. À l'appel de chacun des noms suggérés, les résidants demeurèrent le bras tendu tant qu'ils ne furent pas comptabilisés. Bon nombre d'anglophones se rangèrent derrière Miounouk, espérant faire pencher la balance en sa faveur. Par contre, tous les francophones, sauf un, votèrent pour le nom de leur évêque. Comme ils étaient les plus nombreux, Grouard l'emporta avec une relative facilité sur Miounouk et le toponyme de la ville fut définitivement scellé.

Les francophones étaient en liesse. Ils se félicitaient mutuellement pendant que les autres, visiblement déçus, se hâtaient de regagner leurs domiciles. Quelques-uns, parmi ceux-là, rageaient dans un coin devant le fait accompli.

— Jamais je ne pourrai m'habituer à vivre dans une ville qui porte le nom d'un évêque catholique, maugréait Gordon Donnelly, les larmes aux yeux, à qui voulait l'entendre.

À l'arrière de l'église, près du confessionnal, le révérend James Matthewson avait suivi les débats avec une pointe d'irritation à peine perceptible. Il fit signe à monsieur Harper d'approcher quand celui-ci se leva pour quitter l'église.

— Cyril, mon ami ! Heureux de vous revoir. Comment se fait-il que vous n'ayez pas participé aux discussions ? lui demanda sans attendre le pasteur protestant.

— C'était déjà bien assez long comme ça, mon révérend. De toute façon, peu m'importe le nom qu'on aura ici. Ce n'est qu'un nom. Tant mieux s'il apporte de la fierté à la majorité des gens. Vous non plus, mon révérend, vous n'avez pas pris la parole en avant à ce que je sache, lui fit remarquer monsieur Harper.

— La politique avec des gros sabots, c'est davantage l'affaire des prêtres catholiques, se justifia Matthewson en désignant du menton le vicaire Régimbald qui exultait au pied de l'autel, entouré de ses marguilliers qui le félicitaient. Permettez-moi de vous faire remarquer, Cyril, que des événements comme ceux de ce soir peuvent constituer une menace pour nous, anglophones. Nous défendrons nos institutions et vous devrez choisir votre clan, Monsieur Harper.

— Mon clan, c'est ma famille et personne ne la menace, révérend. Permettez-moi d'aller dormir un peu maintenant, j'ai du travail demain matin.

Sans attendre d'autres répliques, Cyril Harper salua le pasteur d'un hochement de tête et se dirigea aussitôt vers la grande porte.

— Quelle naïveté paysanne, marmonna le révérend Matthewson entre ses dents.

Honoré et Joseph-Omer s'étaient retrouvés à l'extérieur parmi la foule de badauds qui donnait à la rue un aspect inhabituel au cœur de la nuit. Ici et là, quelques maisons jetaient sur eux un faible faisceau de lumière au fur et à mesure que les propriétaires réintégraient leurs domiciles. D'autres hommes, au loin, avaient entonné des chants de victoire. On les voyait se tenir par l'épaule en déambulant au milieu du chemin de terre.

— Deux heures du matin, nota Joseph-Omer en consultant sa montre de poche. J'aurais jamais cru que ça se serait terminé aussi tard.

— En tout cas, on peut pas dire qu'on s'est ennuyés à soir, affirma Honoré.

— Ça, c'est vrai, l'approuva son compagnon. Juste pour avoir assisté à cette réunion, ça valait la peine de venir dans le Nord.

Honoré se mit à rire et le prit à son tour par l'épaule en chantant : « On a gagné nos épaulettes, maluron malurette ! ».

On aurait pu croire que la petite communauté serait demeurée divisée, à la suite de cette soirée qui suscita tant d'émotions chez tous les participants. Pourtant, il n'en fut rien. Certes, les sujets les plus radicaux demeurèrent longtemps sur leurs positions et vilipendèrent cette décision entre eux. Toutefois, la plupart des gens reprirent le cours de leur vie dans ce climat de fraternité et d'entraide qui les caractérisait si bien.

Mgr Grouard se fit rassembleur à son retour du lac Esturgeon. Il déclara, lors de la grande messe, que tout cela s'était fait à son insu et que s'il avait été là, il aurait préféré voter pour Miounouk. Il accepta tout de même le vote populaire avec résignation. Il ajouta, en souriant, qu'on pouvait déformer son nom autant de fois qu'on le voudrait, qu'il ne s'en montrerait nullement contrarié; car parfois lui aussi, avait-il reconnu, ne savait plus très bien comment il fallait exactement le prononcer.

Gabardine

Au début du printemps 1910, Florida avait accouché d'un bébé maigrichon. Un petit garçon qu'ils avaient appelé Armand. L'installation dans sa nouvelle maison et l'adaptation à cette nouvelle contrée, sans compter la tenue du magasin, avaient souvent laissé la jeune mère épuisée au cours de sa grossesse. Même si son frère l'avait prévenue à plusieurs reprises des conséquences négatives d'une trop grande fatigue sur le bébé, à peine avait-elle réussi à ralentir le rythme. Joseph-Omer, sans cesse affairé, avait perdu du poids. Il s'occupait à la fois des nécessités pour le magasin et de sa clientèle de forgeron. Celle-ci se faisait d'ailleurs de plus en plus nombreuse. Maintenant que les Boulanger accueillaient un bébé naissant, il s'avérait impératif d'obtenir un peu d'aide au magasin.

Joseph-Omer jonglait avec cette idée depuis quelque temps lorsqu'il aperçut par la fenêtre de sa boutique de forge un jeune homme qui l'observait s'échiner à l'ouvrage. Il lui fit signe d'entrer, car à l'extérieur le froid persistait malheureusement plus qu'on ne l'aurait souhaité. Le garçon pénétra dans la boutique en tenant son chapeau cabossé qu'il tournait timidement entre ses mains. Il ne devait pas avoir plus de quatorze ans. Pas très grand, plutôt costaud, il avait les cheveux coupés à ras de tête et il était vêtu très modestement. Le garçon portait un long manteau brun à gros boutons gris et un pantalon d'étoffe noir, trop court, laissant voir des bas en laine de la même couleur, enfouis dans ses bottines au cuir usé.

— Viens te réchauffer ! lui lança Joseph-Omer, en guise de bienvenue.

— Je veux pas vous déranger, s'efforça de dire faiblement le jeune garçon. J'ai entendu frapper des coups de marteau. Je voulais voir ce que vous faisiez.

— Ben là... dit le forgeron, entre deux coups résonnant bruyamment sur l'enclume. Je plie une barre de fer... que j'ai chauffée... et qui va me servir à réparer le traîneau qui est icitte.

L'adolescent regarda brièvement la carriole qui avait un patin brisé à l'avant. L'hiver avait été dur. Cependant, c'est tout l'attirail accroché dans l'atelier qui l'impressionnait davantage. Les longues pinces de fer, les marteaux et les masses de différentes grosseurs, les limes, les collets de tous genres et les deux enclumes au milieu de la boutique sur lesquelles travaillait le forgeron. Derrière celui-ci, du charbon rougeoyant se consumait sans faire de flamme, alors qu'un gros soufflet, suspendu juste au-dessus, servait à l'activer au besoin.

— Tu dois ben... avoir un nom ? lui demanda Joseph-Omer, finissant de marteler le morceau qu'il tenait à l'aide de ses longues pinces.

— Ben oui, Monsieur Boulanger, répondit-il tout bonnement.

Le forgeron releva la tête et le dévisagea avec étonnement dans l'attente d'une réponse qui ne venait pas.

— Tu connais déjà mon nom. Mais le tien, je le connais pas, insista-t-il.

— Le vôtre, je l'ai lu dans la vitrine du magasin, reprit le jeune homme, tout fier de montrer qu'il savait lire. Moi, je m'appelle Jean-Marie Duchesneau, Monsieur.

— Jupiter, se contenta de dire Joseph-Omer.

Il plongea la barre de fer encore rougeâtre dans la cuvette de tôle remplie d'une eau trouble. Le « pshhhhh ! » que cela occasionna, accompagné du panache de fumée blanche qui monta aussitôt au plafond, firent sourire le jeune garçon.

— Jean-Marie. C'est comme Mgr Grouard le missionnaire, ça, se souvint Joseph-Omer.

— Ben oui. Mgr Émile Jean-Baptiste Marie Grouard, récita le jeune garçon. C'est lui qui m'a enseigné le catéchisme.

— Ça m'a tout l'air que tu le connais mieux que moi. J'avais déjà commencé à déformer son nom. Tout un personnage, avec sa grande barbe. Presque un saint, d'après ce que les gens racontent. On dit que c'est lui qui aurait évangélisé une bonne partie des Indiens de la région.

— C'est vrai. Moi, je suis pas un saint, Monsieur Boulanger, précisa Jean-Marie amusé par sa remarque.

— Jupiter ! Je t'en demande pas tant. Tu dois pas avoir assez de barbe au menton.

Joseph-Omer rangea sa pince et son marteau. Il se tourna vers ce visiteur inattendu pour l'examiner plus attentivement. Le jeune homme paraissait hésitant. Pourtant, une force et un calme intérieurs semblaient l'habiter.

— Ça me dérange pas si tu m'appelles Joseph-Omer, dit enfin le forgeron.

Jean-Marie resta silencieux pendant quelques instants, absorbé par les restes de fumée qui se dissipaient lentement sous la toiture. Fatigué de tourner son chapeau entre ses doigts, il le remit sur sa tête.

— Il fait chaud icitte, Monsieur Omer. Est-ce que je peux enlever ma gabardine ?

— Ta quoi ?

— Ma gabardine, répéta Jean-Marie.

Devant l'air embrouillé de Joseph-Omer, il dut se reprendre.

— Ben... mon manteau, voyons!

— Ah oui, oui... répondit l'artisan en écarquillant les yeux, faisant mine d'avoir compris facilement ce qui lui était d'abord apparu comme du charabia.

Il alla chercher sa pipe, qu'il bourra de tabac. Revenant s'asseoir sur son enclume, il l'alluma adroitement.

— Tu vas pas à l'école? demanda-t-il à son visiteur.

— Ça fait longtemps que j'y vais plus, Monsieur Omer. Ma mère m'a retiré de l'école quand j'avais onze ans pour que je l'aide à la maison. Mon père est mort juste un peu avant ça. Elle a pas eu le choix. De toute façon, j'étais pas très bon dans les études.

— Tu as quand même appris à lire. C'est important dans la vie.

— Ah ça, oui! La lecture, c'est ce que j'aimais le plus, Monsieur Omer. À vrai dire, j'aimais pratiquement juste ça. Le reste du temps, je faisais fâcher la maîtresse.

Joseph-Omer lui sourit entre deux bouffées de tabac.

— Mis à part d'aider ta mère, tu travailles donc pas pour quelqu'un d'autre? demanda-t-il.

— Ben non, Monsieur Omer. Il y en a qui disent que j'ai pas beaucoup de tête, à cause de l'école justement. Ou ben, que je suis encore trop jeune pour être capable de travailler fort.

— Ouais... Je me cherche quelqu'un comme aide au magasin général. Penses-tu être capable de faire ça?

Jean-Marie ouvrit la bouche d'étonnement et regarda fixement le forgeron afin de s'assurer qu'il ne blaguait pas.

— Ben, réponds! insista Joseph-Omer.

— C'est sûr, Monsieur Omer. Quand vous voudrez! Je serais ben content de pouvoir travailler pour vous au magasin.

— Il faut d'abord que tu en parles à ta mère. Si ça la dérange pas, tu pourrais commencer à travailler lundi matin, à huit heures. Par contre, attends-toi pas de gagner autant d'argent qu'un notaire, le prévint son futur patron.

— C'est pas grave. Vous me donnerez ce que vous voudrez. Est-ce que je peux aller en parler à ma mère tout de suite ? demanda Jean-Marie tout excité.

— Ben sûr que oui, répondit Joseph-Omer. Moi, j'ai fini de fumer ma pipe pis j'ai encore pas mal d'ouvrage qui m'attend.

Le garçon enfila son manteau en vitesse et ne le reboutonna qu'à moitié tant il était pressé de ramener cette bonne nouvelle à la maison.

— Bonne journée, Monsieur Omer. Et merci beaucoup ! Vous le regretterez pas.

— J'y compte ben. Bonne journée à toi aussi, mon... euh... Gabardine !

Jean-Marie Duchesneau se précipita chez lui le cœur battant. Il trouva sa mère dans la cour près du hangar, avec une brassée de petits rondins qu'elle serrait contre elle.

— Damné pays ! maudit madame Duchesneau. On est à la fin avril pis on gèle encore. Aide-moi à rentrer du bois, Jean-Marie.

— Maman, j'ai quelque chose à vous annoncer avant.

— Quoi encore ? J'espère que tu as pas fait un mauvais coup, parce que tu vas avoir affaire à moi, le prévint-elle en le pointant avec un petit rondin.

— Ben non ! J'ai trouvé du travail au magasin général des Boulanger. Je commence lundi matin, pourvu que vous soyez d'accord, comme de raison.

Madame Duchesneau regarda son fils pendant une seconde la bouche entrouverte.

— Es-tu sérieux, là ?

— Ben oui ! Je vais avoir un salaire.

— Mon Dieu ! Dis-moi pas qu'on va enfin finir par se sortir de la misère ?

Jean-Marie ébaucha une drôle de danse autour de sa mère en levant alternativement une jambe et l'autre tout en gigotant des bras et des mains. Il se mit à chanter :

— On sera plus dans la misère ! On sera plus dans la misère !

Madame Duchesneau pivotait sur elle-même, hébétée, relâchant doucement la brassée des rondins qui tombaient un à un à ses pieds. Quand le dernier bout de bois bascula par terre sur le sol encore gelé, elle attrapa les mains de son fils et se joignit à sa folle danse en riant aux éclats. Elle aussi se mit à chanter avec lui :

— On sera plus dans la misère !

* * *

Même si elle s'était montrée inquiète au début, lorsque Joseph-Omer lui avait annoncé cette embauche, Florida ne tarda pas à profiter de toute l'aide que Gabardine — le surnom lui était resté — apportait au magasin. Non seulement le gamin était-il d'un secours précieux pour transporter et placer la marchandise, mais il apprit également à servir les clients quand la patronne devait se retirer à l'arrière pour s'occuper de son enfant. Elle le mit rapidement à contribution pour aller chercher les stocks qui arrivaient par bateau et pour livrer les commandes chez ses clients. Il se montra toujours vaillant et attentionné, quoiqu'un peu gaffeur à l'occasion.

Il en fit la démonstration alors qu'il devait livrer de la farine chez les Harper. Là-bas, alors qu'il retirait la lourde poche de coton du fond de la charrette, une planche de bois écorchée déchira en partie le fond du sac. Pendant que Gabardine forçait et s'empressait de s'acquitter de sa tâche, une large traînée de farine le suivit de la charrette jusque sur la galerie de madame Harper, au grand désespoir de cette dernière.

— Mon Dieu ! s'exclama-t-elle. As-tu vu ce qui t'arrive, jeune homme ? À étendre ma farine comme ça, on croirait que tu es le petit Poucet en personne.

Appuyée sur le chambranle de la porte derrière sa mère, la jeune Laura se mit à rire allègrement au travers de ses toussotements répétitifs. Gabardine l'aperçut brièvement dans le clair-obscur et baissa tout de suite les yeux.

— Je m'excuse, Madame Harper, bredouilla-t-il. J'ai pas fait exprès.

— Au moins, tu as pensé à mettre le trou par en haut avant qu'elle ne se vide sur la galerie.

— Voulez-vous que je la transporte ailleurs ? offrit Gabardine.

— Non ! Surtout pas ! Mon mari va s'arranger avec ça, merci quand même.

Gabardine reprit la route tout décontenancé à bord de sa charrette pendant que madame Harper balayait les marches de sa maison.

— C'est qui, lui, maman ? demanda Laura intriguée.

— C'est le petit Duchesneau. Il travaille comme aide au magasin Boulanger. Je devrai en glisser un mot à la patronne au sujet de ma poche de farine, déclara madame Harper.

— Avez-vous remarqué, maman ? Il est arrivé ici avec des souliers bruns et il est reparti avec des souliers blancs, rigola à nouveau Laura.

Florida ne fut informée de cette anicroche que quelques jours plus tard. Elle envoya aussitôt son mari échanger la poche de farine trouée contre une toute nouvelle et elle y ajouta une tarte aux pommes qu'elle venait de cuisiner. Cet incident fut alors vite pardonné et les clients, choyés, leur demeurèrent fidèles.

* * *

Quelques semaines plus tard, Gabardine entra précipitamment dans la boutique de forge, en retard pour une rare fois. Joseph-Omer y discutait avec son ami Honoré de la construction prochaine de la voie ferrée. À Grouard, cela ne laissait personne indifférent. Le forgeron ne cacha pas sa surprise en voyant arriver son jeune employé tout essoufflé.

— Tiens ! Te v'là enfin, Gabardine. Je pensais que tu étais tombé malade. Il passe dix heures !

— Non, Monsieur Omer. C'est à cause de mon voisin, le père Chalifoux. Il est mort cette nuit ! Sa sœur, la vieille fille Alexandrine, l'a trouvé comme ça à matin.

Gabardine étira les bras, s'envoya la tête sur le côté et sortit la langue.

— Ensuite, elle est venue me demander d'aller avertir le médecin, pis d'aller chercher le vicaire après sa messe, expliqua-t-il encore énervé.

— Jupiter ! Tu parles d'une affaire, dit Joseph-Omer. Je le connaissais ben, le père Chalifoux. C'était un bon client.

— Moi aussi, je le connaissais ben, répéta Honoré. Il m'a vendu sa jument brune, Nelly, à un prix d'ami. C'était un bon vieux. C'est ben de valeur...

— Ouais... J'aurai pas le choix d'aller prier le bon Dieu au corps, reprit le forgeron. Pour le moment, retourne au magasin, Gabardine. Florida a sûrement besoin de toi.

— Passe me prendre quand tu iras chez les Chalifoux, Joseph-Omer. C'est moins gênant que d'arriver tout seul, lui suggéra Honoré.

Toute la journée, la mère de Gabardine avait assisté Alexandrine dans les préparatifs mortuaires. Elle était d'abord allée commander un cercueil chez un ébéniste, quelques maisons plus loin. Ensuite, elle était revenue aider Alexandrine à faire la toilette de son frère. Une fois lavé, elles lui avaient rasé la barbe du mieux qu'elles pouvaient, avec beaucoup d'application. Les deux dames avaient ensuite peiné pour endimancher la dépouille mortelle lourde et raide. Le menuisier était arrivé avec le cercueil en pin clair et il les avait aidées à y déposer le père Chalifoux de peine et de misère, tant il paraissait s'être alourdi. Les femmes avaient accroché des tentures noires aux fenêtres. Les mêmes étoffes que madame Duchesneau avait jadis utilisées chez elle. Elles mangèrent un peu, sans appétit. La table et les chaises furent tout de suite rangées le long du mur après ce maigre repas, afin de permettre aux visiteurs attendus de circuler sans entraves. La journée s'était écoulée très rapidement, trop peut-être pour vivre un deuil.

Dès l'arrivée des premiers visiteurs, madame Duchesneau s'était installée à la porte d'entrée. Elle s'occupait de recevoir ces paroissiens venus se recueillir auprès du défunt. Tôt en soirée, Joseph-Omer et Honoré se présentèrent à leur tour à la maison des Chalifoux. Ils étaient vêtus de costumes sombres pour la circonstance et transportaient chacun un paquet sous le bras.

— Bonsoir, Madame Duchesneau, dirent les deux camarades en chœur.

Ils se tenaient là, tous deux bien droits devant elle, un peu mal à l'aise d'avoir prononcé les mêmes paroles en même temps. Ils étaient surtout intimidés de se retrouver devant cette petite femme au sourire chaleureux, plutôt mignonne, et à peine plus âgée qu'eux. Elle avait revêtu sa robe noire, sobre, qui faisait ressortir quelques cheveux argentés épars dans sa coiffure. Le châtain de ses cheveux légèrement ondulés dominait tout de même largement de sa couleur miel brun. Une brise soudaine, s'engouffrant par la porte grande ouverte, souleva une mèche de cheveux qui pendait sur ses épaules avec la légèreté d'une plume. Les deux amis en furent fascinés.

— Bonsoir, Messieurs, dit-elle en les tirant de leur rêverie. C'est gentil de vous être dérangés pour venir veiller monsieur Chalifoux. Suivez-moi, ajouta-t-elle, toujours sur un ton bienveillant. Je vais vous présenter à mademoiselle Alexandrine.

Joseph-Omer et Honoré témoignèrent leur sympathie à la vieille fille éplorée. Ils lui remirent dix livres de sucre et une brique de lard, qu'ils entassèrent sur la table avec les autres victuailles apportées généreusement par les paroissiens.

On avait placé le modeste cercueil tout au fond du salon, juché sur des chevalets recouverts d'un drap blanc. Deux longs cierges, situés à chaque extrémité de la tombe, brûlaient lentement en répandant dans la pièce un parfum de cire fondue. À l'avant-plan, quelques personnes agenouillées pieusement en demi-cercle devant le mort égrainaient une dizaine de chapelet. Les deux compagnons terminèrent la prière dans un marmonnement qui accompagna le ronronnement des autres. Ils se retirèrent ensuite à la cuisine pour saluer des connaissances et bavarder un peu. C'est alors que le vicaire Régimbald fit dignement son entrée. La tête bien haute et le regard sûr, il passa devant Joseph-Omer et Honoré sans leur accorder la moindre attention. Il se dirigea tout droit vers mademoiselle Chalifoux. Grandement affectée, Alexandrine semblait perdue dans ses pensées.

— Je tiens à vous offrir toutes mes condoléances, ma chère Demoiselle, déclama à haute voix le vicaire en guise d'introduction, prêt à étaler largement sa belle éducation.

La vieille fille, peu instruite, le regard absent, répliqua tout bonnement:

— Mettez-les sur la table avec le reste.

Joseph-Omer n'osa pas regarder directement Honoré, dont il voyait sauter les épaules du coin de l'œil. Il parvenait mal à étouffer un immense fou rire qui le tenaillait. Il le dissimula du mieux qu'il put dans son mouchoir. Tous deux, ils s'obligèrent à aller prendre une bouffée d'air à l'extérieur, les larmes aux yeux et le visage contorsionné par l'effort de ne rien laisser paraître. Ce soir-là, ils passèrent probablement pour de grands amis du défunt, touchés devant sa dépouille et pleurant sa disparition. Seul le vicaire Régimbald, demeuré sans voix, eut à jamais un doute à ce sujet.

* * *

La vie poursuivait son cours et la ville continuait de se développer, fournissant du travail aux résidants de l'endroit. On vivait de l'espoir que l'arrivée prochaine de la ligne de chemin de fer propulserait Grouard encore plus rapidement vers son essor promis. Le magasin général faisait de bonnes affaires. Les Métis et les Indiens étaient des clients de première importance. Florida commençait même à se débrouiller quelque peu dans leurs langues, ce qui lui donnait un atout supplémentaire sur la concurrence. Comme elle était enceinte une fois de plus, l'aide de Gabardine devint indispensable dans son petit commerce. Ce fut donc de bonne grâce qu'on augmenta le salaire du jeune employé, une majoration qui le combla d'aise.

Quelques mois plus tard, pourtant, il y eut à nouveau un matin où Gabardine ne se présenta pas au travail. Les Boulanger se rappelèrent que précédemment, son retard avait été causé par le décès du père Chalifoux. Ils attendirent donc les nouvelles avec impatience. Cette fois-ci, madame Duchesneau se chargea d'apporter la mauvaise nouvelle en après-midi. Soucieuse et les traits tirés, elle entra au magasin précipitamment, au moment où Florida rangeait adroitement de la dentelle dans un des grands tiroirs dessous son comptoir.

— Bonjour, Madame Duchesneau ! s'exclama la commerçante en relevant la tête. Je pensais justement à Gab... à votre garçon. On l'a pas vu, aujourd'hui.

— Il pourra pas venir vous aider, Madame Boulanger. Il a un mal de ventre épouvantable depuis hier soir. Même qu'il a pas fermé l'œil de la nuit. J'ai pas eu le choix que de l'emmener à la clinique, à matin.

— Seigneur ! Est-ce que c'est grave à ce point-là ? s'inquiéta immédiatement Florida.

— Je le sais vraiment pas. Le médecin, ben votre frère, là, avait l'air songeur. Il lui a donné des calmants pour qu'il se repose un peu. J'en profite pour aller voir si tout va bien à la maison. C'est la vieille Alexandrine qui s'occupe des deux plus jeunes. Je voulais vous avertir en passant, pour pas que vous attendiez Jean-Marie pour rien.

— C'est gentil de votre part, Madame Duchesneau. Surtout, vous en faites pas pour le genre de face dramatique que Laurent a l'habitude de faire. Il est toujours comme ça ! Je vais tout de suite demander à Joseph-Omer de me remplacer au magasin. J'irai moi-même le voir, mon frère, pour qu'il me donne plus de détails sur l'état de… de Jean-Marie.

— Merci beaucoup, Madame Boulanger. Vous êtes ben bonne. Il faut que je m'en aille maintenant. La journée risque d'être ben occupée, anticipa-t-elle en quittant à la hâte le petit commerce et sa propriétaire, qui n'eut même pas le temps de la saluer.

Florida ne mit que quelques minutes pour descendre la grande rue à petits pas pressés, sa grossesse l'empêchant d'aller plus vite. Elle trouva son frère dans une petite pièce qui lui servait de cabinet dans cette humble clinique. Il était penché sur un grand livre ouvert sur son bureau, au milieu d'un tas de dossiers et de notes laissées pêle-mêle. Complètement absorbé par sa lecture, il ne se rendit compte de la présence de sa sœur que lorsqu'elle l'interpella énergiquement.

— Hum… Laurent !

Le docteur Gauthier sursauta. Il parut contrarié d'être dérangé à cet instant précis.

— Mais qu'est-ce que tu viens faire ici, à cette heure ? lui demanda-t-il sur un ton bourru.

— Ben voyons ! Je viens prendre des nouvelles de Gabardine. Tantôt j'ai vu sa mère, morte d'inquiétude parce qu'elle sait pas ce qu'il a exactement. À part de ça, tu sauras que Gabardine, c'est pas seulement mon employé, c'est presque comme mon petit frère.

Laurent Gauthier soupira et vint s'asseoir sur le devant de son bureau, face à Florida. Celle-ci demeura plantée comme un piquet au milieu de la pièce.

— Écoute, dans les circonstances, ça ne va pas bien du tout pour... Gabardine, comme tu dis. C'est même très grave, Florida.

— Qu'est-ce qu'il a ? Qu'est-ce que tu veux dire par « dans les circonstances », Laurent ?

— Ce que je veux dire ? Eh bien, ton Gabardine fait une crise d'appendicite aiguë ! lâcha-t-il en écartant les bras. Normalement, le docteur O'Neil, qui est chirurgien, aurait pu pratiquer l'opération sans trop de difficultés. De la routine, d'une certaine façon. Mais voilà, O'Neil est à Edmonton pour une semaine encore. Il suit un cours de perfectionnement là-bas. Quant à Labonté, l'autre médecin, il est parti dans le Nord faire la tournée des campements indiens. De toute façon, il n'est pas chirurgien lui non plus. Ça me laisse tout de même seul avec un fichu problème.

Le docteur se mit à arpenter la pièce en long et en large, pendant que Florida prenait une chaise sans le lâcher des yeux.

— Si je le transporte à Edmonton, poursuivit-il en réfléchissant tout haut, il ne résistera pas au voyage. Si je le laisse comme ça, en attendant que le docteur O'Neil revienne, il ne survivra pas non plus à cette attente. Je n'ai pas le choix. Je devrai l'opérer moi-même, ce qui ne veut pas dire qu'il survivra pour autant.

Florida écarquilla les yeux, troublée par ce qu'elle venait d'entendre. Elle savait que son frère était un médecin doué, mais elle comprenait également qu'il se mettrait dans une situation très délicate en tentant de sauver Gabardine.

— Laurent, tu as jamais fait ça auparavant. Es-tu conscient des risques que tu prends ?

— C'est sa seule chance et je n'ai pas l'intention de la lui enlever. L'infirmière, celle qui assiste O'Neil durant ses opérations, me donnera certainement quelques bons conseils. Du moins, je l'espère.

— As-tu l'intention de faire ça aujourd'hui ? demanda Florida de plus en plus inquiète.

— Il n'y a vraiment pas de temps à perdre. Je réunis le personnel, je prépare le matériel opératoire, et dès que sa mère sera revenue pour me donner son accord, eh bien… je l'opère, soupira-t-il. Entre-temps, j'aimerais que tu ailles au couvent et que tu demandes à sœur Rébecca de venir nous donner un coup de main dans ce semblant d'hôpital. Elle a l'habitude de venir visiter les malades régulièrement. Explique-lui la situation, je suis sûr qu'elle comprendra.

— Tu es sans doute la seule personne à qui je ferais confiance dans de telles conditions. Fais de ton mieux, Laurent, l'implora Florida avant de quitter la pièce.

Le médecin, la mine grave, se contenta de hocher la tête en serrant les lèvres.

La commerçante avait repris sa marche rapide en direction du couvent. Lorsqu'elle arriva en face de la grande porte de la maison des religieuses, elle y tambourina avec toute la force que lui permettaient ses petites jointures.

— Oui, oui ! J'arrive, oh ! fit une voix mécontente de l'autre côté de la porte massive.

La portière, une grande religieuse au visage sévère et à la carrure surprenante, entrebâilla la porte prudemment. Elle l'ouvrit complètement lorsqu'elle se rendit compte qu'elle avait affaire à une simple résidante. La sœur resta néanmoins plantée au milieu du chambranle pour en interdire l'accès.

— Qu'est-ce qu'on peut faire pour vous ? demanda-t-elle sur un ton sec.

— J'aimerais voir sœur Rébecca tout de suite, s'il vous plaît, répondit Florida avec assurance.

— Madame ! C'est que vous ne semblez pas savoir l'heure qu'il est en ce moment. Vous nous arrivez ici à l'heure des repas en présentant vos exigences. Les religieuses ne sont pas différentes de vous, elles doivent manger elles aussi, se regimba la grande femme en se raidissant davantage.

— Ça suffit ! s'impatienta Florida. C'est une urgence ! Vous allez me chercher sœur Rébecca immédiatement, ou sinon, c'est moi qui le ferai à votre place ! C'est clair ?

La portière resta sidérée pendant une seconde et comprit aussitôt, en croisant le regard résolu de la visiteuse, qu'il valait mieux obtempérer.

— Qui dois-je annoncer ?

— Florida Boulanger. Je suis la sœur du docteur Gauthier. Je vous le répète, c'est urgent.

— Fallait le dire tout de suite, grommela la tourière. Assoyez-vous là, dit-elle en désignant un banc de chêne dans le parloir attenant au hall d'entrée. Ça ne sera pas long.

Florida s'assit avec bonheur, heureuse de pouvoir reposer ses jambes pendant quelques minutes. Elle observa la pièce qui n'était pas bien grande et plutôt sobre. Le banc à dossier qui la recevait et deux chaises de même facture, près d'une petite table basse où l'on avait déposé un vase de fleurs séchées, constituaient l'essentiel du mobilier. Un grand tableau aux teintes bleutées, face à elle, représentait la Vierge Marie les bras ouverts, écrasant un serpent sous ses pieds dénudés. La fenêtre étroite au fond du petit parloir était dépourvue de rideaux. Elle donnait sur un feuillage qui remuait au gré du vent.

Sœur Rébecca accourut dès l'instant où on l'informa de cette visite. Elle se présenta à la fois souriante et surprise à l'entrée du parloir.

— Madame Boulanger ! C'est un plaisir de vous revoir. Que me vaut l'honneur de cette visite ? Je vous en prie, demeurez assise. Vous accepterez bien que je me fasse une petite place à vos côtés.

Florida se rassit et raconta en détail les événements de la journée, en terminant avec la requête de son frère, Laurent.

— Grand Dieu ! La carrière du docteur Gauthier pourrait être compromise si l'opération devait tourner mal, songea la délicate religieuse.

— Et... Et le petit Duchesneau, lui ?

— Vous avez raison, c'est ce qui importe le plus. Il n'y a pas une minute à perdre. Merci de m'avoir prévenue, Madame Boulanger. Je vais les rejoindre dès que j'aurai demandé la permission à ma Supérieure.

Cher Docteur

En début d'après-midi, tout était prêt dans la chambre qui servait de salle d'opération. Madame Duchesneau, en larmes, avait donné son accord quelques minutes plus tôt. Sœur Rébecca s'était précipitée à la clinique. À peine avait-elle eu le temps de prendre une bouchée du repas préparé au couvent.

Laurent Gauthier commença son travail, lentement, minutieusement, guidé par les conseils clairs et précis de Margaret Blair, l'infirmière-chef en chirurgie. Suant à grosses gouttes, le médecin ouvrit la chair de Gabardine. Une autre infirmière lui épongea le front quand il prit une légère pause. Autrement, elle surveillait régulièrement le pouls du patient. Laurent coupa sur une longueur suffisante pour pouvoir mettre à nu l'appendice enflé de la taille d'un gros doigt de gant. Par la suite, il lui sembla que le temps s'arrêtait et que tout se passait comme dans un rêve. Ses yeux ne voyaient plus que l'incision pratiquée dans le corps du malade. Aucun son ne lui parvenait, outre les conseils éclairés de son assistante. Ses mains obéissaient intégralement à ceux-ci. Il enleva, nettoya, ligatura, referma et sutura sans la moindre notion du monde extérieur. Lorsqu'il eut terminé, il demeura penché sur le malade à fixer les points de suture. Margaret Blair dut intervenir pour le tirer de sa bulle.

— Vous avez réussi, Docteur Gauthier, lui dit-elle avec admiration.

— Nous avons réussi, répliqua-t-il. Je ne crois pas que nous en serions là sans toute l'aide que vous m'avez apportée. Merci beaucoup, Margaret. Maintenant, voyons s'il pourra s'en remettre.

— Soyez sans crainte, Docteur. Nous avons là un jeune homme solide. Je le fais ramener à son lit. Je vous avertirai dès qu'il reprendra connaissance.

Lorsque Gabardine ouvrit les yeux, la tête lui tournait horriblement et il avait la nausée. Son mal de ventre s'était transformé en une brûlure qui le dardait au moindre mouvement. Malgré tout, quand il vit un tas de visages souriants penchés sur lui autour de sa mère rayonnante et qu'il sentit qu'elle lui passait tendrement une main dans les cheveux, il comprit qu'il s'en était tiré.

— Ça ira mieux, Jean-Marie. Ça ira mieux… Le bon docteur Gauthier a fait exactement ce qu'il fallait pour que tu guérisses, lui dit sa mère d'une voix rassurante.

Sœur Rébecca, toute pâle, se tenait les mains jointes aux côtés du médecin qui venait de les retrouver. Les infirmières opinaient gentiment de la tête. Le docteur prit le pouls et la température de Gabardine, avant de jeter encore un coup d'œil aux points de suture qu'il avait réalisés.

— Ouais… Eh bien ! mon jeune ami, tu auras reçu une voie ferrée avant tout le monde, dit-il en gardant son air sérieux.

Gabardine ne comprit l'allusion que plus tard, lorsqu'il fut en mesure de relever la tête pour jeter un coup d'œil aux points de fil noir qui s'entrecroisaient sur le côté de son ventre.

Le docteur Gauthier allait regagner son bureau pour y rédiger le rapport médical quand il fut rattrapé à la hâte par madame Duchesneau. Elle serrait une petite bourse de feutre noir contre sa longue robe vieux rose à pans étagés, qui avait eu du style bien des années plus tôt.

— Docteur ! Attendez, j'aimerais vous parler, s'il vous plaît.

— Je vous en prie, Madame Duchesneau. Donnez-vous la peine d'entrer.

Elle entra nerveusement dans le bureau du médecin et hésita avant de prendre siège sur l'une des chaises de consultation.

— Est-ce que ça va ? demanda le docteur Gauthier. Vous me paraissez bien inquiète. Rassurez-vous, votre fils a de bonnes chances de se rétablir complètement.

— J'ai aucun doute là-dessus, Docteur. Il va déjà beaucoup mieux que ce matin. Je voulais d'abord vous remercier de lui avoir sauvé la vie. Sans vous, notre famille aurait été dévastée, une fois de plus. Il y a pas de mots pour exprimer toute ma gratitude. Depuis la mort de mon mari, c'est Jean-Marie qui m'aide pour toutes les besognes difficiles à la maison. C'est un bon garçon, vous savez. Irremplaçable…

— Je n'ai fait que mon devoir, Madame Duchesneau. Je suis heureux que tout se soit bien terminé pour vous tous.

— Écoutez… s'avança madame Duchesneau en cherchant des yeux un objet où fixer son attention. Malgré toute la bonté dont vous avez fait preuve, je sais qu'il y a un prix à payer pour une telle opération.

Le médecin se frotta une tempe, l'air soucieux.

— J'aimerais savoir tout de suite combien ça va me coûter, Docteur Gauthier.

— À vrai dire, je ne sais pas trop. Je n'ai pas eu le temps de penser à ça. Je ne suis pas chirurgien. Je ne peux donc pas exiger le même tarif que celui d'un spécialiste.

— Vous avez tout de même fait le travail. Je tiens à vous payer pour votre mérite. Quel aurait été le tarif si vous aviez été chirurgien ?

— Tout dépend… réfléchit le docteur Gauthier en s'appuyant le menton contre sa main. À Edmonton, autour de cinquante dollars. Peut-être un peu plus.

— Seigneur ! Cinquante dollars. Je... Je pourrai pas... C'est une grosse somme. C'est plus de trois mois de salaire pour Jean-Marie. C'est ce qui nous permet de vivre sans souffrir de la faim, présentement.

Laurent Gauthier fit une pause. Sa main passa du menton à sa joue qu'il gratta à deux ou trois reprises, puis il se remit à se frotter la tempe.

— Ici, le tarif est moins élevé, reprit-il. Nous ne sommes qu'une petite clinique, après tout. Comme je vous disais, je suis un simple médecin généraliste, pas un chirurgien. Par contre, je dois penser aux infirmières et au séjour à l'hôpital de votre fils.

— Je demande pas la charité. Je voudrais juste qu'on trouve une façon de pouvoir vous payer, même si ça prendrait un peu de temps.

— Écoutez, que diriez-vous de dix dollars ? Payables lorsque votre fils reprendra le travail dans quelques semaines.

— Dix dollars ! C'est bien peu en comparaison des vrais chirurgiens et c'est rien pour lui avoir sauvé la vie, Docteur.

— Ça suffira amplement. Pensez à votre famille, elle a plus besoin de ces dollars que moi.

— Vous êtes un homme bon, cher Docteur Gauthier. Si je me retenais pas, j'irais vous embrasser sur les deux joues ! s'enthousiasma madame Duchesneau.

— Dommage que ce ne soit pas le jour de l'An, constata le médecin pince-sans-rire.

* * *

La semaine que Gabardine passa à la clinique lui avait permis de récupérer ses forces rapidement. Dorloté par les infirmières, visité régulièrement par sa famille et ses amis, il s'était découvert une importance qu'il ne soupçonnait pas. Hélas, ce sentiment d'euphorie se transforma en un mortel ennui durant sa convalescence à la maison. L'attente lui paraissait insupportable et il broyait du noir, installé dans une chaise berçante sur la galerie d'en avant. Sa mère l'observait depuis quelques secondes au travers du carreau de la porte d'entrée. Elle soupira et le rejoignit sans le brusquer, sachant qu'il n'était pas d'humeur à plaisanter. Elle s'assit par terre à ses côtés, les jambes repliées et les bras croisés contre ses genoux. Gabardine ne broncha pas, le regard perdu vers l'horizon et peu disposé à converser. Madame Duchesneau garda le silence et profita durant quelques instants de la douceur du soleil. Elle soupira à nouveau, presque de ravissement cette fois-ci, et tourna légèrement la tête vers son fils immobile.

— Quelle belle journée, dit-elle. Il faut en profiter, Jean-Marie. En ce moment, tu me fais une tête de fin du monde. Qu'est-ce qui va pas ?

Gabardine garda encore le silence et cligna à peine des yeux.

— Ta guérison s'effectue pourtant bien. On suit les recommandations du docteur à la lettre, lui fit remarquer sa mère.

— C'est plate, bougonna Gabardine. Il y a rien à faire.

— Tu prends du repos, ça va faire son temps, essaya-t-elle de l'encourager.

— C'est long ! Moi, je veux retourner travailler au magasin, s'impatienta-t-il.

— Madame Boulanger m'a encore dit l'autre jour qu'elle aimait mieux que tu attendes un peu, plutôt que de revenir trop vite.

— Ben en attendant, on a pas d'argent pour payer le médecin pis je peux même pas lever une épingle icitte, déplora Gabardine.

— Casse-toi pas la tête avec ça. Tu vas y retourner, au magasin ! Pour le moment, regarde la belle journée qu'il fait, pis prends ça comme des vacances au soleil.

— Ouais, méchantes vacances… Il manque juste la mer.

— Ben non ! Je suis là, moi, pouffa madame Duchesneau.

Gabardine sourit pour la première fois depuis quelques jours en secouant la tête.

* * *

Au couvent, la mère supérieure avait convoqué sœur Rébecca à son bureau. Sœur Gertrude, la grande portière, s'était chargée du message sourire en coin. La plupart du temps, la supérieure ne convoquait pas une religieuse sans avoir de raison importante. Sœur Gertrude salivait intérieurement à l'idée que sœur Sourire, comme elle se plaisait à appeler la petite religieuse attentionnée, allait peut-être bien se faire rabrouer. De quoi rompre la monotonie du travail de sœur converse. Elle l'accompagna jusque chez la responsable du couvent qui attendait debout à sa fenêtre.

— Hum ! Hum ! fit sœur Gertrude. Pardon ma mère, la porte était ouverte et nous nous sommes permis d'entrer.

La mère supérieure sursauta et se retourna vivement. C'était une septuagénaire minuscule qui gardait une forme resplendissante et une vivacité d'esprit remarquable malgré son âge avancé. Ses yeux gris, d'où partaient de profondes rides, indiquaient parfois de la bonté, mais le plus souvent, l'autorité qu'ils dégageaient rendait son regard difficile à soutenir. À cet instant, elle avait un visage impassible et dévisageait directement sa portière.

— Je ne vous avais pas demandé de venir également, sœur Gertrude. Retournez donc à vos fonctions et profitez-en pour réciter quelques prières, par la même occasion. Ça vous aidera à chasser ce vilain sourire de vos lèvres, qui ne me dit rien qui vaille.

La grande religieuse n'avait pas pris conscience de son air triomphant et elle se rembrunit immédiatement.

— Bien, ma mère, dit-elle à voix basse en quittant la pièce.

— Fermez la porte, sœur Rébecca, et venez vous asseoir.

La jeune religieuse obtempéra en silence et attendit que la

supérieure formule ses commentaires. Celle-ci resta debout et s'appuya contre le dossier de sa chaise.

— Venons-en tout de suite aux faits, sœur Rébecca. Depuis que vous avez prononcé vos vœux, je n'ai pas eu beaucoup de choses à redire sur votre conduite. Vous avez toujours été très pieuse, travaillante, obéissante et attentionnée envers tout le monde. Y compris envers les malades de la clinique voisine.

— Merci, ma mère. J'essaie simplement d'être à la hauteur des vœux que j'ai prononcés.

— Il y a tout de même quelque chose qui me tracasse à votre sujet.

Sœur Rébecca ouvrit la bouche pour demander la raison de ce tracas, mais elle se ravisa et attendit que la mère supérieure s'explique d'elle-même. Celle-ci sembla chercher ses mots pendant une seconde.

— Vos... fréquentes visites aux malades sont certainement très charitables et dignes d'admiration. Pourtant, je me suis laissé dire qu'il n'y a pas qu'aux malades que vous vous intéressez. Apparemment, vous ne ratez pas une occasion d'aller saluer ce cher docteur Gauthier à chacune de vos présences à la clinique. Ne réalisez-vous donc pas, ma sœur, que cet homme est célibataire ?

— Et alors ? J'ignore qui a bien pu vous raconter ça, ma mère, mais je vous assure que ma conduite est irréprochable. Le docteur Gauthier s'est toujours montré disponible envers notre Maison. Il a toujours su garder sa place avec moi. C'est un homme d'une belle éducation avec qui j'aime socialiser, c'est tout.

— Socialiser...

— Oui.

— Vous devriez savoir, ma sœur, que vous n'êtes plus dans ce milieu duquel vous êtes issue, cette grande famille aisée d'Edmonton ! Le temps que vous prenez pour vos conversations ou toutes ces balivernes, vous ne l'accordez pas à la prière et à la méditation. Aussi, je souhaite qu'à partir de maintenant, vous freiniez de façon considérable vos visites à la clinique et surtout que vous mettiez un terme à cette... cette socialisation.

— Mais...

— Il n'y a pas de mais ! Prenez le temps de réfléchir à votre situation, ma sœur. Vous reviendrez me faire part de vos conclusions dans quelques jours. J'exige que cette réflexion soit faite de façon sérieuse. Pour l'instant, ça sera tout.

— Oui, ma mère, merci.

En quittant le bureau de la supérieure, sœur Rébecca était trop ébranlée pour analyser correctement ce qu'on exigeait d'elle et surtout, pour entreprendre cette introspection qu'on lui avait demandé. Ce n'est qu'à la tombée de la nuit, lorsqu'elle se retrouva seule dans sa chambre et qu'elle se cala au fond de son lit, que le questionnement fit son chemin dans son esprit.

« Évidemment, pensa-t-elle en se remémorant le discours de sa supérieure, les malades n'ont rien à voir dans tout ça. Ils devraient pourtant être considérés en premier. C'est le docteur, le problème. Ou plutôt, le fait que je lui adresse la parole. C'est idiot ! Et si j'arrêtais de lui parler complètement ? Peut-être que ça réglerait le problème... Non ! C'est impossible... Mais pourquoi ? Parce que j'ai besoin des informations sur l'état de chaque malade. »

Sœur Rébecca se tourna dans son lit et ferma les yeux, décidée à dormir. Au bout de quelques secondes, elle reprit sa position initiale, les yeux grands ouverts dans l'obscurité.

« Je sais très bien que ces informations, je pourrais les obtenir autrement, se dit-elle. Il faut que je sois honnête avec moi-même ! Pourquoi tiens-je donc à rencontrer aussi souvent le docteur Gauthier ? Je... Je ne sais pas. Je le trouve gentil et professionnel, voilà. Pfft ! Je ne me ferai tout de même pas accroire que je veux le rencontrer parce qu'il est professionnel ? Gentil... et quoi d'autre encore ? »

Sœur Rébecca se tourna vivement sur le côté comme si elle n'avait pas voulu répondre à cette question.

« Je n'ai pas le choix, je dois réfléchir à tout ça. Je ne me cacherai pas la vérité. »

La religieuse se remit lentement sur le dos et poussa un long soupir.

« Je... Je trouve qu'il a bon cœur et... et qu'il est beau. Alors, qu'est-ce que ça signifie ? Ça veut dire que je l'aime ! Quelle idiote je suis... Quelle idiote ! Lui, comment pourrait-il m'aimer ? Je suis une religieuse. Quelle idiote ! »

Sœur Rébecca se cacha le visage entre les mains pendant plus d'une minute en essayant de ne penser à rien.

« Qu'est-ce que je vais faire maintenant ? Est-ce que j'irai raconter ça à la petite mère supérieure ? Non, certainement pas ! Ce que je vis de l'intérieur ne regarde que moi. Oui, je suivrai les directives, puisqu'il le faut. Je le ferai à ma façon, par contre. Je dois trouver un moyen pour être en paix avec mes convictions. »

Sœur Rébecca imagina divers scénarios au cours de cette nuit-là. Quand elle se laissa glisser dans le sommeil, peu avant les premières lueurs de l'aube, elle avait décidé du plan d'action qui correspondrait le mieux à ce qu'elle souhaitait.

* * *

Le docteur Gauthier avait acquis une certaine notoriété depuis qu'il avait risqué une opération en catastrophe. Sa clientèle augmenta instantanément, quoiqu'il eût sans doute préféré que ce soit à cause de ses qualités de généraliste. Sans le laisser paraître, il avait retiré une certaine fierté de ce succès et il avait trouvé l'exercice très stimulant. Peu après ce coup d'éclat, on frappa à la porte de son cabinet en fin de journée.

— Entrez, dit-il, absorbé dans ses dossiers.

Sœur Rébecca entra timidement. Elle referma la porte

derrière elle et s'avança lentement vers lui, la tête basse. Croyant qu'il aurait une nouvelle consultation à donner, Laurent Gauthier demanda tout simplement :

— Quel est le problème ?

— Je ne viens pas vous voir pour des raisons de santé, Docteur, dit-elle en relevant la tête. Je viens plutôt vous informer d'une situation qui me concerne et qui m'obligera désormais à cesser mes visites auprès des malades.

Le docteur Gauthier parut surpris. Il lui laissa tout de même l'occasion de s'expliquer. Elle hésita pendant quelques secondes, s'efforçant de chasser ce malaise qui l'oppressait péniblement.

— Voilà, j'ai demandé à sortir de la communauté religieuse. Je crois qu'une réponse favorable devrait m'être donnée dans un avenir assez rapproché. Aussitôt que ce sera fait, je retournerai dans ma famille, à Edmonton, où je tenterai de refaire ma vie.

— Sapristi ! C'est toute une décision que vous m'annoncez là, ma sœur, s'étonna le médecin. Vous me sembliez pourtant heureuse dans vos fonctions au sein de la communauté religieuse. Vous a-t-on fait des difficultés ?

— Non, non, pas du tout. J'ai même dû maquiller un peu la vérité pour rendre ma requête plus recevable. Vous voyez bien que je ne suis pas une aussi bonne religieuse que ça, dit-elle en tentant un sourire. J'ai simplement dit que j'avais du mal à vivre retirée ici, loin de l'effervescence sociale et culturelle que l'on retrouve dans une grande ville. J'ai ajouté que je préférerais avoir un travail indépendant et mener ma vie à ma manière. Que je souhaitais participer à des soirées mondaines et puis donner des cours de piano, par exemple. Apparemment, ma supérieure a bien voulu croire en toutes ces idées.

— Si je peux me permettre une question, ma sœur. Quelle est donc la vérité qui se cache derrière cette mascarade ? lui demanda le docteur Gauthier, intrigué.

— La vérité est tout autre, reprit sœur Rébecca.

Elle déglutit avec difficulté et enfonça ses ongles dans la paume de sa main.

— La vérité, c'est que j'aime un homme et que je ne peux plus continuer à vivre ainsi au milieu des religieuses, avec ce sentiment qui me trouble un peu plus chaque jour.

— Oh...

— J'ai donc décidé qu'il valait mieux que je m'éloigne. Je dois me calmer un peu. Je dois surtout cesser de jouer à la vie de couventine alors que mon cœur est rempli de désir.

Le médecin, abasourdi par ce qu'il venait d'entendre, s'adossa à sa chaise en se massant la tempe du bout des doigts.

— Mais pourquoi venir me raconter ça, alors que vous vous êtes abstenue de le faire à votre supérieure ? lui demanda-t-il.

La religieuse demeura silencieuse un court instant. Puis, elle fit un pas vers lui en le regardant droit dans les yeux.

— Laurent, vous n'avez donc pas compris que c'est vous que j'aime ?

Cet aveu, déclaré aussi ouvertement, frappa le docteur Gauthier de stupéfaction et le laissa sans voix.

— Bien sûr, je comprends votre surprise si vous ne voyiez qu'une religieuse devant vous, reprit-elle.

Elle retira alors la cornette et le voile recouvrant ses cheveux clairs. Ils tombèrent librement presque jusqu'à ses épaules. En l'espace d'un instant, elle s'était transformée de religieuse pudibonde en une adorable jeune femme, bouleversante de sensualité. Cette métamorphose soudaine troubla le cœur du médecin qui écarquilla les yeux.

— J'ai... toujours estimé votre compagnie, mais... je ne vous avais jamais vue sous cet aspect, sœur Rébecca, parvint-il à balbutier.

— Je vous en prie, appelez-moi Blanche. C'est mon véritable

prénom. Bientôt, sœur Rébecca ne sera plus qu'un simple souvenir.

— Blanche ! C'est un prénom qui vous va bien.

— Sûrement à cause de mon teint ! Ça ne peut échapper à l'œil d'un médecin réputé comme vous, Docteur Gauthier, dit-elle avec bonne humeur.

— Moi aussi, je préfère que vous me nommiez par mon prénom, comme vous l'avez fait tout à l'heure, s'enhardit le médecin.

— Eh bien ! Laurent, j'ai réussi à vous confier ce que je n'aurais pu dire à personne d'autre, reprit-elle avec soulagement. Ne craignez rien, je serai bientôt à Edmonton et je ne vous mettrai pas dans l'embarras. Ceci demeurera un secret entre nous. Vous voulez bien ?

— Cela va de soi. Cependant, je souhaiterais beaucoup recevoir de vos nouvelles lorsque vous serez là-bas. Vous pourriez également me transmettre votre adresse. De cette manière, j'aurais le plaisir de vous écrire à mon tour et, peut-être bien, de vous rendre visite aussitôt que ce sera possible, expliqua le docteur Gauthier.

— Je le ferai avec joie. J'essaierai, si ça m'est possible, de ne pas être trop ennuyeuse dans ma lettre, ajouta-t-elle avec une pointe d'espoir.

Elle allait remettre son voile et sa cornette quand le médecin fit un geste de la main.

— Blanche, attendez un peu. J'aimerais, qu'auparavant…

Il se leva, s'approcha d'elle et l'embrassa délicatement. Ce fut comme si leurs lèvres s'étaient attendues depuis toujours, leur procurant un ravissement intense, un bonheur voluptueux qui les fit tressaillir de désir. Blanche parvint tout de même à glisser une main sur l'épaule de Laurent et à le repousser très doucement.

— C'est tout à fait délicieux, susurra-t-elle, les yeux mi-clos. Toutefois, mon cher Docteur, il ne faudrait pas oublier que je suis encore religieuse.

— Sapristi !

Une aventure douloureuse

Un autre été rempli d'animation s'était écoulé dans cette ville qui, en 1911, accueillait sans cesse de nouveaux arrivants. Pour ceux qui y vivaient depuis peu, cette effervescence aidait à faire oublier l'éloignement et l'isolement dans lesquels ils s'étaient plongés. Les derniers arrivés s'achetaient souvent des lots de colonisation à l'extérieur de Grouard. Selon la règle établie, ils devaient les occuper en permanence pour en garder le droit de propriété.

Bon nombre d'entre eux s'enfonçaient alors dans une misère difficilement imaginable. Ils habitaient souvent une petite cabane en bois rond comportant une seule pièce, sans fondation, sans eau courante ni électricité. Une maisonnette trop chaude en été et trop froide le reste du temps. Ils puisaient l'eau à même la rivière, sinon dans une source s'ils avaient le bonheur d'en connaître une. Absolument tout était à faire. Commençait alors le travail harassant des colons, du matin jusqu'au soir, avec des moyens désuets pour mener à bien leur projet d'établissement. Lorsqu'ils venaient se procurer du matériel à Grouard, il n'était pas rare de les entendre se plaindre des légions de moustiques qu'ils devaient endurer. Plus d'un se décourageait face à de telles difficultés. D'autres, mus par une ténacité prodigieuse, réussissaient à transformer peu à peu cette misère initiale en de petites fermes où la vie devenait un peu plus soutenable.

Au pays, le pouvoir politique avait changé. Le premier ministre libéral, sir Wilfrid Laurier, avait été défait par le conservateur Robert Laird Borden. Entre-temps, Florida et Antoinette avaient eu chacune un deuxième enfant, respectivement un garçon et une fille. Dans la petite ville de Grouard, les accouchements revenaient fréquemment dans le travail du docteur Gauthier. Il aurait souhaité que cela lui chasse Blanche de l'esprit, ne fût-ce qu'un court instant. Hélas, son image y était si solidement ancrée que même la peau rose d'un bébé, comme celui dont accoucha Antoinette, la lui rappelait encore davantage. La correspondance qu'ils entretenaient servait de pont jusqu'à ce qu'ils se rejoignent enfin.

Honoré, quant à lui, avait travaillé comme un forcené durant tout l'été, construisant maison après maison. Il avait dû engager jusqu'à quatre employés pour le seconder dans son labeur. Avec les économies mises de côté, il était descendu à Edmonton s'acheter un camion neuf. Il l'avait ramené, tant bien que mal, à travers les mauvaises routes qui n'étaient pas encore véritablement conçues pour les véhicules moteurs. Honoré se disait qu'un camion finirait bien par lui être très utile. Il lui ferait surtout économiser du temps dans le transport de ses matériaux de construction. Son retour en ville sema tout un émoi. Secoué et pétaradant dans les rues remplies d'ornières de chariots et charrettes, il joua du klaxon à profusion en saluant les piétons et en effrayant les enfants.

Cet automne-là, le travail se fit tout à coup beaucoup plus rare pour l'énergique entrepreneur en construction. Ses employés durent se rabattre sur les camps de bûcherons pour continuer à gagner leur vie. Ceux-là devaient partir tout l'hiver pour couper les arbres qui fourniraient le bois de planches au moulin. Honoré en était là, assis, songeur, dans la boutique de forge de son ami. Il regardait silencieusement travailler Joseph-Omer. Lui qui, chaque saison, conservait son lot d'ouvrage.

— Pourquoi tu vas pas travailler au moulin à scie ? Avec ton expérience, tu serais pas obligé d'aller bûcher. Ils pourraient sûrement te trouver un poste dans l'atelier, suggéra Joseph-Omer qui le sentait embarrassé.

La question avait tiré Honoré de sa rêverie. Il se demanda combien de temps il était demeuré sans bouger, perdu dans ses pensées. Comme il ne répondait toujours pas, Joseph-Omer continua de développer son idée.

— Ça t'aiderait à passer l'hiver en attendant les premiers beaux jours du printemps. C'est sûr que la construction va reprendre l'année prochaine.

— Es-tu fou, Joseph-Omer ? Je suis un gros client du moulin à scie, moi. Tu t'imagines tout de même pas que je vais aller me traîner au moulin pour me faire engager ? Comment veux-tu que j'aie le respect du patron pis des autres employés après ça ? Oh non, mon vieux, il en est pas question.

— Il y a un peu d'orgueil dans ton affaire, Honoré.

— Orgueil ou pas, j'ai une ben meilleure idée. J'en ai même glissé un mot à Antoinette. Elle va ben finir par comprendre que c'est plein d'allure comme trouvaille.

— Bon... Qu'est-ce que tu vas encore me sortir ? lui demanda le forgeron.

Il s'essuya le front du revers de sa manche et fit une pause en se tournant vers Honoré qui s'animait tout à coup.

— Je vais aller trapper cet hiver, mon Joseph-Omer ! La fourrure, ça rapporte gros. Il y a de la demande partout. D'autant plus qu'on a un comptoir de la Compagnie de la Baie d'Hudson icitte, à Grouard. On a même pas besoin d'aller ailleurs pour vendre les fourrures.

— La trappe, tu connais pas ça, Honoré, lui fit remarquer Joseph-Omer. Tu risques de pratiquement rien rapporter pis de perdre ton temps.

— J'irai pas tout seul, voyons donc ! J'en ai jasé avec le vieux Baptiste, celui qui fait des canots. Il est d'accord pour m'emmener à son camp de chasse. Il va m'enseigner tout ce qu'il y a à savoir sur la façon de trapper. Il y en a pas de meilleur que lui pour connaître autant la trappe que la forêt dans la région. Il me semble que je peux pas commettre une erreur en agissant de cette façon-là.

— Ouais, mais le vieux Baptiste, c'est un Indien. Il a la couenne pas mal plus dure que nous autres. Tout un hiver dans le bois, à manger du lièvre pis de la perdrix, pis à te geler le derrière loin de ta famille, je suis pas certain que tu sois préparé à ça, le prévint son ami Joseph-Omer.

— Bah ! Pour être venu vivre icitte au milieu de nulle part, il faut être prêt à endurer toutes sortes de choses, poursuivit Honoré. Baptiste, c'est un bon diable. Je m'entends ben avec lui. De toute façon, j'ai l'intention de rapporter des fourrures aux Fêtes. Je passerai une couple de jours avec ma famille. Justement, j'ai quelque chose à te demander à propos de ça.

— Je t'écoute. Mais viens pas me demander d'aller convaincre ton Antoinette, j'aime autant te dire que t'as pas frappé à la bonne porte.

— Ben non. Je vais m'arranger avec Antoinette, aie pas peur. Tu m'as déjà dit que Gabardine faisait l'élevage de chiens huskies, pis qu'il les entraînait à tirer les traîneaux. J'aimerais ça s'il pouvait me louer un équipage complet pour l'hiver prochain.

— Jupiter ! C'est sérieux ton affaire ! Pourquoi tu vas pas lui demander directement ?

— Ben, parce que tu le connais pas mal mieux que moi. Il te refusera pas ça à toi, son patron, répondit Honoré un peu mal à l'aise.

— Ça y est ! C'est rendu que je dois faire tes commissions. Attends-moi donc deux minutes. Je vais aller le chercher au magasin. Comme ça, tu pourras la faire toi-même, ta grande demande, le taquina Joseph-Omer.

Honoré et Gabardine n'eurent aucun mal à se mettre d'accord. Louer tout un équipage de ses chiens était pour Gabardine une excellente occasion d'aller se chercher quelques revenus supplémentaires. Il économiserait aussi sur la nourriture à leur donner et il pourrait toujours en revendre quelques-uns par la suite. D'ici là, il aurait du temps pour se consacrer au dressage des plus jeunes. De son côté, Honoré pouvait aller de l'avant avec son projet maintenant qu'il avait trouvé un équipage de chiens. Il s'en retourna chez lui en fredonnant, heureux d'avoir un problème en moins à se soucier et confiant de convaincre son Antoinette.

* * *

L'entrepreneur bedonnant passa le reste de l'automne à se préparer pour le départ, guettant avec impatience la chute des premières neiges. Il amassa le matériel nécessaire en suivant à la lettre les instructions du vieux Baptiste. Il s'exerça à atteler et à dételer les chiens au traîneau en écoutant attentivement les conseils de Gabardine, comme l'aurait fait un enfant devant son professeur. Les jours froids entraînèrent des précipitations de neige dès le début de novembre. En peu de temps, elle recouvrit suffisamment le sol pour permettre aux traîneaux de glisser facilement. Honoré en profita aussitôt pour s'exercer à la conduite des chiens. Comme il en avait été convenu, le vieux Baptiste ne tarda pas à se manifester dans les semaines suivantes. Il décida qu'ils partiraient le dimanche matin, à la sortie de la première messe.

Rempli d'enthousiasme, Honoré passa la journée du samedi à entasser tout son bagage sur le traîneau, bien à l'abri dans son hangar, auprès de son camion bien-aimé. Lorsqu'il rentra à la maison, l'obscurité était déjà tombée, même si l'après-midi tentait de s'étirer encore un peu. En dépit de sa contrariété, Antoinette cuisinait un bon ragoût de boulettes. Elle regarda longuement son mari enlever ses bottes et son manteau, cachant mal cette inquiétude qui la rongeait devant l'imminence du départ de son homme. Elle avait pourtant prié, souhaitant qu'il se détourne de cette idée farfelue. Ce fut peine perdue. Honoré s'était montré plus têtu qu'une mule.

— Il est encore temps de changer ton fusil d'épaule, mon homme. Le vieux Baptiste va comprendre pis il t'en voudra pas. On trouvera ben une autre façon de passer l'hiver, tenta-t-elle encore une fois de le raisonner.

— Pis on arrivera au printemps bourré de dettes. Non, Antoinette ! J'ai pas l'intention de prendre les profits de l'été prochain pour payer les dépenses de cet hiver. Une fois rendu à l'automne suivant, on serait devant quoi ? Au moins, avec les fourrures, on devra rien à personne. Avec un peu de chance, on pourra peut-être même s'en coller un petit brin.

— Si t'avais pas acheté ton damné camion, aussi. On en aurait, de l'argent, pour passer l'hiver, lui rappela Antoinette avec amertume.

Elle empoigna une pomme de terre qu'elle éplucha énergiquement. Honoré savait que sa femme avait raison. Néanmoins, la fierté de posséder son camion l'emporta sur la raison.

— Le camion va nous servir, Antoinette ! Pis ben plus vite que tu le penses ! C'est fini le temps où j'attelais le cheval à la charrette pour aller chercher des madriers au moulin à scie. Il me semble que t'haïssais pas ça quand je te conduisais à la grand-messe en camion. Ben installée, ben abritée, beau temps mauvais temps !

— Tu te défiles encore, Honoré. Je te parle de nos économies, pas de la grand-messe. Pis si le vieux Baptiste tombe malade dans le bois, qu'est-ce que tu vas faire ? Il est pas jeune comme toi. On sait jamais ce qui peut arriver, s'inquiéta encore sa femme.

Honoré eut un moment de réflexion et regarda le petit Raoul qui courait autour de la table avec le chapeau de feutre de son père sur la tête.

— Le vieux Baptiste est solide en masse. Il a même pas soixante ans, tenta-t-il de la rassurer d'une voix qui avait retrouvé son calme.

— J'en suis pas si sûre que ça, moi. Il était déjà icitte ben avant tout le monde, précisa Antoinette en s'essuyant les mains sur son tablier.

— Wo ! Il est quand même pas vieux comme Adam, répliqua Honoré, moqueur. Si je rapporte plein de fourrures à la fin de l'hiver, Antoinette, je vais en mettre de côté pour te faire tailler un beau manteau de poils.

— Es-tu fou, toi ? Je me vois pas là-dedans. C'est pour les grandes dames, des manteaux comme ceux-là.

— T'es peut-être pas ben grande, mais madame Corbeil, c'est pas n'importe qui, affirma son mari en la prenant par la taille. Je te vois déjà, moi, emmitouflée dans de la belle fourrure sur le perron de l'église.

— Ça y est, t'es fou !

— À part de ça, tes boulettes sentent pas mal bonnes, ajouta-t-il en lui caressant doucement un sein.

— Arrête donc. On va manger bientôt, soupira Antoinette entre deux petits becs à la dérobée.

Honoré partit pour la trappe le lendemain matin sous un soleil radieux. Ses chiens suivaient à courte distance le traîneau du vieux Baptiste. Déjà loin derrière, Antoinette agitait encore la main. Conscient du chagrin qu'il éprouvait de la quitter pour plusieurs semaines, Honoré dut tout de même reporter toute sa concentration sur la maîtrise de son équipage. L'apprenti trappeur tâchait de suivre l'exemple de son guide, tout en se remémorant les précieux conseils de Gabardine. Ils filèrent toute la journée, s'arrêtant à peine plus d'une demi-heure pour manger un peu et laisser reposer les chiens. Ils espéraient atteindre la cabane qui servait de refuge aux voyageurs avant la tombée de la nuit. De là, ils auraient besoin d'une autre longue journée de traîneau pour rejoindre le camp de chasse de Baptiste.

Le vieil Indien se montra avare de commentaires. À son arrivée au petit refuge, Honoré aurait souhaité qu'ils discutent ensemble de cette première grande randonnée en traîneau, des sensations ressenties à glisser dans l'air froid ou sinon qu'ils échangent une simple appréciation sur cette cabane vétuste, qu'ils avaient atteinte en pleine noirceur. Il dut se contenter de deux petites phrases plutôt décevantes.

— Au moins, tu as réussi à te rendre jusqu'icitte. Tu dois avoir faim.

Sans plus attendre, l'Indien entra dans le refuge en s'éclairant à l'aide de son fanal. Il alluma le petit poêle auprès duquel avaient déjà été déposées quelques bûches de bois sec.

— Ouais... Ça promet, murmura Honoré pour lui-même.

La seconde journée se révéla tout à fait semblable à la précédente. Une fois de plus, les trappeurs ne purent être au camp de chasse avant que la lumière du jour n'ait disparu presque complètement. Celui-ci n'était guère plus accommodant que le refuge rudimentaire qu'ils avaient quitté le matin, ce qui désappointa secrètement Honoré.

« C'est Joseph-Omer qui avait raison, pensa-t-il devant ce délabrement. Je vais me faire geler tout l'hiver. »

En fait, il avait eu froid la nuit précédente. Le vieux Baptiste avait laissé mourir le feu et lui, recroquevillé dans ses couvertures, n'avait pas osé se lever pour l'attiser, de peur de commettre un impair.

Les premiers jours de trappe furent pénibles. Il s'en fallut de peu pour qu'Honoré n'abandonne tout. Malgré ses difficultés et l'amour-propre aidant, l'adaptation se fit peu à peu. Il combla son inaccoutumance à la vie en forêt par un parfait désir de respecter en tous points les recommandations de Baptiste. Les conseils finirent par porter leurs fruits. Après un certain temps, il ajouta peu à peu des fourrures de rats musqués, visons, castors et chats sauvages à celles que l'Indien ramenait en plus grand nombre. Le territoire à couvrir était très vaste. Il fallait parfois jusqu'à trois heures de traîneau pour rejoindre les points les plus éloignés. Un soir arriva enfin où le vieil homme lui fit part de sa satisfaction.

— Pour un gars qui n'avait jamais trappé de sa vie, tu es meilleur que je pensais. Tu vas devenir un vrai coureur des bois, si ça continue comme ça. J'ai jamais eu autant de fourrures à ce temps-ci de l'année.

— J'ai le meilleur professeur qu'on puisse trouver, le flatta fièrement Honoré. À ce train-là, l'hiver va être payant en maudit ! On sera pas venus icitte pour rien, mon Baptiste.

— On en a déjà pas mal ramassé. On est mieux de ralentir un peu. Il faut en laisser pour les autres hivers, tempéra Baptiste.

— Tu dois avoir raison. Tu connais ça mieux que moi, l'approuva Honoré. Je me demandais justement, étant donné que Noël approche, si je pourrais pas descendre un voyage de fourrures à Grouard ? On aurait pas à attendre jusqu'au printemps pour toucher un peu d'argent. Pis, en même temps, j'en profiterais pour passer les Fêtes avec ma famille.

Accoudé à la table de planches rustique, le vieux Baptiste sirotait lentement une gorgée de thé chaud en réfléchissant à la suggestion de son compagnon.

— Les Fêtes existent pas pour les animaux à fourrure, finit-il par répondre.

— Je le sais ! Mais tu m'as dit toi-même qu'il fallait ralentir, qu'on en avait plein, de fourrures. Si je pars deux semaines, j'imagine que ça nuira pas à la trappe, insista Honoré.

— On a pas encore de renards ni de loups, considéra le vieux Baptiste en continuant de savourer sa tasse de thé chaud. D'un autre côté, si tu sors du bois en me laissant tranquille pendant deux semaines, c'est vrai que ça fera pas de tort. Penses-tu être capable de t'en retourner tout seul ?

— Ben oui, Baptiste. Inquiète-toi pas, je me souviens du chemin. On est jamais ben loin du ruisseau qui peut toujours me servir de point de repère.

— Dans ce cas-là, tu iras donner de mes nouvelles à ma fille, pis tu ramèneras un peu de mangeaille. Par contre, je t'avertis tout de suite, Honoré. Va pas me perdre mes fourrures ! Sinon, c'est toi que je vais prendre au collet.

* * *

Antoinette sortit du bureau de poste et décacheta la seule lettre qu'elle avait reçue ce jour-là. Elle la parcourut rapidement du regard, sa respiration fumant dans l'air froid les mots qu'elle lisait à voix basse. À la fin de sa lecture, elle laissa retomber lourdement la main qui tenait la lettre contre sa cuisse.

— Antoinette !

Florida traversa la rue en courant avant qu'un traîneau tiré par un cheval au trot, émettant un tintement de clochettes, ne puisse la frôler de trop près. Elle serrait contre elle une grande enveloppe brune qu'elle allait sans doute poster.

— Florida ! Comment ça va ? Hé ! Fais attention ! C'est pas le moment d'aller te faire écraser à la veille des Fêtes !

— Ben non !

Elles se firent une accolade en riant de cette témérité qu'on laisse habituellement aux plus jeunes.

— Je vais bien, reprit Florida. Encore de la marchandise à faire venir, dit-elle en présentant sa grande enveloppe. Pis toi ? As-tu reçu des nouvelles de ta famille au Québec ?

— Non, soupira Antoinette. J'ai l'impression que je vais recevoir des nouvelles après le jour de l'An encore une fois, pis qu'ils vont tous me souhaiter un joyeux Noël !

Florida se mit à rire de cette remarque en hochant de la tête.

— C'est la même chose pour nous autres, approuva-t-elle. Encore chanceuses d'en avoir, des nouvelles.

— Ouais... Vraiment mieux que ce genre de lettre-là, lui montra Antoinette. Un client qui nous doit des sous depuis l'été passé, qui se confond en excuses parce qu'il pourra pas nous payer tout de suite. Heureusement, la banque est pas loin pour retirer de l'argent. Dis-moi donc, c'est Joseph-Omer qui garde tes enfants ?

— Ben oui.

— Moi, c'est la vieille Alexandrine. Ça la désennuie un peu, soupira Antoinette.

— C'est rare qu'on se rencontre seules toutes les deux, lui fit remarquer Florida.

— Ben je vais te dire, ma chère, que pour être seule, je me sens seule pas mal tout le temps, lui confia Antoinette. Depuis que mon mari est parti courir les bois, c'est comme si la mort avait passé dans la maison.

— Il va ben revenir pour les Fêtes, voulut l'encourager Florida.

— Compte pas trop là-dessus. Obstiné pis orgueilleux comme il est, il peut aussi ben me revenir seulement au printemps, simplement pour prouver à quel point il est endurant.

— D'après moi, l'ennui va le gagner dans le temps des Fêtes. Sois pas surprise si tu lui vois apparaître la binette, maintint Florida.

— J'aimerais tellement ça, parce que moi je m'ennuie en maudit !

— Écoute, Antoinette, à Noël amène toute ta famille chez

nous, y compris Honoré s'il est revenu ! Vous viendrez passer toute la journée, on va s'amuser. On jouera aux cartes pis on prendra un petit verre de vin.

— Ah ! C'est vraiment aimable de ta part. C'est sûr que ça me ferait du bien, mais je sais pas si je devrais dire oui. Ton mari est même pas au courant. Qu'est-ce qu'il va dire s'il nous voit arriver toute la famille ? se demanda Antoinette.

— Joseph-Omer aime tellement les Fêtes qu'il va juste être ben content. Il y a pas de gêne à y avoir.

— Dans ce cas-là, merci ! Je pense que je vais me laisser tenter.

— *Yes !*

— Je te dis que t'es chanceuse, toi, d'avoir un mari toujours près de la maison. C'est pas comme le mien, se confia la femme du menuisier.

« Et puis ? », pensa Florida en la laissant parler.

— Le tien, il est toujours à son affaire, toujours prêt à t'aider, il part pas dans des idées de grandeur comme mon beau Honoré.

« Voyons, c'est mon amie. Elle a ben le droit de faire des comparaisons si elle veut », continua de penser Florida sans dire un mot.

— Je te cache pas que des fois, j'aimerais ça être à ta place... soupira à nouveau Antoinette.

— Ben là ! Il est pas parfait ! s'exprima enfin Florida.

— Je le sais. Il y en a pas de parfait. Mais au moins... il est là ! C'est ça que je voulais dire.

* * *

Deux jours avant Noël, Honoré chargea les peaux séchées sur le traîneau et attela les chiens. Les bêtes, toutes fringantes, avaient du mal à rester en place. Les salutations furent donc écourtées avec le vieux Baptiste. Honoré partit à vive allure sur la neige durcie par le froid. Les huskies, rassasiés de la viande des animaux piégés, paraissaient infatigables. Ils coururent longtemps avant que le maître ne puisse les arrêter et prendre un peu de repos. Cette allure infernale lui permit d'être au relais plus vite qu'il ne s'y attendait. Heureusement, puisque des averses de neige s'abattirent sur toute la région en fin d'après-midi, jusque tard au cours de la nuit suivante.

À son réveil, la toile nuageuse s'étendant jusqu'à l'horizon était parsemée, çà et là, de quelques taches d'azur éparses. Un rayon de soleil perçait occasionnellement, faisant miroiter les rares flocons de neige qui voletaient encore dans le silence du matin. Quand il fut prêt à partir, Honoré lança alors l'indispensable « Envoye à maison ! » que Gabardine lui avait enseigné. Ce cri commandait aux chiens de rentrer directement au chenil. Ils s'élancèrent aussitôt, mêlant leurs aboiements à la voix d'Honoré qui, imprégné de l'esprit des Fêtes, avait entonné spontanément le « Minuit Chrétien ». Il s'imaginait chanter à son église de Grouard, Antoinette assise à ses côtés et tenant fièrement les enfants sur ses genoux. Un doux moment de rêverie, où même les aboiements des chiens se transformaient en applaudissements admiratifs.

Plus loin, dans cette folle équipée, il dut cependant revenir à la réalité. Il aurait juré que les huskies s'écartaient de ce qui aurait dû être la piste. Elle avait disparu complètement sous les accumulations de neige. Les chiens ne suivaient donc plus rigoureusement les méandres du ruisseau. Ils coupaient court au travers les buttons et les broussailles et peinaient davantage dans cette neige épaisse. Honoré avait du mal à les ramener sur le chemin qu'il aurait souhaité prendre. Cependant, comme la direction était la bonne, il s'y résigna bon gré mal gré. Il se disait qu'il gagnerait certainement du temps s'il laissait les chiens suivre leur instinct. Ce chemin improvisé, quoique plus direct, n'en demeurait pas moins beaucoup plus difficile. Il devait souvent baisser la tête pour éviter d'être fouetté au visage par les branches des arbustes qu'il frôlait constamment.

Au moment où il parvenait enfin à ramener le traîneau vers une belle éclaircie forestière, il s'écria encore: « Envoye à maison! » Les chiens stimulés sautèrent par-dessus un arbre mort aux trois quarts enfoui dans la neige. L'avant du traîneau heurta l'obstacle en travers de sa route. Debout sur les patins arrière, Honoré perdit l'équilibre et fut projeté au sol. Sa jambe droite s'enfonça profondément sous le tronc d'arbre, alors que tout son poids était projeté de l'autre côté. L'os se brisa net en dessous du genou. Un long cri de douleur perça la quiétude des lieux et fit s'envoler un gros corbeau solitaire qui accompagna sa fuite d'un sinistre croassement.

Pendant quelques minutes, Honoré demeura allongé près de l'arbre chu, envahi par des vagues de douleurs successives. Elles apposèrent un voile noir sur ses yeux qui lui obstrua la vue et le laissa à demi conscient. Puis, la neige froide collée sur son visage lui fit reprendre ses sens. Avec d'infinies précautions, il réussit à se tourner sur le dos, grimaçant et haletant de douleur. Il réalisa alors dans quel pétrin il s'était placé, blessé en forêt, loin de toute habitation.

« Les chiens! »

Il se redressa sur les fesses et jeta un coup d'œil à sa jambe tordue qui continuait de le faire souffrir. Les traces de l'attelage disparaissaient derrière une colline qui lui bouchait l'horizon.

« Il faut que je les ramène. Ils doivent être de l'autre côté à m'attendre », songea-t-il.

— Bouboule! Bouboule!

Son cri d'appel au chien de tête resta sans réponse. Pas un aboiement ni aucun autre bruit pouvant laisser croire qu'ils revenaient vers lui.

« Ils sont un peu plus loin. C'est sûrement ça », essaya-t-il de se convaincre nerveusement.

— Bouboule ! Bouboule ! Bouboule !

Il hurla ainsi pendant plusieurs minutes, espérant les voir surgir à tout moment au sommet de la colline. Après s'être époumoné à en perdre la voix, il comprit finalement que les chiens, allégés de sa charge, avaient continué à courir. Ils obéissaient à l'ordre de rentrer à la maison, emmenant tout avec eux, la nourriture, sa carabine et les fourrures. Cette dernière idée ajouta à son supplice.

— Non ! Pas les fourrures à Baptiste pis l'argent de la trappe qui est perdu ! gémit-il.

Il se mit à sangloter comme un enfant, le visage inondé de larmes, le cœur rempli de désespoir. Il martela le sol gelé de ses poings rageurs, impuissant devant la fatalité. Une bourrasque de vent subite calma ses pleurs. Il réalisa qu'il ne pouvait demeurer là, assis dans la neige, à espérer que viennent les secours.

« Aide-toi et le ciel t'aidera, pensa-t-il. C'est ça que mon père me disait tout le temps. J'aurais ben aimé ça le voir à ma place, lui ! »

Lentement, Honoré tenta de se remettre sur pied en évitant de solliciter sa jambe droite. Hélas, chaque tentative de redressement le dardait cruellement et le ramenait au sol avec des gémissements. Il cassa des branches de l'arbre mort pour s'en faire une béquille. Elles étaient malheureusement trop ténues et trop sèches pour supporter son poids et se brisaient tour à tour chaque fois qu'il tentait de s'y appuyer. Les larmes lui affluèrent encore une fois dans les yeux.

« Hé ! Je vais quand même pas me remettre à brailler comme un veau », se dit-il.

Il s'essuya le nez du revers de sa manche. Il regarda autour de lui, cherchant ce qu'il y avait de mieux à faire pour l'instant. Il remarqua tout de suite un gros sapin enneigé presque au pied de cette colline, d'où avaient disparu chiens et traîneau. Sa décision fut immédiate. Voilà l'abri nécessaire dans l'attente de l'aide espérée. Il rampa patiemment jusqu'à cet abri de fortune, laissant traîner péniblement sa jambe brisée derrière lui. Il se glissa précautionneusement sous les branches de l'arbre, s'égratignant le cou au passage. Cela ne lui parut qu'un chatouillis en comparaison de ce que lui faisait endurer sa fracture.

Ce couvert de rameaux s'avéra plus hospitalier qu'il ne s'y attendait. Il pouvait s'adosser à l'arbre, en passant la tête à travers les branches, et surtout il était protégé du vent, ce qui rendait la température plus supportable. Il se reposa un peu. Quelques minutes plus tard, il se mit à colmater toutes les brèches visibles au niveau du sol avec la neige qu'il entassait comme isolant. La nuit viendrait et avec elle, le froid intense. Cela, il le savait très bien. Par bonheur, il était vêtu chaudement. Il pouvait s'accommoder du froid pour le moment. Il gratta ensuite un peu de gomme de sapin qui avait coulé sur le tronc. Il la mastiqua lentement pour passer le temps et tromper la faim qui le tenaillait déjà.

* * *

Les huskies rentrèrent dans Grouard sur l'heure du souper. Ils trottinaient la langue pendante et tiraient derrière eux le traîneau privé de conducteur. Ceux qui les virent passer se retournaient pour voir si le maître ne courait pas à l'arrière en tentant de les rattraper. Les chiens descendirent la grande rue, insensibles aux appels des quelques passants tout aussi pressés de rentrer chez eux en cette veille de Noël. Les chiens attelés au traîneau pénétrèrent en aboyant dans la cour des Duchesneau. Ils tirèrent la petite famille de table au moment du dessert.

— C'est Bouboule qui jappe comme ça, maman! assura Gabardine le nez collé à la fenêtre.

Les deux plus jeunes enfants accoururent en se heurtant vers les carreaux du bas.

— Oui ! C'est mon gros Bouboule ! Je vais pouvoir jouer avec lui, s'enthousiasma le petit Rodrigue en sautillant.

— Arrête donc ! Tu vas me sauter sur un pied, s'impatienta Pamela en lui faisant de gros yeux.

— Monsieur Corbeil doit être revenu pour Noël, en déduit Gabardine.

— Va vite l'aider, Jean-Marie. Invite-le à venir prendre une tasse de thé. Il doit être gelé par un temps pareil, supposa madame Duchesneau.

Elle chercha en vain Honoré de son côté à travers les carreaux de la porte, pendant que Gabardine se hâtait d'enfiler ses bottes et son manteau. Il sortit dans la nuit en tenant un fanal à la main. Il marcha vers les chiens qui accouraient vers lui, tout excités de le retrouver. Malgré la difficulté qu'il eut à les calmer, il réussit à élever sa lumière au-dessus de sa tête pour éclairer la cour.

— Monsieur Corbeil ? Monsieur Corbeil ?

Aucune réponse n'arriva. Il n'y avait d'autre mouvement que celui des chiens qui continuaient à frétiller allègrement. En flattant Bouboule, il remarqua l'absence de traces de pas qui auraient dû s'éloigner du traîneau. Il souleva la bâche qui recouvrait son contenu. Il aperçut, soigneusement rangés, le matériel et les piles de fourrure séchée.

— Ben voyons donc... Qu'est-ce qui s'est passé ? se demanda-t-il à mi-voix.

Gabardine dételа les chiens et les emmena au chenil où il leur donna à manger. Il glissa ensuite le traîneau dans la remise et revint à la maison la mine déconfite.

— Comment ça, il y a personne ? Les chiens sont quand même pas arrivés icitte tout seuls, s'objecta madame Duchesneau.

— Ça m'en a ben l'air, maman. Tout son bagage est dans le

traîneau, y compris sa carabine. Il y a personne dehors, je vous dis !

— Les chiens ont dû se sauver quand Honoré est descendu chez lui pour aller au-devant d'Antoinette, raisonna madame Duchesneau. Je suis certaine qu'on va le voir nous arriver en riant avant la fin de la soirée.

— Si c'est comme ça, je vais aller à sa rencontre. Je veux en avoir le cœur net, quitte à me rendre jusque chez eux.

Gabardine quitta la maison familiale d'un pas décidé, scrutant au passage les rares piétons qu'il croisa dans la rue et espérant reconnaître Honoré parmi eux. Il marcha ainsi jusque chez Antoinette. Lorsqu'il frappa à sa porte, elle était debout sur une chaise et accrochait une dernière guirlande dans le salon. Elle en descendit prudemment pour aller ouvrir.

— Gabardine ! Quelle surprise ! Entre un peu, tu vas faire geler la maison.

— Est-ce que votre mari est là, Madame Corbeil ? demanda Gabardine.

Il jeta un coup d'œil par-dessus l'épaule d'Antoinette tout en pétrissant nerveusement ses mitaines au cuir refroidi.

— Tu parles d'une question ! Tu sais ben que mon mari est parti trapper, Gabardine.

— J'ai vu son traîneau tout à l'heure, Madame Corbeil.

— Hein ? Le sacripant ! Il doit être revenu en cachette, pis il t'envoie sonder le terrain. C'est ça ? supposa Antoinette.

— Non, Madame. Lui, je l'ai pas vu. Les chiens sont arrivés tout seuls chez nous, lui fit comprendre Gabardine.

Instantanément, Antoinette perdit son sourire et porta la main à sa bouche.

— Mon Dieu ! s'exclama-t-elle. Honoré est pas du genre à s'accrocher les pieds partout. Qu'est-ce qui s'est passé ?

— C'est certain qu'il devait s'en revenir pour les Fêtes. Il y a plein de fourrures entassées dans le traîneau. À mon avis, les chiens ont dû s'échapper quand il était au refuge. Inquiétez-vous pas, Madame Corbeil, je vais partir à sa recherche demain matin à la barre du jour.

— Mon Dieu ! Mon Dieu ! Pourvu qu'il lui soit pas arrivé malheur ! s'affola Antoinette.

— Votre mari est un homme débrouillard. S'il est au refuge, comme je le pense, il est pas en peine. Je vais vous le ramener, je vous le promets.

Gabardine pressa le pas jusque chez lui, indifférent aux préparatifs de Noël en cours dans chaque maison qu'il croisa tout le long de la rue.

« C'est quand même bizarre que Bouboule se soit sauvé en entraînant les autres avec lui, se dit-il en marchant. C'est le chien le plus docile que j'aie jamais eu. Je suis ben mieux de partir de bonne heure demain matin, juste au cas. Monsieur Corbeil est du genre à foncer la tête baissée, j'espère qu'il s'est pas mis dans le pétrin jusqu'au cou. Noël demain… Ça m'a tout l'air que je vais le passer dans le bois cette année ! »

Quand il rentra chez lui, Gabardine informa sa mère de sa décision et la pria de l'excuser de ne pouvoir assister à la messe de minuit avec la famille. Il la pressa contre son cœur et lui souhaita un joyeux Noël, puis il monta se coucher plus tôt qu'à son habitude, en même temps que son petit frère et sa petite sœur.

* * *

La nuit avança, froide, sous un ciel clair inondé de scintillements d'étoiles. Elle laissa échapper le peu de chaleur que la journée avait accumulée. Si les gens de Grouard s'entassaient dans la tiédeur de leurs petites églises, Honoré, à des lieues de là, se frictionnait vainement, à la recherche d'un minimum de confort. Il avait réussi à dormir un peu en soirée. Maintenant, le froid mordant ne lui laissait aucun répit et la nuit paraissait interminable. Il luttait contre l'engourdissement en bougeant aussi souvent qu'il le pouvait les doigts et les orteils. C'était sa seule façon d'éviter les engelures qui le menaçaient.

Peu à peu, la nuit se dissipa tout de même, laissant une faible clarté filtrer à travers les aiguilles de son sapin protecteur. Honoré reprit espoir et se mit à scruter les alentours. Il souhaitait la venue rapide des sauveteurs malgré l'heure matinale. Il savait fort bien qu'il était trop tôt pour qu'on puisse le retrouver, mais il s'accrochait vigoureusement à cette idée, moins lugubre que ces sombres pensées qu'il repoussait courageusement.

Quelques heures s'étaient écoulées à faire le guet quand un mouvement attira son attention à l'endroit où il avait chuté. Un loup efflanqué reniflait les traces laissées sur la neige et il commençait à se rapprocher, le museau au ras du sol. Il releva ensuite la tête et pointa le nez en sa direction.

« Au moins, il est tout seul, observa Honoré. J'ai même pas apporté de branches mortes du maudit arbre qui m'a fait planter. »

Il essaya sans succès de briser les plus grosses branches du sapin qui pliaient sans se rompre. Celles qu'il réussissait à briser n'auraient été bonnes, tout au plus, qu'à éloigner les mouches en une autre saison. Le loup, qui avait décelé le mouvement de panique sous le conifère, était tout près maintenant. Il grognait sourdement, laissant voir des crocs menaçants en retroussant ses babines. Honoré secoua vivement les branches qui lui venaient sous la main, espérant ainsi faire fuir l'animal hargneux. Le prédateur ne fit pas plus que quelques pas vers l'arrière, soupesant le danger que pouvait représenter cette proie. Il se rapprocha de nouveau, en contournant le sapin cette fois-ci. Il continuait de grogner, le poil hérissé sur le dos. Honoré, qui ne manquait pas de voix, beugla alors la première chose qui lui traversa l'esprit.

— Banane !

Était-ce la faim qui l'avait inspiré de la sorte ? Étonnamment, le loup détala aussitôt un peu plus loin, apeuré par ce cri inattendu. Il continua cependant à lorgner vers Honoré qui brassait à nouveau les branches pour se donner un air méchant. L'animal grimpa au petit trot sur la colline. Il s'arrêta là-haut en poussant un hurlement à vous glacer le sang. Quelques secondes s'écoulèrent, puis il répéta son appel déchirant. Bientôt, il sembla qu'au loin d'autres hurlements répondaient au sien, langage de la vie sauvage dont Honoré connaissait parfaitement la signification. Quand bien même il crierait « Banane ! » à en faire pleuvoir des caisses, il serait perdu face à une meute de loups. Il se jura néanmoins d'essayer d'étouffer ce grand loup gris qui continuait de hurler sur la butte, avant que ses congénères ne le prennent à son tour à la gorge.

« Je reverrai pas mon Antoinette pis les enfants, pensa-t-il encore. J'aurais dû l'écouter aussi, au lieu de venir faire le fanfaron au fond des bois. Je vous aime, pardonnez-moi… »

Pan !

Une détonation puissante fendit l'air et se répercuta en écho entre les collines environnantes. Les hurlements des loups avaient cessé immédiatement et le silence de la forêt hivernale avait repris ses droits. Honoré croyait rêver tout éveillé. Il se glissa la tête au travers des branches de sapin et aperçut les poils du malheureux loup gris qui gisait au sommet du coteau. À cet instant, soudainement revigoré, ce fut à son tour de se mettre à hurler à tue-tête.

— Icitte ! Par icitte ! Je suis en dessous du sapin ! Houuuuu houuuuu !

La silhouette d'un homme encapuchonné apparut peu après aux côtés de l'animal inanimé. Le tireur poussa la bête avec la pointe de sa carabine, s'assurant qu'elle était bien morte. Il ne lui semblait pas nécessaire de se hâter, malgré les pressants appels à l'aide qu'il avait entendus.

« C'est pas Gabardine ni le vieux Baptiste, se dit Honoré. Ils agiraient pas comme ça. »

L'inconnu se tourna enfin vers lui et descendit lentement de la colline, la carabine toujours entre les mains. Lorsqu'il arriva suffisamment près du grand sapin, Honoré le reconnut aussitôt. Cela lui fit l'effet d'une claque qui l'aurait saisi par surprise.

— Ah ben, maudit... Charron ! Le diable m'aurait apparu que ça aurait pas été pire ! déclara-t-il à haute voix.

Le bonhomme écarta d'une main les branches lui obstruant la vue et laissa apparaître la grimace qui lui tenait lieu de sourire.

— Gériboire... Le gros ! Qu'est-ce que tu fais là ? Dis-moi pas que ta femme s'est finalement décidée à te jeter dehors, pis que t'as déménagé en dessous d'un sapin ?

— Arrête donc de faire le fin finaud, Charron. Aide-moi plutôt à sortir de là. Je me suis cassé une jambe, hier.

— Avec les loups qui rôdent aux alentours, mon gros, tu devais avoir hâte de me voir arriver.

— Pas vraiment, en ce qui te concerne. Mais là, j'ai envie de pisser. Ça fait que dépêche-toi de me sortir d'icitte, avant que je pisse dans mes culottes.

Charron déposa sa carabine et s'agenouilla dans la neige pour tirer le blessé jusqu'à l'extérieur de son abri. Il le glissait vers lui du mieux qu'il pouvait en le soutenant sous les bras, lui arrachant un petit cri de douleur chaque fois que la jambe brisée frappait un obstacle. Il le dégagea à demi, puis il lâcha prise. Le bonhomme devait reprendre son souffle et récupérer un peu d'énergie.

— J'ai toujours rêvé de trouver un cadeau en dessous des branches d'un sapin, le jour de Noël, dit-il. Ça a ben l'air que ça sera pas encore pour cette année, gériboire !

— Envoye, tire, maugréa Honoré.

Charron le tira hors de sa cachette. Il dut le soutenir pendant quelques instants pour qu'il soulage enfin sa vessie gonflée. Il aida ensuite l'estropié à se rasseoir par terre et il partit chercher deux branches bien droites afin d'immobiliser la jambe brisée.

— As-tu échappé tes chiens ? lui demanda le vieux trappeur à son retour.

— Quand j'ai frappé l'arbre mort, là-bas, ils n'ont jamais arrêté de courir.

Charron mit deux doigts dans sa bouche et lâcha un sifflement strident. Quelques secondes plus tard, ses chiens parfaitement dressés dévalèrent la butte et s'arrêtèrent aux pieds du maître.

— Des bons chiens, il faut toujours que ça nous écoute, marmonna Casimir Charron en caressant les oreilles de son chien de tête.

— C'est ça qu'ils ont fait, ronchonna Honoré. Je venais de leur donner l'ordre de rentrer à la maison.

— Gériboire ! Ils sont sûrement rendus là-bas. Dis-toi ben qu'à l'heure qu'il est, je te ramènerai pas à Grouard aujourd'hui, l'avisa le bonhomme.

Tout en parlant, il attacha les deux branches autour de la jambe tordue d'Honoré à l'aide d'un bout de corde. Il avait l'habitude d'en traîner toujours avec lui dans ses expéditions.

— Mon camp est moins loin d'icitte que le refuge. Si personne vient te chercher, demain je te reconduirai en ville, promit Charron.

Il aida Honoré à prendre place dans le traîneau et dirigea les chiens près du loup mort. À cet endroit, il traça une grande flèche dans la neige pour indiquer la direction qu'ils prendraient. Il revint ensuite ramasser le loup qu'il plaça en travers des cuisses de son passager.

— Ça va te garder au chaud, le temps de se rendre, lui dit-il.

— Merci, balbutia Honoré en grimaçant de douleur.

Sans surprise, le camp en bois rond de Charron n'était guère plus confortable que tous ceux qu'Honoré avait connus jusque-là. À la différence près qu'il était légèrement plus grand et possédait une fenêtre supplémentaire du côté sud. Pour le reste, on y retrouvait la même austérité de style où seuls quelques pièges accrochés aux murs servaient d'ornements. Néanmoins, Honoré se serait cru au paradis. Quelques rondins furent ajoutés dans le poêle à bois et la soupe aux pois de la veille fut réchauffée. Une fois débarrassé de ses bottes et de son manteau, Charron installa le blessé sur sa paillasse. Celui-ci mangea goulûment la soupe chaude que le bonhomme lui servit. Il s'endormit ensuite paisiblement, bercé par les bruits des casseroles qui tintaient délicatement à ses oreilles, car Charron, transformé subitement en hôte rempli de civilité, se démenait à préparer un ragoût de perdrix qui serait digne d'un vrai coureur des bois.

* * *

Gabardine s'était mis en route dès l'aurore. Il avançait rapidement avec un nouvel équipage de huskies frais et dispos. Il remontait le sillage laissé dans la neige la veille par le traîneau inoccupé d'Honoré. Aucune trace suspecte n'apparut, jusqu'à ce qu'il atteigne l'endroit où se rejoignaient une foule d'empreintes et de pistes mélangées au hasard. Il inspecta les lieux minutieusement, aperçut le sang sur la colline, et ne tarda pas à comprendre qu'il s'y était passé un incident. Mais tout cela ne lui donnait aucune réponse précise quant aux détails des événements qui s'y étaient produits. Il se résigna donc à suivre l'indication laissée dans la neige par l'un des auteurs de cet imbroglio.

— Si ça ne me mène pas à monsieur Corbeil, j'aurai perdu la journée, se dit-il avec inquiétude. Peut-être qu'il y aura d'autres personnes pour m'aider à le retrouver. Marche, Toupie !

Dans le camp de chasse, Honoré sortait de son sommeil. Il fut réveillé soit par le fumet du ragoût qui finissait de mijoter, soit par Charron qui rentrait une brassée de bûches en se traînant les pieds.

— Ça sent bon en maudit, mon Charron, dit-il en se frottant les yeux. Qu'est-ce que t'as préparé ?

— Bof ! C'est juste un peu de perdrix. J'ai ben peur que t'aimes pas ça, répondit le bonhomme l'œil malicieux.

— J'ai pourtant pas l'habitude d'être difficile, affirma Honoré.

— Ouais. C'est vrai que rien qu'à te voir, on voit ben, acquiesça Charron.

— Même de la gomme de sapin, ça fait mon affaire quand je suis mal pris, poursuivit Honoré sans s'offusquer.

Il s'était redressé dans son lit et lui montrait ses doigts tachés de la résine qu'il avait grattée à son arbre.

— Il doit y en avoir encore un petit peu, dehors. Veux-tu que j'aille t'en chercher ? blagua Casimir Charron.

— Tu peux ben laisser faire, répliqua Honoré en jetant un regard avide vers la casserole. C'est un peu trop collant à mon goût pis ça vaut pas l'épinette, même si j'y ai jamais goûté.

— Gériboire ! En parlant de collant, il faudrait pas que mon ragoût colle sur le poêle, se rappela Charron en se dépêchant d'aller remuer sa sauce. Ça y est. C'est prêt !

Il retira le chaudron et le déposa au milieu de la table sommairement construite. Puis, il sortit deux assiettes accompagnées d'ustensiles qu'il plaça de part et d'autre du chaudron sur les planches aussi rugueuses qu'inégales.

— En veux-tu ?

— Ben, peut-être... si je réussis à me sortir du lit, répondit Honoré appuyé sur ses coudes.

— Bouge donc pas, le gros. Je suis encore capable de recevoir la visite.

Honoré regarda la copieuse portion de ragoût fumant dans l'assiette qui venait d'apparaître sur ses genoux.

— Ça ressemble aux repas qu'ils servent dans les grands festins de Noël, à Montréal, estima-t-il.

Pour une fois, Charron ne put s'empêcher de rire, heureux en son for intérieur de ce compliment inattendu.

* * *

Gabardine arriva au camp de bois rond en milieu d'après-midi. Quand il frappa à la porte épaisse, les deux compagnons d'infortune avaient entamé une bouteille de whisky, « Histoire de célébrer Noël », comme le disait si bien Charron. Son entrée fut saluée par des vivats et des bravos, les verres tenus en l'air à bout de bras. Décontenancé, Gabardine les regardait tour à tour, ne sachant trop comment réagir face à cette situation hors du commun.

— Reste pas planté là, tu vas prendre racine ! Enlève ton manteau pis viens t'asseoir, lui ordonna Charron.

— J'ai retrouvé vos chiens, Monsieur Corbeil, expliqua Gabardine en déboutonnant son manteau. Il y avait vos fourrures et tout le reste.

— Pis tu m'as retrouvé aussi. Merci beaucoup, Gabardine ! On va prendre un autre petit verre à ta santé, suggéra Honoré, sincèrement ému de voir ce jeune homme venu là exprès pour le secourir.

— Bonne idée, ça ! l'approuva Charron. J'allais justement le proposer.

Il agrippa la bouteille et voulut verser à chacun une rasade de whisky.

— Vous m'excuserez, mais j'aime autant pas boire, vous savez... déclina poliment Gabardine.

— Pas grave, grimaça le vieil enivré en tirant le verre qu'il venait de remplir vers lui. J'ai de l'eau en masse.

— Offre-lui au moins une tasse de thé, protesta Honoré.

— Ben oui, ben oui. Ça prend de l'eau pour faire du thé, se reprit Charron en feignant l'innocence.

Honoré raconta dans tous les détails sa mésaventure. Il insista davantage sur sa rencontre avec le grand loup gris et sur son sauvetage *in extremis*. Ils examinèrent ensuite sa jambe tuméfiée. La bosse en dessous du genou ne laissait planer aucun doute quant à la gravité de la blessure. Il fut convenu que Gabardine le ramènerait à Grouard dès le lendemain matin. D'ici là, Charron trouverait bien un coin pour tout le monde afin de passer la nuit.

En soirée, il servit les restes du ragoût au jeune sauveteur, même si celui-ci aurait souhaité se contenter de la nourriture qu'il avait dans son sac. Les deux compères, eux, préférèrent se verser quelques verres de whisky supplémentaires. Passablement éméché, Honoré finit par s'endormir dans un roulement de ronflements sonores en tenant toujours son verre à la main. Gabardine secourut Charron qui titubait désorienté autour de la table, menaçant de tout renverser sur son passage. Il l'installa sur des peaux de fourrure qu'il venait d'étendre dans une encoignure de la cabane. Il le recouvrit ensuite d'une couverture de laine qui pendait à une chaise, remit une bûche dans le poêle, retira le verre de la main d'Honoré, débarrassa la table de la bouteille largement entamée et des verres vides. Il s'allongea enfin sur celle-ci, le bras replié sous la tête en guise d'oreiller et les jambes pendantes à l'autre extrémité.

Le réveil fut pénible pour ceux qui avaient abusé de la boisson. Malgré tout, Gabardine, dont les idées étaient plus claires, décida de partir tôt. Il avait raison de croire qu'Antoinette Corbeil devait se mourir d'inquiétude. De plus, il valait sans doute mieux emmener Honoré chez le médecin le plus rapidement possible. Ils déjeunèrent en silence, le bruit étant naturellement contre-indiqué les lendemains de veille. Rassasié, le blessé fut calé au fond du traîneau, bien emmitouflé dans la chaude couverture de laine. Avant de partir, Honoré sortit un bras et tendit la main au bonhomme qui empestait encore l'alcool.

— Merci pour tout, Charron. Sans toi, je sais pas ce qui me serait arrivé.

— Ça m'a fait plaisir, répliqua Charron en lui serrant la main. Ça faisait longtemps en gériboire que j'avais pas eu de la compagnie à Noël. Ça te surprend-tu ?

— Non.

Tous les trois pouffèrent de rire pendant un instant.

— Merci, Monsieur Charron, dit à son tour Gabardine. À la prochaine.

Il se tourna vers les chiens et d'une voix forte il commanda :

— Marche, Toupie !

Charron resta figé sur place encore quelques instants, pendant que la silhouette du traîneau rapetissait rapidement dans le sentier enneigé.

« J'aurais jamais pensé avoir autant de plaisir avec le gros Corbeil, songea-t-il. Voyons donc ! Je dois vieillir pis devenir un petit brin trop sentimental. Quand on sait que même les loups veulent lui sauter à la gorge... »

Il tenta de rire de cette méchante pensée, mais il en éprouva une douleur vive entre les deux oreilles. Il retourna lentement vers sa cabane en se tenant le front et en se lamentant des souffrances provoquées par les excès de la veille.

— Gériboire ! Ma tête !

Le train

À son retour chez lui, Honoré fut accueilli avec empressement par sa femme aussitôt qu'elle vit le traîneau entrer dans sa cour. Lorsqu'elle l'aperçut avec la jambe immobilisée entre deux branches sèches, Antoinette se prit la tête à deux mains et serra les lèvres pour retenir un cri qui lui venait instinctivement. C'est au docteur Gauthier que revint la tâche de remettre l'os de la jambe d'Honoré en place et de la recouvrir d'un plâtre pour quelques semaines. La guérison s'effectua tellement bien qu'avant même la fin de l'hiver, l'apprenti trappeur pouvait à nouveau marcher librement. À vrai dire, il ne garda d'autres séquelles de son accident que des hémorroïdes contractées lors de sa nuit passée à la belle étoile. À regret, il dut encore une fois faire appel au médecin pour soulager cette douleur singulière. N'eût été ce désagrément, il aurait passé une fin d'hiver fort agréable, puisque Gabardine lui avait ramené une excellente nouvelle. Le jeune Duchesneau était allé prévenir et ravitailler le vieux Baptiste dans les jours suivant l'accident.

— Tu diras à Honoré de garder l'argent des fourrures qu'il a apportées avec lui. De l'argent, j'en ferai ben assez avec tout ce que je vais prendre d'icitte au printemps.

Cette phrase du vieil Indien, répétée mot pour mot, chassa du même coup toute l'inquiétude qui affligeait les Corbeil.

Ailleurs, dans toute la ville, en cette année 1913, les conversations continuaient à tourner inlassablement autour de la construction imminente de la ligne de chemin de fer qui relierait enfin Grouard au reste du monde. C'était une annonce attendue. Si quelques-uns se montraient perplexes, la plupart affichaient un optimisme confiant. Ils espéraient voir enfin leur ville faire ce nouveau bond en avant. Il y avait pourtant une personne pour qui ce sujet n'avait plus autant d'attrait qu'auparavant.

Cette année-là, le docteur Laurent Gauthier n'avait d'intérêt que pour Blanche en dehors de son travail. L'ex-sœur Rébecca avait effectivement quitté la congrégation religieuse, l'automne précédent, et elle avait repris son nom de jeune fille, Blanche Favreau. Elle était retournée vivre dans la grande maison de ses parents, à Edmonton, en attendant de voir jusqu'où cette idylle avec le docteur Gauthier la mènerait. Le renoncement à la vie de couventine s'avéra plus difficile qu'elle ne l'aurait cru. Malgré tous les désirs qui l'habitaient, elle ne pouvait quitter des années d'engagement ni des habitudes bien ancrées, pas plus que des consœurs devenues des amies, sans ressentir un certain déchirement. La mère supérieure du couvent l'avait bien compris au moment du départ, lorsqu'elle l'avait reçue dans son bureau.

— Vous me semblez bien préoccupée, ma sœur, si j'ose me permettre de vous appeler encore ainsi. Moi qui m'attendais de vous voir bondir de joie le jour de votre départ. Auriez-vous des doutes quant à votre décision ?

— Qui peut se permettre de ne pas douter, le jour où il tourne la page pour de bon ? J'ai toujours été bien traitée ici et j'y ai des amies sincères. C'est difficile de vous quitter, ma mère, avait-elle avoué humblement.

— Ce sera tout autant difficile pour nous de vous perdre, Blanche. Vous étiez l'une des favorites parmi nous. C'est votre choix et votre destin, ma fille. Parmi toutes les raisons que vous avez invoquées pour nous amener face à cette situation, il y en a pourtant une que vous avez omis de mentionner, la plus importante : l'amour.

Blanche avait rougi quand la supérieure avait dévoilé ce qu'elle avait pensé être son secret intime.

— Je... Je pensais que ça pourrait vous embarrasser, ma mère.

Pour la première fois depuis le début de cette dernière entrevue, la vieille religieuse lui avait souri gentiment.

— On n'apprend pas à un vieux singe à faire la grimace ! J'ai peut-être l'air d'une vieille pomme ridée aujourd'hui, mais j'ai déjà été jeune, moi aussi. Je sais ce qui se passe dans le cœur d'une jeune femme quand l'amour en vient à prendre toute la place. La différence entre nous, c'est que moi je n'avais pas le physique de l'emploi. C'est là un avantage quand on veut se consacrer à la vie religieuse, sans être une nécessité absolue, bien entendu. Alors que vous...

La mère supérieure avait contemplé cette jeune femme qui se tenait devant elle. Elle avait observé la finesse de ses traits, sa peau de pêche. Ses cheveux clairs étaient élégamment coiffés et elle portait une longue robe bourgogne, ajustée à la taille, avec des manches bouffantes au-dessus des poignets.

— Vous avez tout ce qui me manquait, avait repris la supérieure en hochant la tête. N'allez pas croire que je sois jalouse, à mon âge ! J'ai eu une vie longue et bien remplie. C'est à votre tour, maintenant, de suivre votre chemin. Peu importe où il vous mènera. S'il y a l'amour sur votre route, vous aurez fait le bon choix.

Ces paroles réconfortantes avaient aidé Blanche à faire ses adieux aux nombreuses religieuses qui guettaient son départ, entassées dans le petit parloir. Seule la grande sœur Gertrude se tenait rigide à la porte d'entrée, une main appuyée sur la poignée. Elle avait ouvert lentement la porte quand Blanche avait été prête à quitter le couvent.

— Vous allez nous manquer, avait confessé la portière à voix basse. Il y avait tant de choses à raconter sur votre sujet.

— Dieu vous garde ! s'était contentée de répondre Blanche en passant le seuil et en rabattant le capuchon de son manteau sur sa tête.

La calèche qui l'emportait vers les derniers bateaux encore en circulation avant les glaces avait stoppé devant la petite clinique. Blanche avait hésité un instant, se demandant si elle allait se précipiter à l'intérieur et retrouver Laurent, comme tout son être le réclamait. Le médecin l'avait aperçue par la fenêtre et l'avait rejointe à l'extérieur vêtu de son sarrau blanc. Les quelques mots échangés ne comptaient plus. L'étreinte et le baiser qu'ils s'étaient donnés avait soudé leur amour réciproque. Ce n'avait pas été un baiser délicat, comme la première fois. Cette fois-ci, il s'était agi d'un baiser fougueux et passionné, lascif et interminable.

— Madame ! Le bateau va partir ! avait hélé le cocher.

* * *

Depuis ce temps, Laurent partait régulièrement pour Edmonton où il retrouvait Blanche avec bonheur. Leur correspondance assidue ne leur suffisait plus. Ils éprouvaient désormais le besoin de se voir, de s'entendre, de se toucher de nouveau. Discrètement, ils partageaient ce soir-là un dîner dans un petit restaurant sympathique aux couleurs pastel et ils ébauchaient des plans d'avenir. Le docteur Gauthier posa sa fourchette, prit une gorgée de vin, et se racla la gorge.

— Comme je te le disais dans ma lettre, j'ai bien l'intention de réorienter ma carrière en chirurgie.

— Je suis certaine que c'est une très bonne idée que tu as eue là. Tu pourras exercer ton talent et le mettre au service des gens. C'est un don que tu as, Laurent. Bien peu de personnes le possèdent.

— Peut-être… Évidemment, si je choisis cette option, je devrai m'établir en permanence à Edmonton. Ça me serait tout à fait impossible de me spécialiser si je demeurais médecin à Grouard.

Blanche lui sourit et posa une main sur la sienne.

— Nous aurons l'avantage d'être ensemble quand ton horaire le permettra, ce sera aussi formidable que maintenant.

— Sapristi ! Que tu es belle quand tu souris ! s'émerveilla une fois de plus Laurent Gauthier.

— Ça doit être l'amour qui te fait dire ça, murmura-t-elle en jetant un coup d'œil rapide à la table voisine, où d'autres clients mangeaient avec appétit.

— Si on ne devait se rencontrer que selon les caprices de mon horaire, alors pourquoi ne pas se marier immédiatement ? suggéra le médecin. On pourrait enfin vivre ensemble.

— Bonté ! Nous ne sommes qu'au début d'avril, Laurent, et il fait un temps affreux. Songe aux invités. Nous avons déjà convenu de nous marier cet été. Sans oublier que tu vis encore à Grouard, ce qui ne facilite pas les choses. Vous me paraissez bien pressé tout à coup, Monsieur le Médecin.

Laurent lui sourit à son tour et la contempla avec ravissement.

— J'ai d'excellentes raisons qui m'incitent à l'être. J'ai vraiment hâte de vivre avec toi, Blanche. N'éprouves-tu pas le même désir que moi ?

Le docteur Gauthier retint son souffle quelques secondes. Blanche le regarda fixement dans les yeux avant de répondre.

— Je ne vis que pour ça, Laurent. Mais nous devrons attendre jusqu'à cet été, pas avant ! Il faut bien que je prépare la noce, se justifia-t-elle sur un ton séducteur.

* * *

Laurent profita d'un doux dimanche de mai pour aller rendre visite à sa sœur et l'informer des décisions qu'il avait prises. Comme à l'accoutumée, son arrivée sema la joie chez tous les membres de la famille Boulanger. Ils parlèrent de tout et de rien pendant plusieurs minutes, puis le docteur Gauthier aborda franchement la raison de sa visite, en brossant un tableau complet de la situation.

— Es-tu sérieux ? réagit immédiatement Florida, stupéfaite par ce qu'elle venait d'entendre.

Heureusement, elle était assise au bout de la table en bois verni de la cuisine, sinon elle aurait sans doute défailli.

— Te rends-tu compte que tu parles de te marier avec une religieuse, qu'on connaît à peu près pas, en plus ? ajouta-t-elle.

— Une ancienne religieuse, rectifia le médecin en se renfrognant. Moi, je la connais depuis très longtemps.

— C'est son affaire, Florida, intervint Joseph-Omer d'une voix posée.

Il sentait l'énervement gagner sa femme peu à peu, alors qu'il avait écouté lui aussi, entre quelques bouffées de tabac, les résolutions prises par son beau-frère.

— Tant que tu voudras ! reprit son épouse indignée. N'empêche que ça peut faire jaser les gens. J'en connais qui ont assez d'imagination pour présenter tout ça comme si c'était un scandale !

— Ceux-là diront bien ce qu'ils voudront, s'entêta le docteur Gauthier toujours maussade. Je ne crois pas que leurs commérages m'atteindront jusqu'à Edmonton.

— Oui, mais nous ? Nous serons encore icitte ! protesta Florida de plus belle en se contenant avec difficulté. Pis cette idée d'aller t'établir à Edmonton ? C'est encore quelque chose dans lequel tu t'es fait entraîner, je suppose ! Tes affaires vont bien icitte, Laurent. Tu as une belle clientèle, tu as mérité le respect de tes patients. Pis là, tu décides de prendre encore quelques années à étudier la chirurgie, quitte à gaspiller tous tes acquis pour cette… cette Blanche !

— Florida, ton frère est assez vieux pour savoir ce qu'il a à faire, intervint à nouveau son mari, mal à l'aise devant une telle insistance.

— Ne t'en fais pas, Joseph-Omer. Ma petite sœur a toujours voulu me protéger contre les dangers de ce monde, reprit Laurent en forçant un sourire. De toute façon, ma chère Florida, il n'y a rien au monde qui me fera changer d'idée. J'ai déjà pris des dispositions pour me parfaire en chirurgie. Blanche, de son côté, négocie présentement l'achat d'une maison à proximité de l'hôpital. Je venais ici non seulement dans l'intention de t'informer de tout cela, mais également pour t'inviter à notre mariage, cet été. Si ça te cause tant de désagréments, Florida, j'imagine que je ne devrai pas te compter parmi les invités.

— Ben non ! Tu le sais ben que c'est pas ça, Laurent ! Pour une fois, j'avais l'impression que ça allait ben pour nous tous. Tout à coup, tu arrives comme un cheveu sur la soupe pis tu viens m'annoncer que tu déménages à Edmonton. Tu seras même pas là pour m'accoucher de mon troisième enfant.

À peine avait-elle prononcé ces mots qu'elle s'était mise à pleurer en silence, le visage enfoui dans ses petites mains potelées.

— Quoi ? sursauta Joseph-Omer. On va en avoir un autre ? Jupiter ! Ça vaut la peine de se servir un petit verre de vin, ça.

Lui qui adorait les enfants, il se leva d'un trait et enlaça affectueusement sa femme. Les larmes coulaient toujours sur le peu qu'on apercevait des joues d'une Florida inconsolable. Ensuite, Joseph-Omer alla fouiller dans le bas de la grande armoire en pin jaunie par le temps que l'ancien propriétaire avait laissée à son départ. Il en sortit une bouteille de rouge qu'il avait cachée là dans l'attente d'une grande occasion. Le docteur Gauthier s'était approché de sa sœur à son tour et se mit à lui tapoter doucement l'épaule.

— Nous y voilà donc, dit-il. C'est ça qui te met dans tous tes états. Si ça peut te rassurer, sache que le docteur Labonté est probablement meilleur que moi dans les accouchements. Il ne se gêne d'ailleurs pas pour me le faire remarquer chaque fois que l'occasion se présente.

— C'est pas pareil avec lui, hoqueta Florida en dévoilant ses yeux rougis encore remplis de larmes.

— Allons, petite sœur ! Il ne faut pas avoir peur des autres médecins. Surtout lorsqu'ils possèdent toutes les compétences nécessaires. Quoi qu'il en soit, j'imagine que je pourrai sans doute faire une petite exception pour toi. Que dirais-tu si je revenais passer quelques jours ici, quand tu seras sur le point d'accoucher ?

— Oh oui, Laurent ! supplia Florida en agrippant le bras de son frère.

— C'est d'accord ! Tu n'as plus à t'inquiéter.

— Merci, Laurent. Pardonne-moi d'avoir réagi comme je l'ai fait tout à l'heure.

— Vous n'aurez même pas à vous préoccuper de m'accueillir. Je logerai à l'hôtel, conclut le médecin. Vous en aurez suffisamment sur les bras, à ce moment-là.

— En attendant, mon cher Docteur, goûtez-moi ça ! l'interrompit Joseph-Omer en arrivant avec son petit verre de vin. Un mariage, un autre bébé, c'est des émotions, ça. Il manque plus que le train, Jupiter !

« J'ai déjà traversé presque tout le pays par bateau et en train pour retrouver mon frère, pensa Florida pour elle-même. C'est pas un autre petit bout de ligne de chemin de fer qui m'empêchera d'aller le visiter, ben au contraire. Que la belle Blanche le veuille ou non ! N'empêche que je l'ai pas vue venir, celle-là. D'ailleurs, comment l'aurais-je pu ? La petite religieuse, mautadine ! J'avais peut-être vu juste dans son petit jeu quand on est arrivés par icitte, au début. Cette façon qu'elle avait de le regarder… C'est ce qui arrive, aussi, quand on travaille trop ! Il y a plein de choses qui nous échappent dans ce temps-là. »

* * *

Le train… Les Boulanger auraient pu s'en soucier comme tout le monde au cours de cet été particulièrement chaud. Mais la noce approchait trop rapidement. Laurent qui se mariait avec une jeune femme distinguée, dans une grande église d'Edmonton de surcroît ! Il était permis de croire qu'il y aurait certainement de la visite du Québec. De proches parents, sinon des cousins suffisamment fortunés dont on ne recevait des nouvelles que sporadiquement par la poste. Ça devenait exaltant. À tel point que Florida n'en finissait plus d'hésiter dans le choix du tissu et des couleurs qu'elle privilégierait pour confectionner sa robe, au grand désespoir de Joseph-Omer, qui n'osait plus lui conseiller quoi que ce soit tant il avait essuyé des rebuffades en s'aventurant sur le sujet.

Malgré cet emballement, l'annonce officielle du tracé de la ligne de chemin de fer se chargea de les ramener au diapason du reste de la population de Grouard. Le dévoilement du tracé s'abattit sur la ville plutôt qu'il n'arriva tout simplement. La voie ferrée Edmonton-Dunvegan, B.C. passerait dix-neuf kilomètres plus au sud, à High Prairie. Grouard n'avait jamais été dans les demandes officielles d'approbation du trajet ni jamais repoussé non plus. En réalité, le sous-ministre adjoint fédéral avait toujours tergiversé. Maintenant, on se contentait d'émettre un communiqué laconique dans lequel on soutenait qu'un détour par Grouard allongerait la ligne de douze milles à l'aller et de douze autres au retour. Cela entraînerait conséquemment des coûts trop élevés, selon les dires du même communiqué.

Dans sa boutique de forge, Joseph-Omer raconta tout cela à son ami Honoré. Ce dernier, d'un furieux coup de poing, ébranla l'établi et fit tomber une paire de pinces accrochée à un clou planté dans le mur encrassé de l'atelier.

— Voyons donc, Joseph-Omer. T'es pas sérieux ! Ç'a pas de maudit bon sens ! Ils peuvent pas nous laisser sécher icitte juste pour sauver une couple de piastres ! Ben non. Dis-moi-le tout de suite que tu me fais marcher, là.

— Je suis pas du genre à faire des farces avec ça, Honoré. C'est le conseiller Ménard qui l'a lui-même dit à madame Duchesneau, hier soir. Gabardine est arrivé tout essoufflé pour m'en aviser de bonne heure, à matin. À ce qu'il raconte, la nouvelle ferait le tour de la ville plus vite qu'un cheval au galop.

— Ménard pis la gang à Thompson, ils sont mieux d'être prêts, parce que ça va brasser en maudit à la prochaine assemblée du conseil, reprit Honoré sans desserrer les dents. Après nous avoir promis mer et monde, ils vont avoir des comptes à rendre à la population.

— En ce qui me concerne, il y a quand même quelque chose qui tient pas debout dans cette maudite volonté d'économiser du gouvernement, poursuivit Joseph-Omer en se grattant la tête.

— C'est sûr qu'il y a rien qui se tient ! Mais... Qu'est-ce que tu veux dire, au juste ?

— Je veux ben croire que ça va coûter moins cher s'ils passent douze milles plus au sud en évitant de faire un détour jusqu'icitte. Mais ils oublient en même temps qu'on est une ville en pleine expansion pis que notre développement est loin d'être fini. Penses-y deux minutes, Honoré. Imagine toute la marchandise qu'on pourrait faire venir par le train. Autant les matériaux de construction, pour des gars comme toi, que tous les stocks qu'on vend dans les commerces de notre côté. Il faut payer pour le transport! Pis ça, c'est juste un exemple qui nous concerne tous les deux. Ajoute les passagers qui finiraient par s'entasser dans les wagons entre Edmonton et Grouard, si on nous donnait la chance de grossir encore un peu. Ça prendrait pas de temps que la compagnie de chemin de fer la paierait, sa maudite rallonge. Pis... qu'elle finirait même par en tirer profit! D'après moi, Honoré, il y a quelque chose d'autre derrière tout ça.

— Autre chose comme quoi? demanda le menuisier.

— Ça, j'aimerais ben le savoir. Comme tu disais tantôt, le conseil municipal a besoin d'avoir des bonnes explications en Jupiter! Pour le moment, on est dans la brume.

Hélas, même si elle fut houleuse, l'assemblée du conseil n'en apprit guère plus aux participants. Le maire et ses conseillers paraissaient tout aussi dévastés par cette nouvelle que les citoyens, venus nombreux exprimer leur mécontentement. Personne ne comprenait la raison du refus et les accusations douteuses fusaient de toutes parts. Certains prétendaient que si on avait choisi Miounouk, quelques années auparavant, plutôt que Grouard, on ne leur aurait pas refusé le train aujourd'hui. D'autres, soudainement inspirés par l'esprit prônant les bonnes mœurs, soutenaient avec véhémence qu'il y avait trop d'hôtels et que l'alcool coulait honteusement à flots. Voilà, disaient-ils, ce qui avait enlevé toute respectabilité à leur ville, et ils pointaient le maire du doigt pour ce laisser-aller. Bien sûr, d'autres voix déclarèrent aussitôt qu'au contraire, il n'y avait pas suffisamment d'hôtels pour accueillir tous les nouveaux venus qui auraient afflué par le train.

Bref, la cause réelle du refus ne fut pas dévoilée. On dut se contenter de lire et de relire le simple communiqué émis par la compagnie de chemin de fer, même si cela paraissait aberrant pour tout le monde. Il y eut tout de même une décision très importante prise ce soir-là. Le conseil municipal résolut d'embaucher une firme d'avocats qui ferait des représentations auprès du gouvernement fédéral afin de révoquer l'approbation du trajet original. Impuissants à trouver d'autres solutions, les gens s'en retournèrent chez eux. Ils n'étaient plus galvanisés par la colère, mais abattus et songeurs. Le maire avait eu beau demander à la foule de garder espoir et jurer que tout n'était pas perdu, plusieurs sentaient déjà le tapis leur glisser sous les pieds.

Comme tous les autres, Joseph-Omer et Honoré marchaient en silence dans les rues de Grouard. Cette ville en devenir, érigée en bordure d'un lac immense aux beautés sauvages, le Petit Lac des Esclaves. On pouvait apercevoir les reflets de la lune danser à sa surface lorsqu'on croisait une rue qui descendait vers ses eaux. Lui seul, immuable, paraissait se ficher complètement du destin des hommes. Les deux compagnons s'étaient épris de cet endroit, leur terre d'accueil. Tous leurs enfants, sauf un, y étaient nés. Ils y avaient travaillé à la sueur de leur front et ils en avaient retiré une certaine prospérité. Ils souhaitaient ardemment, au fond de leur cœur, que le rêve perdure.

— Qu'est-ce que tu crois qu'il va se passer ? demanda Honoré à brûle-pourpoint à son compagnon.

— Je sais pas, répondit Joseph-Omer. Je suppose que quand ton sort repose entre les mains des avocats, tu es dans de beaux draps.

— Ça se peut... Mais c'est insensé leur maudit trajet, bon Yeu !

— Ça, tout le monde le sait icitte, Honoré. Malheureusement, ceux qui prennent les décisions à l'extérieur le savent pas. J'espère que les avocats réussiront au moins à les réveiller.

* * *

En juillet, le mariage de Blanche et Laurent fut une heureuse diversion pour les Boulanger. Ils étaient enchantés de quitter pour quelques jours la morosité qui s'était emparée de Grouard. Ils se présentèrent à Edmonton allègres pour assister à la grande noce. Tout de suite, l'effervescence qui régnait en ville, à un niveau décuplé en comparaison de leur quotidien, leur sauta aux yeux. Après tout, Edmonton était la capitale de cette nouvelle province et elle en possédait déjà tous les attributs.

La journée du mariage fut radieuse, un tantinet trop chaude. Mais quand il fait beau et qu'on est aux noces, on ne s'en plaint pas. À l'extérieur de la grande église de pierres, le long de la rue et dans son stationnement, il y avait là plus d'automobiles garées que toutes celles que Florida et Joseph-Omer avaient pu apercevoir au cours de leur vie. À croire que les chevaux n'auraient bientôt plus leur place dans ce nouvel environnement urbain.

La cérémonie religieuse, très solennelle, apporta elle aussi sa part de distractions. On aurait pu facilement n'avoir d'yeux que pour les mariés, absolument ravissants. Ou pour le prêtre qui ajoutait de l'emphase, par l'ampleur de sa gestuelle, à une messe qui en débordait déjà. Toutefois, les invités, qui occupaient près de la moitié des bancs de cette grande église, rivalisaient d'élégance et se jetaient tour à tour des coups d'œil envieux. À la fin de la célébration, toute cette faune ajustée s'engouffra dans de rutilantes voitures. Elles paradèrent lentement derrière la Cadillac 1913 qui, avec une pointe de distinction, emmenait les mariés à la fête. À l'arrière, à quelque distance, les plus humbles suivaient cahin-caha en calèches.

La réception eut lieu à la résidence des parents de la mariée. C'était une grande maison peinte en blanc, très coquette, avec des pignons et des persiennes bleu ciel. Elle était rehaussée, çà et là, de massifs floraux aux couleurs vives et possédait une grande cour attenante fort bien entretenue à l'arrière. On appelait cet endroit tout simplement « le jardin ». Le banquet fut servi dans cet espace de verdure, sur de longues tables garnies de nappes blanches en dentelle, ornées de vaisselle en porcelaine anglaise et de verrerie en cristal d'Arques. Le copieux repas se déroula dans une atmosphère détendue où s'imposait la bonne humeur. Trois violonistes et une violoncelliste ajoutaient de l'éclat à cette belle ambiance, jouant une musique finement sélectionnée pour agrémenter chaque moment de la noce.

Florida était particulièrement heureuse parmi les invités. À ce bonheur d'être présente à la fête, voilà qu'elle retrouvait un autre de ses frères, Léon, de trois ans son cadet. Il était venu expressément du Québec pour l'occasion. Il lui confia même songer sérieusement à s'installer en permanence à Edmonton. Les gens tireraient certainement profit de son métier de tailleur, dans lequel il excellait depuis bien longtemps. Comme tous les enfants de cette famille, il avait dû apprendre la couture. Volonté maternelle à laquelle aucun d'eux n'avait pu se soustraire. De tous, Léon était le plus doué dans cet art.

Le repas terminé, tant les hôtes que leurs invités accompagnèrent les mariés sur la pelouse pendant que les servantes, essoufflées, se dépêchaient de démonter les tables. Plusieurs hommes s'allumèrent un cigare, pendant que des plateaux tintant de verres de cognac et autres liqueurs digestives circulaient généreusement autour d'eux. Une franche camaraderie s'était installée. Plus personne ne jaugeait les autres selon leur parure, que plusieurs commençaient déjà à relâcher avec soulagement.

Répondant à un signal de sa femme, le père de la mariée domina les conversations d'une voix forte et attira toute l'attention vers lui. Négociant fortuné à la retraite, il n'avait pas perdu cette attitude de fonceur qui lui avait attiré du succès, jadis.

— Mesdames, Mesdemoiselles, Messieurs ! Par ici, je vous prie !

Monsieur Favreau accompagna son intervention de grands gestes rassembleurs, intimant aux invités la nécessité de s'approcher un peu plus près de lui. Il attendit un peu, sourire aux lèvres.

— Cette fête ne serait pas complète, annonça-t-il, si on ne pouvait avoir le plaisir et le privilège d'entendre la mariée nous interpréter un air de piano. Je crois que vous serez tous d'accord avec moi !

— Oui ! clama la foule en se mettant à applaudir allègrement.

— Sans plus attendre, *Ladies and Gentlemen*, voici donc la très adorée... madame Blanche Gauthier !

Blanche feignit de protester un peu, sachant déjà qu'on allait lui demander cette faveur. Elle laissa tout de même les encouragements chaleureux la mener vers le salon, où l'on avait ouvert toutes grandes les deux portes de verre carrelé donnant sur le jardin. Elle alla s'asseoir gracieusement au piano et attendit, souriante, que les gens puissent s'approcher suffisamment pour bien la voir et surtout l'entendre.

Dans le demi-jour, tout au fond du salon tapissé de motifs floraux rougeâtres, à peine pouvait-on distinguer une jeune servante immobile. Elle avait les bras allongés le long du corps et tenait un tue-mouche entre ses mains. L'adolescente suivait du regard ces indésirables insectes qui avaient eu l'audace de s'introduire dans la maison, attirés par les enivrants parfums qui s'échappaient de la cuisine.

Quand les gens se furent rassemblés en un demi-cercle devant les portes du salon et que le silence s'établit définitivement, Blanche interpréta sans aucun accroc le remarquable « Nocturne » de Chopin. La fascinante musique entraîna des hochements de tête admiratifs de tous les invités, éblouis par la grâce de la prestation. La dernière note s'acheva mélodieusement dans l'air du soir. Le temps sembla suspendu un court instant, puis, les applaudissements nourris jaillirent spontanément. Blanche, les joues rouges d'émotion, retourna au jardin sous les bravos d'un public conquis. Les acclamations ne s'étaient tues que depuis une seconde lorsqu'on entendit tout à coup :

Paf !

— Excusez-moi, dit la jeune servante en frottant le piano à l'aide d'un torchon humide.

Elle montrait son inappréciable tue-mouche de l'autre main. Confuse, elle ne pouvait dissimuler sa gêne de recevoir, elle aussi, autant d'attention d'un public qui sourcillait en sa direction.

Les invités se dispersèrent en petits groupes vers les chaises et les bancs qu'on avait placés autour du grand carré dallé, face au salon. Les musiciens interprétèrent alors une nouvelle pièce aux accents joyeux. Florida agrippa Joseph-Omer par un bras et l'arracha à un petit cercle d'hommes qui discutaient avec animation.

— Viens, dit-elle. On doit aller saluer notre nouvelle belle-sœur.

Ils réussirent lentement à s'approcher de Blanche, se frayant un chemin au travers de ceux qui se plaisaient à la complimenter au passage.

— Blanche ! Vous avez joué du piano de façon magnifique ! l'encensa Florida qui ne voulait pas être en reste avec les autres invités.

— Merci beaucoup, répéta une fois de plus Blanche, toujours souriante.

Elle s'arrêta à leur hauteur avec courtoisie.

— Jouer est un bien grand mot, ma chère Florida. Je préfère dire que je le touche un peu.

Florida parut décontenancée par cette déclaration.

— Eh ben ! quoi qu'il en soit, vous avez certainement appris à bien le toucher, euh… le piano, bafouilla-t-elle.

Joseph-Omer exerça une petite pression sur le bras de sa femme. Blanche, imperturbable, ne releva pas la remarque.

— Veuillez m'excuser, dit-elle gentiment. Ma mère me fait de grands signes là-bas. Je crois devoir la rejoindre pour une photo.

Elle les gratifia à nouveau d'un joli sourire et s'éloigna en saluant tous ces gens qui continuaient de la féliciter. Joseph-Omer l'avait suivie du regard pendant quelques secondes, complètement séduit. Il se tourna ensuite vers son épouse qui faisait la moue.

— Tu devrais faire attention à ce que tu dis, Florida.

— Ben quoi ? C'est pas de ma faute si Madame *touche* le piano, répliqua-t-elle en la mimant d'un geste, le poignet replié.

— Tu sais très bien ce que je veux dire. Tiens ! Viens valser un petit peu. Ça va nous changer les idées.

La noce se poursuivit joyeusement jusqu'à une heure tardive, épuisant peu à peu chaque participant. Lorsque les derniers fêtards se mirent au lit, ils se disaient la même chose que tous les autres : « Quelle belle soirée ! »

* * *

Les Boulanger retournèrent à Grouard deux jours plus tard, entièrement ragaillardis. Cette petite évasion sans les enfants leur avait été bénéfique. Ils en profitèrent pour rapporter un joli chapeau à madame Duchesneau. Elle avait eu l'amabilité de s'occuper des enfants pendant leur absence. Dans leur ville, ils retrouvèrent l'habituelle quiétude. Même cette histoire de train manquant, qui risquait de compromettre leur avenir, semblait presque irréelle et lointaine.

Les mois qui suivirent redonnèrent courage à la population. Le conseil de ville avait embauché les avocats de la firme C. Newell et associés, d'Edmonton. Ils allaient les représenter et entreprendre des plaidoyers auprès du gouvernement. Les juristes contestèrent la décision de la compagnie de chemin de fer et firent une demande de révision. La petite liste qu'ils remirent au ministre fédéral et qui décrivait sommairement Grouard en 1913 réussit à ébranler ce dernier. Voici à quoi ressemblait ce tableau :

GROUARD
1 842 habitants

2 écoles
1 dentiste
4 médecins
2 avocats
1 optométriste
2 pharmacies
1 vétérinaire
20 magasins généraux
2 magasins à rayons
6 hôtels
3 églises
2 banques
1 compagnie de transport par bateaux
5 bureaux de cadastres
1 caserne de pompiers
1 cinéma
1 centrale électrique
1 bureau de poste
1 usine d'embouteillage
1 moulin à scie
1 garage
1 patinoire
1 couvent
20 menuisiers
2 salons de barbier
3 restaurants
1 établissement de la Police montée royale du Nord-Ouest
6 salles de billard
1 orchestre de cuivres
3 km de trottoirs

Peu de temps après avoir consulté cette liste, le ministre révoqua l'approbation du trajet original accordé par le gouvernement canadien et fit une demande d'audience officielle. Malgré tout, plusieurs personnes influentes au sein du gouvernement fédéral, appuyées par certains politiciens de l'Alberta, avaient des réticences quant au changement de trajet en faveur de Grouard. Le parti conservateur, à la tête du pays, savait très bien que cette petite ville possédait des arguments solides qui militaient en sa faveur. Il se demandait même s'il serait possible de l'écarter sans soulever un tollé de protestations chez les Canadiens français.

Les informations alarmantes sur la situation qui prévalait alors en Europe, tout comme les événements qui se précipitèrent par la suite, allaient lui fournir une occasion idéale.

La Grande Guerre

Décidément, 1914 fut une année triste, tant à Grouard que dans le reste du monde. Si dans cette petite ville du nord de l'Alberta, les gens attendaient anxieusement le résultat des audiences qui décideraient de leur avenir, partout ailleurs, on s'inquiétait davantage de la précarité de la paix en Europe. La grande Allemagne s'était fortement armée. Elle avait élargi ses troupes et constituait maintenant une menace pour ses voisins immédiats. Elle n'était cependant pas la seule à avoir agi de la sorte. La France et la Russie en avaient fait tout autant.

Le 28 juillet 1914, l'Autriche, alliée de l'Allemagne, déclara la guerre à la Serbie, un mois jour pour jour après l'assassinat de l'héritier de l'empire austro-hongrois, l'archiduc François-Ferdinand, par un jeune Serbe de dix-neuf ans. Le jeu des alliances fit en sorte qu'en peu de temps, presque toute l'Europe se retrouva en guerre, dont la Grande-Bretagne le 4 août de la même année. Or, le Canada n'allait pas demeurer les bras croisés devant tous ces engagements militaires. Il avait aussi ses accords avec l'Empire ! De plus, il entendait bien se montrer digne de son attachement à la couronne britannique. Deux jours plus tard, le pays entrait à son tour en guerre contre la lointaine Allemagne.

Évidemment, se retrouver aussi soudainement en guerre avait de quoi occuper toute l'actualité au pays. Dès les premières semaines, plusieurs milliers de jeunes, pour la plupart anglophones, se portèrent volontaires pour aller défendre « la bonne vieille Angleterre ». À Grouard, l'annonce de la guerre alimentait maintenant toutes les conversations. Pourtant, ce fut la dure réalité les concernant qui allait bientôt frapper leur ville de plein fouet. Le 26 août 1914, après trois journées d'audience, le gouvernement canadien acceptait le trajet initial qu'avait proposé la compagnie de chemin de fer sans tenir compte des doléances des avocats engagés par la ville.

Ce fut un choc pour la population, un véritable coup de butoir. Cette fois, le gouvernement avait beau jeu pour affirmer ne pas avoir les moyens d'allonger quelque peu la voie ferrée en passant par Grouard. Les dépenses militaires allaient, bien entendu, prendre toute la place et personne ne serait en mesure de contester cela. Pourtant, dans la petite ville albertaine, isolée plus que jamais de tout, on avait mal. On comprenait bien que le déclenchement de la guerre exigeait des sacrifices. Mais était-ce une raison pour que leur communauté soit entièrement sacrifiée ? Les quelques protestations qui s'élevèrent retombèrent bientôt dans un silence résigné. Les habitants devaient penser à leur avenir et plusieurs songeaient déjà à partir. À leur inquiétude s'ajoutait la possibilité que plusieurs jeunes aillent se porter volontaires dans l'armée canadienne. Les familles nombreuses ne manquaient certainement pas d'éventuels candidats.

* * *

À l'automne de 1914, trente-deux mille cinq cents volontaires s'entraînaient à la base de Valcartier, près de Québec. On était sur le point d'envoyer le premier contingent canadien en Europe. Ceux en âge de combattre demeurés au pays se demandaient s'ils n'auraient pas dû les accompagner. Pas un jour ne passait sans que l'on placarde un peu partout des affiches leur enjoignant de faire leur devoir, d'aller se battre pour la liberté de la mère patrie.

Au Western, l'atmosphère était surexcitée. Les jeunes clients discouraient sur le bien-fondé d'un engagement militaire rapide et de ses implications générales. Les plus vieux étaient partagés. Certains secouaient la tête en se disant qu'il n'y avait rien de bon là-dedans. D'autres les encourageaient à s'engager en déclarant qu'ils auraient souhaité être à leur place. En définitive, l'alcool embrouillait passablement les esprits et amenait les plus loquaces à exagérer leurs convictions. Le Western faisait des gains substantiels, ce qui rappelait l'époque récente où il y avait une fête d'organisée presque tous les soirs dans l'un des hôtels de la ville.

Sam Perkins faisait partie du nombre de ceux qui déclaraient être prêts à se battre contre tous les Allemands du monde entier. Il aurait pu rajouter les Perses, les Mexicains et les Chinois que cela lui aurait été égal. Le problème, c'était qu'il avait dépassé l'âge de prendre les armes pour défendre son pays. Il se contentait donc d'enflammer l'imagination des plus jeunes par des discours de bravades incohérents, entrecoupés de jurons et de postillons, envoyant un *jab* dans les airs à l'occasion pour prouver qu'il ne rigolait pas.

— Fais attention, Perkins ! Tu vas me faire renverser mon plateau, s'impatienta Clara Manning qui venait d'éviter l'un de ses *jabs* de justesse.

— Ho ! La petite mademoiselle qui s'énerve pour rien. T'es pas contente de connaître un vrai guerrier comme moi ?

Clara déposa en silence sur la table les verres commandés par l'un des camarades de Perkins. Ce fut plutôt le grand Sam qui se trouva énervé par cette attitude qui le condamnait sans rien dire.

— Vas-y, réponds ! T'es pas contente de connaître un gars qui sait se battre mieux que n'importe qui ? redemanda-t-il.

Clara avait été agacée par ses fanfaronnades précédentes et elle décida qu'il méritait une réponse directe.

— Je me fous complètement de savoir si tu es un guerrier ou non, Perkins. Tout ce que je peux te dire, c'est qu'il y a bien d'autres choses à s'occuper dans la vie que de perdre son temps avec de la bataille.

Irrité, Perkins la saisit solidement par un bras et la força à s'asseoir sur ses genoux.

— Dans ce cas… je pourrais peut-être commencer par m'occuper de toi, ma belle.

— Lâche-moi !

— Hé ! Viens pas me dire qu'il y a jamais personne qui t'as touchée avant moi ?

— Lâche-moi ! répéta Clara en se débattant avec vigueur entre les bras du rustre.

Perkins ne la relâcha que lorsqu'il constata que toutes les têtes se tournaient vers lui.

— C'était juste un petit câlin, dit-il en lui donnant une petite tape amicale sur les fesses. Ça fait partie de ton travail, non ?

Clara se tourna vers lui, rouge de colère, et réajusta sa robe d'un mouvement brusque.

— T'avise plus jamais de me toucher, Perkins ! Tu mérites pas de mettre tes mains sales sur moi. Au lieu d'encourager tout le monde à se battre, tu devrais t'occuper davantage de ta femme. Elle serait peut-être plus heureuse si elle avait pas à endurer tes coups, elle aussi. Ça, tout le monde le sait icitte, hein, Perkins ?

— On s'en reparlera, ma belle, quand on sera tout seuls ensemble. Je vais te tenir un autre genre de discours, moi, la menaça-t-il.

— Clara ! Il y a des commandes à servir, l'appela Tommy derrière son comptoir.

L'hôtelier s'était tenu prêt à intervenir, mais il s'était ravisé au dernier moment, quand il avait réalisé que Perkins lâchait prise.

Il aurait bien aimé lui dire deux mots, au grand Sam, ce qui aurait sans doute empiré les choses. C'était, comme il le disait parfois, le mauvais côté de son travail. La jeune serveuse lança un regard de défi à Perkins et repartit avec son plateau sous le bras.

À quelques rues de là, Gabardine jonglait lui aussi avec cette idée d'engagement dans l'armée par devoir envers la patrie. Pourtant, il n'avait pas entendu les harangues patriotiques prononcées par quelques matamores du Western. Il décida qu'il vaudrait mieux en parler avec Joseph-Omer. C'était son seul vrai confident adulte, à l'exception de sa mère, avec laquelle il n'avait pas encore osé s'ouvrir sur le sujet. Le lendemain, Gabardine retrouva le forgeron qui cueillait quelques pommes bien mûres dans l'unique pommier s'étalant au fond derrière la forge.

— Monsieur Omer, je peux vous dire un mot ?

— Ben oui. Veux-tu avoir une pomme ? Elles sont pas trop surettes. Pour faire des tartes comme celles de Florida, tu peux pas demander mieux.

— Euh... Non, merci.

Joseph-Omer frotta une pomme contre sa chemise et la croqua à pleines dents, attendant que Gabardine lui révèle ce qu'il était venu lui dire.

— Vous savez autant que moi, Monsieur Omer, que la ville s'agrandira pas ben plus, depuis qu'on sait que le train passera pas. Il y a même des familles qui parlent de déménager à High Prairie avant l'hiver.

Durant cet exposé qu'il avait pratiqué plusieurs fois mentalement, Gabardine ne regardait pas directement le patron. Il se limitait à fixer son regard sur une grosse pomme rouge qui faisait ployer la branche la plus basse du pommier.

— Pis ? dit Joseph-Omer en croquant de nouveau dans son fruit de prédilection.

— Ben, c'est sûr que s'il y en a qui partent d'icitte sans être remplacés par des nouveaux, il y aura moins de travail pour tout le monde. Y compris pour vous, Monsieur Omer. L'année passée, à pareille date, ça roulait pas mal plus que là. C'est comme ça partout en ville, dans la construction, les magasins, le moulin à scie. Même les hôtels finiront ben par s'en ressentir. J'ai pas l'intention de devenir un fardeau pour qui que ce soit. Ça fait que... j'ai pensé que le mieux à faire serait de m'enrôler dans l'armée. Je recevrais une rente régulière pis, en même temps, je serais utile au pays.

Gabardine releva la tête vers son interlocuteur pour chercher son approbation. Il ne trouva qu'un Joseph-Omer paralysé de stupéfaction, tenant sa pomme à la hauteur du menton, la bouche entrouverte comme s'il allait y croquer de nouveau, l'œil fou et le teint livide à en frémir.

— Voyons donc, Gabardine, finit-il par dire. Tu y penses pas ! C'est la guerre là-bas, c'est pas une partie de pêche. Il y en a plein qui vont se faire tuer. Va pas te lancer là-dedans la tête baissée sans savoir vraiment dans quoi tu t'embarques. Donne-leur le temps de régler leur maudit conflit ! Peut-être que tout ça sera fini dans une couple de mois. Si tu y vas tout de suite, tu seras le premier à servir de cible dans la bataille.

— Ouais... mais icitte, l'ouvrage commence à se faire rare. En plus, j'en connais d'autres jeunes qui se sont déjà enrôlés. Le petit Maloin s'est inscrit, lui, pis il a pas peur de le dire à tout le monde. Je sais tirer de la carabine autant que Maloin, ça pourrait servir à quelque chose.

— Ceux de l'autre camp savent tirer eux aussi, mon gars. Pis, c'est quoi cette idée de plus être serviable icitte ? Le magasin est pas fermé, à ce que je sache. Il y a encore du travail pour toi, même si ça roule un petit peu moins. À part de ça, il y a ta famille qui a besoin de toi. Non, non... Attends donc encore un peu. Tu vas voir que tout ça va s'arranger. C'est vraiment le meilleur conseil que je puisse te donner.

Gabardine parut secoué par les arguments de son patron. Il passa sa main dans ses cheveux courts comme il l'aurait fait pour une tignasse et se balança d'une jambe à l'autre. Ce bref moment de réflexion sembla interminable pour Joseph-Omer qui n'osait plus ajouter un mot sur le sujet.

— Bon, c'est correct, Monsieur Omer, consentit finalement son jeune employé. Je vais suivre votre conseil en espérant que tout va s'arranger, comme vous dites. Pour le moment, si ça vous dérange pas trop, je vais me laisser tenter par l'une de vos pommes.

Il pointa du doigt la grosse rouge qui le captivait depuis son arrivée. Joseph-Omer la cueillit délicatement et la lui remit avec un grand sourire de satisfaction.

* * *

Quelques semaines plus tard, Antoinette et le vicaire Régimbald déambulaient paisiblement sur le trottoir de bois de la grande rue. Madame Corbeil venait tout juste de payer sa dîme au presbytère et le vicaire, galant, voulait la raccompagner sur quelques coins de rue.

— Il faut bien profiter de ce bon air frais de l'automne, avait-il dit pour justifier sa présence.

En réalité, il était en manque de ragots, car on ne parlait que de cette ennuyeuse guerre dont il n'avait rien à tirer. Il espérait trouver en la personne d'Antoinette Corbeil une nouvelle source de croustillantes informations sur ses paroissiens.

— Quelle magnifique journée, Madame Corbeil ! Respirez-moi ce grand air qui nous vient des montagnes lointaines.

Antoinette jeta un petit coup d'œil de côté au vicaire qui se remplissait les poumons en bombant le torse.

— Il n'y a rien de mieux pour la santé que cet air pur qui nous ragaillardit et nous insuffle une vitalité nouvelle, poursuivit le vicaire Régimbald. Comment est la vôtre ?

— Euh... Ma quoi ?

— Votre santé, Madame Corbeil.

— Ah ! Ça va ben. Pis, euh... la vôtre ?

— Ne m'en parlez pas ! s'exclama le vicaire.

— Ah ! Excusez-moi.

— Non, non. Je voulais dire que j'ai quelques petits problèmes de santé assez particuliers qui me rendent la vie difficile.

— Ah oui ? demanda Antoinette en préférant le laisser parler.

— Entre nous, Madame Corbeil, j'ai quelques difficultés avec ma vessie, ce qui, pour mon plus grand malheur, me provoque des douleurs terribles quand il me faut uriner.

— Ah oui ? Vous devez avoir pogné de la fraîche, d'après moi. Avez-vous essayé de vous frotter avec de l'onguent camphré ?

— De l'onguent camphré... Non, pas encore. Ne craignez-vous pas que ce ne soit un peu irritant, dans ce cas précis ? s'inquiéta Eugène Régimbald à voix basse.

— Il faut frotter vers la vessie, Monsieur le Vicaire. Honoré me demande toujours de le frotter avec ça, à chaque fois qu'il a des courbatures. Il me dit toujours que ça lui fait du bien.

— Eh bien ! Il me faudra essayer ce remède de... de bonne dame. Cessons de nous préoccuper de ma santé, si vous le voulez bien, et parlez-moi plutôt de votre mari.

— Il va ben, lui aussi, abrégea Antoinette qui ne voulait pas trop en dévoiler.

— Tant mieux, Madame Corbeil. Cependant, avec les temps difficiles que nous connaissons présentement dans notre patelin, réussit-il à se dénicher autant de travail que par le passé ?

— C'est pas facile pour personne, Monsieur le Vicaire. Tout le monde sait ça. Pis vous, comment ça va au presbytère ?

— Ah ! Si vous saviez tout ce que je dois endurer, se plaignit le vicaire intarissable.

— Ah oui ?

— De la paperasse et encore de la paperasse ! Ce n'est pas que le travail me rebute, loin de là, mais tout ça me demande un nombre d'heures incalculables. Si au moins j'avais quelqu'un sur qui compter lorsqu'un problème survient. Malheureusement, notre évêque loge plus souvent dans un tipi quelconque que dans son presbytère. De toute façon, il est aussi doué pour l'administration que le serait un vieux mulet.

— Ah oui ?

— N'allez raconter ça à personne, mais il me laisse toujours un fatras de papiers que je dois démêler, alors qu'il se sauve au loin. Je dois vous avouer que la solitude me pèse, Madame Corbeil. À vrai dire, je m'ennuie énormément, laissa échapper le vicaire.

— Ah oui ? Vous avez tout de même votre ménagère, la veuve Gladu, qui fait votre lavage une fois par semaine et qui vient vous faire de bons repas à tous les jours, lui fit remarquer Antoinette.

— Sornettes et balivernes ! Elle sale trop ! J'ai eu beau lui demander de modérer sur l'usage du sel, qu'elle ajoute partout dans la nourriture comme s'il s'agissait de je ne sais quel ingrédient magique, elle n'en fait qu'à sa tête ! Si bien qu'au gré des remontrances, nous nous sommes un peu brouillés, dernièrement, lui avoua-t-il.

— Ah oui ? répéta encore Antoinette.

— Elle me le fait payer très cher, vous savez. Je suis à peu près certain qu'elle en a même rajouté dans ses carrés aux dattes, s'indigna le prêtre.

— Oh la la…

Antoinette et le vicaire Régimbald venaient de dépasser le Western d'une bonne distance lorsqu'ils entendirent un cri venant de derrière un hangar éloigné du chemin.

— Aïe ! Non !

— Qu'est-ce qui se passe derrière la remise ? demanda Antoinette au vicaire.

— Sans doute des enfants qui se chamaillent, prétendit-il en faisant mine de poursuivre sa marche.

— Attendez ! C'est pas une voix d'enfant qui a crié, c'était ben plus une voix de femme.

— Aïe !

— Tiens, encore ! Arrivez, Monsieur le Vicaire, on va aller voir ce qui se passe en arrière, lui ordonna Antoinette.

— C'est un terrain privé, Madame Corbeil, se défendit le vicaire Régimbald.

— Arrivez, j'ai dit !

Sans plus attendre, Antoinette enjamba le petit fossé qui délimitait le terrain le long de la rue et fonça vers le hangar. Le vicaire la suivait à contrecœur en levant les mains dans un geste résigné. Quand la grosse dame tourna le coin arrière de la bâtisse, elle aperçut un homme et une femme qui se débattaient par terre comme des diables dans l'eau bénite. L'homme avait retiré son manteau plus loin. Son chapeau était tombé tout près, écrasé plus d'une fois par leur roulement. Il essayait maintenant de maîtriser la jambe de celle avec qui il luttait. L'homme avait glissé une main sous la jupe longue qu'il avait retroussée à mi-cuisse. Pour se défendre, la femme le martelait rageusement de coups de poing de sa seule main libre.

— Ah non ! Wo là ! s'écria Antoinette. Lâchez-la tout de suite, vous m'entendez !

L'homme tourna la tête avec un air méchant, mécontent d'être pris sur le fait. Il se mit à blêmir lorsqu'il remarqua le prêtre qui arrivait derrière Antoinette.

— Qu'est-ce que c'est que ces manières de voyou indigne, vous là ? Vous devriez avoir honte de céder à de tels agissements. Relâchez cette jeune femme immédiatement ou j'appelle la police ! somma le vicaire Régimbald.

L'homme se remit sur pied et ramassa son chapeau qu'il frappa contre son genou. La jeune femme, à bout de souffle, demeurait assise par terre. Elle se frotta un poignet où l'on distinguait encore des marques rouges laissées par les doigts de son agresseur.

— C'est une pute ! dit celui-ci à haute voix en la pointant du doigt. C'est pas ce que vous croyez.

— C'est pas vrai, sanglota la jeune femme.

Antoinette s'agenouilla près d'elle et la prit par l'épaule. Elle dévisagea le vaurien qui se frottait une joue égratignée lors de l'empoignade.

— Même une putain, si c'était le cas comme vous osez le prétendre, ne doit pas être prise de force. Vous êtes dégoûtant !

— La justice vous condamnerait *de facto*, ajouta le vicaire en se donnant une contenance.

— Vous trois, si jamais j'entends dire que vous avez parlé de ça à quelqu'un, je vais vous faire regretter chèrement vos paroles, les menaça l'homme de son gros poing.

Il alla ramasser son manteau et il donna au passage une poussée au prêtre qui s'allongea sur le dos dans les chardons.

— Déguerpissez ! rouspéta le vicaire en se relevant.

— Êtes-vous blessée ? demanda Antoinette à la jeune femme.

— Non, ça va, répondit-elle en écartant ses longs cheveux bruns entremêlés devant son visage.

— Moi non plus, ajouta le vicaire qui croyait que la question lui avait également été posée.

Il se contorsionnait pour atteindre quelques inaccessibles chardons qui s'étaient plantés dans sa soutane et son manteau.

— Qui êtes-vous ? demanda doucement Antoinette en aidant la jeune femme à se relever. Je crois que c'est la première fois qu'on se rencontre.

— Moi, il me semble l'avoir déjà vue quelque part, nota le vicaire Régimbald en la dévisageant.

— Je suis Clara Manning. Je suis serveuse à l'hôtel Western.

— Ah ! s'exclama le vicaire, certain d'en avoir entendu parler.

— Oh ! fit la grosse dame. C'est pour cette raison qu'on se connaît pas. Je m'appelle Antoinette Corbeil. Je peux vous aider si vous voulez porter plainte contre ce bandit. On témoignerait tous les deux en votre faveur.

— Merci, mais il vaudrait mieux oublier tout ça. Je vous conseille de pas prendre ses menaces à la légère, leur conseilla la jeune femme.

— Donc, vous le connaissez, conclut le vicaire. C'est pour cette raison qu'il vous a entraînée ici ?

— J'étais venue cueillir des fleurs séchées. Il a dû me suivre sans que je m'en aperçoive. Il vaut mieux que cette histoire reste entre nous. Si elle s'ébruite, ça pourrait me faire plus de tort que vous l'imaginez. Je vous remercie quand même de tout mon cœur de m'avoir secourue. Vous m'avez tirée d'un sale pétrin.

— Vous êtes certaine de pas vouloir alerter la police ? insista Antoinette. Je suis mal à l'aise de vous laisser partir sans…

— Non ! J'ai mes raisons. Croyez-moi, ça vaut mieux comme ça, coupa Clara Manning.

— Bon, si vous le dites.

— Je vais vous raccompagner jusqu'à votre hôtel, décréta le vicaire. Qui sait si cette vermine ne rôde pas encore dans les parages ? Parole d'Eugène Régimbald, il ne posera plus la main sur vous. Vous n'y voyez pas d'objection, Madame Corbeil ?

— Euh… Pas une miette, Monsieur le Vicaire. On fera un petit brin de jasette une autre fois. Ça donnera encore une occasion de mieux nous connaître.

— Oui… Bien sûr… déglutit le vicaire en réalisant qu'il lui en avait trop dit.

* * *

En Europe, les choses ne s'arrangeaient pas comme Joseph-Omer l'avait souhaité. Au contraire, la guerre se transformait en un véritable carnage. À Grouard, on passa les Fêtes dans une atmosphère empreinte de tristesse bien plus qu'on ne les célébra à la façon habituelle. Malgré tout, les Boulanger avaient tenu à inviter les Corbeil pour le jour de l'An 1915. Encore attablés à la fin du repas, ils discutaient avec animation de toutes les folies de ce monde. Joseph-Omer raconta en détail à ses invités comment Gabardine lui-même avait failli s'enrôler et partir pour la guerre au début de l'automne.

— C'est certain que d'aller à la guerre, c'est risquer gros. D'un autre côté, demeurer icitte, ça devient pratiquement une mort lente, s'hasarda à dire Honoré après l'avoir écouté attentivement. Je suis pas convaincu qu'on réussira à garder nos jeunes comme Gabardine encore longtemps icitte. Tôt ou tard, il y en a qui voudront partir.

Le menuisier fit une pause et reprit à voix basse en regardant sa tasse de thé.

— Hum… Même nous autres, on pense à partir. Pas pour la guerre, ben entendu. Mais pour Edmonton, au printemps.

— C'est pas vrai ! s'exclama Florida aussi surprise que son mari par cet aveu. Je peux pas m'imaginer une seule seconde qu'on va vous perdre ! Pas vous autres aussi ?

Honoré soupira pendant qu'Antoinette serrait les lèvres, la mine complètement défaite.

— Vous savez ben qu'on aimerait mieux rester. Mais on doit aller là où je serai sûr de trouver de l'ouvrage dans la construction, soutint Honoré intraitable.

— Pis Edmonton, c'est pas si loin que ça, s'empressa d'ajouter Antoinette.

— C'est ben assez loin pour qu'on se voie pratiquement plus, rectifia Florida. Si ça continue, on va se retrouver tout seuls, nous autres. On a déjà plus aucune parenté icitte, pis on aura plus aucun ami à Grouard quand vous serez plus là.

— Ben non, la calma Honoré d'un ton rassurant. Vous connaissez plein de monde dans la place. Votre magasin a sa clientèle, toujours fidèle, parce que les gens vous aiment et sont satisfaits de vos services. On sera encore vos amis, même à Edmonton. On pourra s'écrire à tous les mois, si ça vous tente. Sinon... on se téléphonera ! J'ai ben l'intention de me faire installer le téléphone, là-bas. Il y a de plus en plus de gens ordinaires qui l'ont, pis, à ce qu'il paraît, ça serait ben pratique.

— Lui, à chaque fois qu'ils nous sortent une nouvelle invention, ça lui en prend une ! l'interrompit Antoinette en secouant désespérément la tête.

— Il a peut-être raison, concéda Joseph-Omer, semant du même coup le bonheur sur le visage d'Honoré. Il faut être de son temps. À Edmonton, vous aurez autant d'occasions d'en profiter qu'on peut en avoir au magasin général. Icitte, on avance plus, on recule. Tout ça depuis qu'on sait que le maudit train passera pas. Peut-être que Gabardine avait vu juste...

Un silence plana sur la tablée pendant quelques secondes avant qu'Honoré ne relance à nouveau la conversation.

— Toi, Joseph-Omer, tout en travaillant tranquille dans ta boutique de forge, tu dois avoir eu le temps d'y penser pas mal, à ça, depuis l'été passé.

— À quoi ? Au train ?

— Ben oui ! Pourquoi diable qu'ils ont pas voulu le faire passer icitte, le damné train ?

Joseph-Omer se caressa le menton du bout des doigts et sembla se réfugier dans ses pensées. Les trois autres le fixaient maintenant avec intérêt.

— La vraie raison, on la connaîtra peut-être jamais avec certitude. Tout simplement parce que personne voudra jamais nous la dire franchement. Je me suis quand même fait une petite idée. Une simple réflexion que je gardais pour moi, étant donné que ni toi, Honoré, ni personne d'autre dans le voisinage étiez vraiment disposés à l'entendre.

— Raconte toujours, Joseph-Omer. On verra ben, s'impatienta Florida qui n'en savait pas davantage sur la question.

— C'était loin d'être une décision économique, comme ils l'ont prétendu, poursuivit Joseph-Omer. C'était plutôt une décision politique qui sentait la magouille à plein nez. Vous souvenez-vous lorsqu'on a changé le nom de la ville, l'année qu'on est arrivés par icitte ? J'ai le sentiment qu'à partir de ce moment-là, certains politiciens importants chez les anglophones se sont sentis offensés. Ils se sont peut-être mis à s'interroger sur le rôle qu'on jouerait icitte à l'avenir.

— Tu me diras toujours ben pas que c'est à cause du nom qu'on a choisi s'ils nous ont plantés là ? s'indigna Honoré.

— Ben non ! Le nom a rien à voir, Honoré. Pour eux, la question était de savoir qui avait choisi ce nom et quelles en seraient les conséquences. Je pense qu'ils ont pas mis de temps à comprendre que les Canadiens français avaient renversé la volonté populaire des Canadiens anglais, pour imposer la leur. Ils se sont dit que ce qui s'est fait à petite échelle pourrait tout aussi ben se faire à plus grande échelle. Grouard, en continuant de se développer pis à attirer plein d'autres Canadiens français du Québec, risquerait de devenir une bombe à retardement dans l'Ouest.

— Seigneur ! Comment ça, donc ? interrogea Antoinette incertaine de bien comprendre.

— Laisse-le parler, lui conseilla Honoré en ayant du mal à tenir en place. Je pense que je commence à y voir clair, moi.

— Imaginons Grouard qui, avec l'arrivée du train, deviendrait une ville marquante, expliqua Joseph-Omer. Un endroit exemplaire pour sa croissance rapide et la prospérité de ses habitants. Avant longtemps, un peu partout dans l'Ouest, d'autres villes semblables à la nôtre où il y a des Canadiens français auraient pu être tentées d'attirer plusieurs compatriotes du Québec par des campagnes de publicité, comme celles que le gouvernement fédéral a faites avec les anglophones. Qui sait si les villes importantes y auraient pas échappé, elles non plus ? Même par ricochet, si on considère la descendance de nos familles nombreuses.

Florida jeta un coup d'œil aux enfants qui s'amusaient à tracer des petits chemins par terre à l'aide de boutons de manteaux pendant que son mari poursuivait sa réflexion.

— Imaginez l'Ouest qui, dans une couple d'années, se serait développé dans ce sens-là, avec suffisamment de francophones dans toutes les provinces pour influencer la politique des gouvernements. Des Canadiens français qui revendiquent des services, des hôpitaux, des écoles françaises. C'est à cette idée qu'ils ont dit : Non, Monsieur. Pas question ! Ils ont peut-être vu une menace pour la dominance anglophone dans l'Ouest, au lieu d'y voir de nouvelles provinces où les deux communautés vivraient avec une importance ou des droits égaux. Du coup, notre sort était joué. Quel meilleur moyen de tuer cette menace dans l'œuf sinon qu'en bloquant toute chance d'accroître notre développement, c'est-à-dire en nous refusant le train ! Les conséquences étaient inévitables. Dispersion des Canadiens français de Grouard, qui devraient aller s'échouer dans d'autres villes anglophones de la région, et surtout démonstration que notre ville francophone est un échec lamentable. C'est sûr que ça manquerait pas d'en dissuader plus d'un au Québec, parmi tous ceux qui auraient été tentés de venir coloniser l'Ouest avec nous autres.

— Seigneur, Joseph-Omer ! C'est grave ce que tu dis là, s'étonna Antoinette.

— C'est grave, mais c'est plein d'allure en maudit, ronchonna Honoré. Avec le déclenchement de la guerre, ça a passé inaperçu aux yeux de tout le monde.

— Je serais pas étonné qu'avant longtemps, on nous oblige à faire disparaître même les cours de français dans nos écoles, leur prédit Joseph-Omer. Vous avez pu constater, autant que moi, que le gouvernement de l'Alberta ne s'est pas démené trop fort en notre faveur pendant les audiences.

— Ah ben ! Ça serait le bout en maudit s'ils touchaient aux écoles ! tonna Honoré.

— À t'entendre parler, Joseph-Omer, on pourrait se demander s'ils veulent encore de nous autres icitte ? résuma calmement Florida.

— Ils veulent de nous autres, oui, mais pas trop à la fois. Un peu comme des étrangers que tu reçois dans ta maison. Tu les accueilles avec politesse, pourvu qu'ils soient pas trop envahissants.

— Je veux ben croire ! Pourtant, des Canadiens français, il y en a dans l'Ouest depuis presque les débuts du pays. C'est notre maison à nous autres aussi ! précisa Florida un peu plus énervée.

Joseph-Omer se contenta de soupirer, sachant bien qu'elle avait raison.

— Je me demande ben, dit-il songeur, si en voulant limiter la grande majorité des Canadiens français à la seule province de Québec, si tout ça finira pas par jouer contre eux, à un moment donné ? Le peu de pouvoir que les francophones auraient eu icitte pis qui leur a fait si peur, ben… ils le concentrent tout à la même place. Peut-être qu'il y a des grands bouts d'histoire qui s'écrivent à partir de simples magouilles comme celle-là, pis dont on n'entend jamais parler.

— En tout cas, si jamais ça leur donne du trouble, ben ça sera de leur faute ! conclut Honoré. On joue-tu aux cartes, là ? J'ai la tête qui tourne.

— Après la vaisselle, Honoré. Aide-nous donc à desservir la table avant de penser encore à t'amuser, lui ordonna Antoinette en se levant. Pour tout le reste, on aura ben le temps d'y jongler.

* * *

L'hiver passa, rude par son climat et difficile pour ceux qui s'accrochaient encore à ce coin de pays. Eux dont les revenus avaient fondu plus vite que la neige du printemps. Dès les premiers jours de mai, quand les chemins se furent suffisamment asséchés, Honoré commença à transporter ses biens vers cette nouvelle résidence dont il avait fait la location à Edmonton. Il se félicitait d'avoir son camion, même si ça lui coûtait quelques dollars en fréquentes réparations. Joseph-Omer l'accompagnait parfois, lorsque ses bras étaient requis pour déménager les objets lourds. Autrement, Honoré s'arrangeait seul.

Finalement, arriva le dernier déménagement des Corbeil. Celui où l'on ferme définitivement la porte à clé. Toute la famille Boulanger y assistait tristement. Ils se tenaient légèrement en recul sur le gazon, en bordure de l'entrée, regardant muettement les Corbeil placer les dernières malles dans la boîte du camion. De temps en temps, Florida essuyait une larme avec son mouchoir de dentelle pendant que les enfants, alignés à ses côtés, grimaçaient au soleil éblouissant. Honoré et Antoinette, bras dessus bras dessous, s'approchèrent enfin d'eux. Florida agrippa également le bras de son mari, laissant une autre larme couler le long de sa joue. Honoré retira sa casquette et Joseph-Omer en fit tout autant avec son chapeau.

— Ben, c'est ça… furent les seules paroles que réussit à prononcer Honoré en déglutissant.

Aussitôt, les deux femmes se jetèrent dans les bras l'une de l'autre, sans rien dire. Les deux hommes baissèrent la tête pendant un instant, avant que Joseph-Omer ne rompe ce silence trop lourd.

— Tu te souviens, Honoré, de la première journée quand on est arrivés icitte ? C'était une belle journée, comme celle-là, pleine de soleil et pleine de promesses, se remémora Joseph-Omer.

— Je m'en souviens comme si c'était hier, répondit son ami.

— J'avais le cœur en fête, ce jour-là. Aujourd'hui, ben le cœur me fait mal en Jupiter.

— Dis pas ça, Joseph-Omer. Tu es fait fort, voyons donc ! Moi, je te dirais que sans vous autres, on aurait probablement pas réussi à passer au travers de toutes ces années-là, tellement loin de nos familles. Vous allez nous manquer. Merci beaucoup, pour toute l'importance que vous avez eue dans notre vie.

Les deux compagnons se serrèrent la main en se donnant quelques tapes amicales sur l'épaule. Les deux familles se saluèrent et s'embrassèrent. Les Corbeil s'entassèrent ensuite du mieux qu'ils purent à l'intérieur du camion qui réussit à démarrer dans un cliquetis de moteur, suivi d'un léger crachat de fumée noire à l'arrière.

— Bon voyage ! lança Florida.

— Merci ! On vous écrira, promit Antoinette.

Elle sortit la tête par la vitre baissée de la portière et les salua à nouveau de la main. Les Boulanger agitèrent longtemps la main, eux aussi, jusqu'à ce que le camion, pétaradant, ne disparaisse lentement dans un nuage de poussière au bout de la rue.

* * *

Pour une fois, l'été s'écoula lentement à Grouard. Tous semblaient attendre quelque chose qui n'arrivait pas. Le travail se faisait plus rare dans la forge de Joseph-Omer et le magasin faisait à peine ses frais. Aussi le forgeron accepta-t-il d'aller travailler un peu à l'atelier du vieux Baptiste. L'Indien l'assura de quelques dollars sur chacun des canots vendus qu'il aurait aidé à construire. Chaque petit gain avait son importance et on les prenait là où on le pouvait. L'expérience se révéla toutefois intéressante pour Joseph-Omer. Il apprit beaucoup de ce vieil Indien, tant par ses techniques de travail que par sa sagesse qui semblait intarissable.

Ailleurs, au loin, la folie guerrière des hommes se déchaînait sur les champs de bataille européens. Si les jeunes Canadiens s'étaient portés volontaires en grand nombre au début du conflit, l'enrôlement montrait des signes d'essoufflement. Il est vrai que les comptes rendus des combats sanglants qui leur parvenaient ne favorisaient pas l'engagement. Les recruteurs reçurent l'ordre de se montrer de plus en plus insistants.

Tous les moyens devinrent bons pour ajouter des recrues à l'armée. L'un de leurs trucs consistait à faire boire les jeunes hommes hésitants et à les endormir ensuite par de belles paroles en vantant leur courage. Ceux-là se réveillaient le lendemain matin avec un mal de bloc et, bien entendu, ils étaient enrôlés dans le Corps d'armée canadien.

Gabardine n'eut pas à se faire soûler pour prendre une telle décision. De toute façon, il refusait toujours de toucher à l'alcool. Il avait promis à Joseph-Omer de patienter un peu avant de s'engager, et il avait tenu parole. Au-delà même du temps qu'il se croyait capable de tenir. Il était devenu évident que rien ne se réglait nulle part et que l'avenir s'assombrissait un peu plus chaque jour à Grouard. Lorsqu'il s'enrôla, ce ne fut pas de façon forcée ni par étourderie. C'était bien plus par conviction personnelle. Il exécrait l'idée de demander aux autres d'aller combattre quand il pouvait le faire lui-même et il avait la certitude d'être plus utile là-bas qu'à Grouard. Plusieurs auraient sans doute été en désaccord avec lui, mais telle était tout simplement sa nature.

— S'il y en a un qui peut revenir de la guerre sain et sauf, je n'en vois pas d'autre que toi, s'était contenté de dire Joseph-Omer lorsque son employé lui avait appris la nouvelle. Jure-moi de faire attention, de pas prendre des risques inutilement.

Gabardine avait hoché la tête affirmativement, malgré une complète ignorance de ce qui l'attendait vraiment. Il n'avait jamais quitté sa région natale. Il avait grandi dans ce petit monde paisible où la liberté était le lot quotidien de tout un chacun, dans un monde où les espaces sauvages semblaient s'ouvrir devant lui presque à l'infini. Un étrange sentiment l'habitait maintenant qu'il partait pour défendre son univers. Il allait à la rencontre d'une tout autre forme de sauvagerie. Assis sur une banquette du train, indifférent aux immenses plaines qui défilaient jusqu'à l'horizon, il revoyait les yeux embués de larmes de sa mère. Ses paroles tintaient encore à ses oreilles comme un écho lointain.

— Jean-Marie, j'ai déjà perdu ton père ! Je veux pas te perdre toi aussi. Je veux pas que tu ailles à la guerre ! Tu m'entends ?

— J'ai déjà signé, maman.

— Seigneur ! Seigneur ! Seigneur ! Qu'est-ce que tu as pensé ? Comment est-ce qu'on va faire icitte pour s'organiser sans toi ?

— Je vais vous envoyer toutes mes payes, maman. Vous manquerez pas d'argent.

— Tout l'or du monde, ça achète pas une vie, avait-elle répondu, anéantie.

Madame Duchesneau s'était lancée dans ses bras en pleurant contre son épaule, comme il ne l'avait jamais vue faire auparavant.

— Je vais revenir, maman. Ayez confiance en moi, avait supplié Gabardine en tentant vainement de la consoler.

Il repassait cette scène encore et encore dans sa tête, se demandant s'il avait pris une décision insensée. Il n'avait jamais imaginé une seule seconde dans ses plus jeunes années qu'il causerait autant de peine quand viendrait le temps de quitter le nid familial. Même s'il était monté dans le train à Edmonton en compagnie d'autres jeunes recrues de son âge, Gabardine se sentait seul dans le brouhaha incessant des passagers. Il n'ouvrit presque pas la bouche, se refermant comme une huître, tout au long de cet interminable trajet qui les emmena jusqu'au camp militaire de Québec.

Combats

Des milliers de tentes en toile blanche avaient été montées pour abriter les soldats sur la base militaire de Valcartier, près de Québec. C'était devenu l'un des principaux sites d'entraînement des troupes canadiennes. Même s'ils étaient localisés dans un environnement francophone, les officiers ne communiquaient qu'en anglais. Gabardine fut rapidement mis à contribution pour servir d'interprète auprès de ces Canadiens français qui ne comprenaient pas encore l'anglais. Cela lui permit de développer de solides amitiés. Parmi les autres recrues, Wilfrid Portelance devint sans doute son meilleur copain. C'était un jeune déluré de dix-neuf ans originaire de Trois-Rivières. Véritable acrobate, il avait le don d'épater la galerie par les cabrioles et les pirouettes auxquelles il s'adonnait. Quand il avait la chance d'échapper aux entraînements.

Cependant, le rôle d'interprète attira également des ennuis à Gabardine. Une petite bande d'anglophones, frustrés de constater le peu de représentativité des francophones parmi les volontaires, prenaient un malin plaisir à passer des commentaires désobligeants en sa présence. Ils s'assuraient d'être bien entendus et souhaitaient qu'il transmette le message à tous ceux qui n'avaient pas la « chance » de bien les comprendre. L'un d'eux se nommait Reggie Foster, un grand gaillard aux larges épaules venu tout droit de Calgary. Il était probablement le plus acerbe de tous. Foster ne ratait jamais une occasion de traiter tous ceux qui parlaient français de trouillards et de bons à rien. Et cela, c'était quand il était de bonne humeur. Lorsque les amis de Gabardine lui demandaient d'expliquer pourquoi Foster gueulait tout le temps, ce dernier répondait invariablement :

— Il veut qu'on s'exerce plus fort !

Les jeunes recrues soupiraient, car l'entraînement était déjà très difficile. On devait marcher souvent vingt-cinq milles par jour, creuser des tranchées en toute hâte, courir avec un homme sur le dos, effectuer des exercices de tir, grimper, sauter, ramper, et il était impensable de refuser d'obéir à un ordre. Tout ça, beau temps, mauvais temps. C'était harassant, mais les hommes développaient une force et une endurance qu'ils ne se connaissaient pas. Les journées de congé étaient rares et toujours attendues avec impatience. Pourtant, un accrochage entre les amis de Gabardine et la bande de Foster élimina quelques-unes de ces précieuses journées pour la plupart de ceux qui y participèrent.

Cela se passa en début de soirée, alors que les hommes prenaient l'air à l'extérieur. Un rare moment de détente où l'on discutait sur un ton léger avant de regagner les tentes. Foster, suivi d'une poignée de ses acolytes, ne put s'empêcher de décocher une flèche lorsqu'il croisa Gabardine. Il s'arrêta pour qu'on l'entende encore distinctement et se tourna vers ses compagnons.

— Vous savez, les gars, déclara-t-il d'une voix forte, je suis bien content qu'il n'y ait pas davantage de Français dans nos rangs. On n'a pas besoin d'eux pour gagner cette foutue guerre. Eux, la seule chose qu'ils réussissent à gagner, c'est des concours de soupe aux pois !

Le petit groupe de soldats qui l'accompagnait s'esclaffa bruyamment dans la tranquillité du soir. Ils allaient reprendre leur marche lorsque Portelance intervint à son tour à la surprise générale. On ne l'avait jamais entendu s'exprimer autrement qu'en français, jusque-là.

— Décidément, avec les Anglais, ça pourra jamais tourner rondement. Ça doit être normal, quand on a une damnée tête carrée !

Cette fois, tout le groupe de Foster fit volte-face en serrant les dents. Gabardine posa une main sur le bras de son camarade pour l'empêcher d'aller plus loin. Ce fut peine perdue, car justement Portelance avait l'intention d'en rajouter.

— Et si vous croyez nous impressionner, ma bande de deux de pique, peut-être que quelques taloches sur le nez pourraient vous ramener à la réalité. Croyez-moi, pour une bonne cause, nous sommes toujours volontaires, brava-t-il.

Il n'en fallut pas davantage pour que les deux groupes se lancent les uns contre les autres dans une empoignade où des volées de coups de poing furent lancées au hasard. Il n'y eut pas de véritable vainqueur. Les recrues avaient tous suivi le même entraînement et ils étaient de force sensiblement égale. Tout au plus y eut-il quelques lèvres enflées et deux ou trois nez laissant échapper un petit filet de sang. Les blessures les plus sérieuses furent faites surtout à l'orgueil des belligérants. Fort heureusement, les soldats assurant la sécurité étaient intervenus avec célérité pour mettre un terme à cette mêlée avant qu'elle ne dégénère encore davantage.

Les batailleurs furent tous emmenés devant le commandement pour répondre de leurs actes. Évidemment, on leur rappela qu'ils devaient garder leurs aptitudes au combat pour affronter l'ennemi plutôt que de s'en prendre les uns aux autres. On leur imposa donc du temps d'entraînement supplémentaire pour les cinq prochains jours de congé à l'horaire. Ils le feraient par équipe de deux, un francophone s'alliant avec un anglophone. À cela s'ajoutèrent quelques corvées de patates et de nettoyage des équipements sanitaires.

En retournant à sa tente, Gabardine accrocha vivement Portelance par un bras.

— Pourquoi tu m'avais pas dit que tu parlais anglais, au lieu de m'obliger à tout te traduire à chaque fois ?

— Bof ! Je sais pas... répondit Portelance évasif. Peut-être pour défier l'autorité militaire, que je trouve un peu trop *British*. Des fois, c'est pratique de faire comme si on comprenait rien quand ça fait notre affaire, tu sauras.

— Tu aurais dû continuer comme ça, on aurait évité des embêtements, maugréa Gabardine.

— Désolé vieux, mon anglais s'est trop amélioré dernièrement. Je pense qu'ils ont ben mérité que je leur en donne un petit exemple, rigola Portelance.

— Ouais, tu y repenseras, à ton petit exemple, quand on pellettera de la merde, grommela Gabardine avant de regagner ses quartiers.

Malgré tout, le temps supplémentaire en duo ne fut pas tout à fait inutile. Ces soldats, qui se regardaient en chiens de faïence, apprirent la tolérance et l'entraide. Ils devraient dorénavant se respecter. Quant aux corvées ingrates, elles eurent le mérite de les endurcir encore un peu plus dans les situations pénibles. Devant ces résultats positifs, on augmenta le nombre de séances et le niveau de difficulté d'entraînement pour tous les soldats du camp militaire.

* * *

Après plus de deux ans de guerre en Europe, le Canada ne comptait que trente-sept mille hommes valides aux combats, surtout à cause des nombreuses pertes subies outre-mer. On se disait maintenant, en haut lieu, que des hommes mieux préparés seraient moins vulnérables sur les champs de bataille. À la fin de 1915, le recrutement avait décliné partout au pays. Aussi l'engagement du premier ministre Borden, en janvier 1916, d'envoyer cinq cent mille hommes au combat, sur une population de huit millions d'habitants, en estomaqua-t-il plusieurs. Dès lors, on comprit que la conscription deviendrait inévitable.

À Grouard, le matelot Jobin avait l'intention de devancer l'instauration de la conscription. Non pas pour fuir dans les bois, comme certains songeaient sérieusement à le faire, mais pour s'engager en profitant de l'avidité des recruteurs militaires. Ceux-là venaient hanter la ville sporadiquement en un duo de m'as-tu-vu arrogant. Ils arpentaient les rues à la recherche de jeunes garçons en âge de combattre et s'arrêtaient dans tous les débits de boisson en espérant y faire signer quelques célibataires en mal d'action. Willy Jobin les avait suivis des yeux un bon moment, tapi près d'un arbre dans l'obscurité hivernale.

« Regarde-moi ces deux vautours qui sont de retour, pensa-t-il. Les gens traversent la rue quand ils les voient s'approcher. Albert Pigeon vient de tourner le coin de la rue en vitesse là-bas. Je serais pas surpris de le voir courir les jambes à son cou. Pourtant, il a presque mon âge, le peureux à Pigeon. Ça va l'empêcher d'aller fouiner au travers des vitres des hôtels. Tiens, tiens… Ouais ! Les vautours entrent au Western. C'est ma chance d'aller rejoindre ces deux bouffons. »

Le matelot entra innocemment à l'intérieur de l'hôtel en repérant rapidement la table où les deux recruteurs s'étaient assis près du bar. Il salua quelques connaissances au passage et alla prendre l'un des tabourets libres pas très loin de ces racoleurs. Ceux-ci le regardèrent passer en silence en échangeant un sourire complice. Le plus jeune des deux ne tarda pas à se lever et à aller s'accouder au bar près de Jobin.

— Encore un maudit hiver de misère qui finit plus, hein ?

— Ouais… fit Jobin en le regardant comme s'il le voyait pour la première fois.

— Je m'appelle Terry Jacobson et là c'est mon ami, Stan Wallace. On n'est pas du coin, mais on aime bien votre ville. Ici les gens sont fiers et courageux, de rudes gaillards qui n'ont peur de rien. On en a rencontré plusieurs à chacune de nos visites. C'est vraiment spécial comme endroit.

— Ouais ! répéta le matelot feignant d'être sensible au compliment. Je dois être l'un de ces rudes gaillards qui aiment bien prendre une bière. Vous en voulez-une ?

— Avec plaisir, Monsieur...

— Willy Jobin, dit le matelot en tendant la main.

Jacobson lui serra la main avec plaisir, constatant que les choses tournaient en sa faveur.

— Viens donc t'asseoir avec nous, on ne va tout de même pas laisser mon copain tout seul. Allez, il n'y a pas de gêne, c'est ma tournée. Patron !

Jacobson pointa sa table du doigt et fit pivoter son index pour faire comprendre son intention au tenancier. Willy Jobin souriait lui aussi, car son plan se déroulait comme il l'avait espéré. Tommy eut beau lui faire un petit signe de la tête pour s'assurer qu'il comprenait bien à qui il avait à faire, le matelot semblait insouciant comme jamais. Le temps passa et les consommations affluèrent, toujours payées par les deux recruteurs de l'armée. Jobin tenait le coup et les enfilait les unes après les autres en échangeant des blagues avec les étrangers. Des deux racoleurs, seul Wallace l'accompagnait verre après verre. Jacobson, lui, se contentait d'étirer la sauce et gardait tous ses esprits en éveil.

— Sais-tu que nous sommes des recruteurs militaires ? demanda-t-il brusquement à Jobin.

— Noooonnnn ! Ça parle au diable ! Des recruteurs de Sa Majesté... même icitte ! Ça vaut ben... une autre petite bière, hein ?

Wallace se mit à rire tout seul, de la mousse encore aux lèvres.

— Patron ! Deux autres, commanda Jacobson.

— Ton ami… lui là… il parle pas gros, gros, bredouilla Jobin.

— Non, c'est vrai, acquiesça le plus jeune des deux recruteurs.

— Pis toi… tu bois pas plus… que lui il parle.

— J'ai un ulcère, mentit maladroitement Jacobson. Tu es vraiment un damné buveur, Willy. Il n'y en a pas beaucoup dans l'armée qui te suivraient à ce rythme-là. Tu devrais nous rejoindre, c'est certain que tu impressionnerais les gars du régiment.

— Je les… immm… presionnerais… de toute façon. Mais… je suis pas certain d'être fait pour… beurk !… l'armée.

— Tu es jeune et en pleine santé. Tu as une solide constitution. L'armée serait vraiment heureuse d'avoir un gars comme toi dans ses rangs. Tout ce que tu as à faire, c'est de signer le formulaire d'engagement que j'ai sur moi, proposa Jacobson.

Willy Jobin cogna son verre contre celui de Wallace et il l'invita à faire cul sec.

— Je vais y penser…, dit le matelot en levant un doigt en l'air.

— C'est ta chance, on est là. On ne sera pas toujours en ville, le pressa le jeune recruteur.

— Beurk ! Je vais y penser… après une autre petite… toute petite bière, reprit Jobin. Pis une, pour mon ami… *Wall… loose.*

Jacobson leva deux doigts en l'air et Jobin s'amusa à regarder Wallace vaciller sur sa chaise, l'œil vitreux.

— Santé ! l'encouragea Jobin avec sa nouvelle consommation. Vas-y ! Vas-y ! Prends une bonnnne… grosse gorgée… si tu veux que je signe.

Wallace prit une longue lampée de bière, vacilla encore un instant, ferma les yeux et s'écroula ivre mort au côté de sa chaise.

— Ah ben ! réagit Jobin amusé, pendant que Jacobson secouait la tête au creux de sa main.

Tommy se chargea de tirer Wallace jusqu'à l'une des chambres de l'hôtel.

— C'est deux dollars la chambre, dit-il après avoir fait

quelques pas en traînant au sol le recruteur endormi.

— Quoi ? C'est inscrit un dollar cinquante sur votre affiche, lui fit remarquer Jacobson.

— Peut-être ben, sauf qu'à soir, c'est deux dollars.

Ils entendirent Tommy frapper à une porte et échanger des paroles vagues avec une voix féminine. Quelques instants plus tard, Clara Manning se présenta en longue jaquette blanche par-dessus laquelle elle avait enfilé une robe de chambre vieux rose. Ses cheveux défaits et ses traits tirés révélaient qu'elle avait été tirée de son sommeil par le tenancier. Elle ramassa le manteau de Wallace en vitesse, sans un mot et sans un regard pour ceux qui étaient toujours attablés, et repartit aussi vite qu'elle était venue.

— Bon... c'est correct ! J'existe pas, déclara Jobin au dernier recruteur.

— Pardon ?

— Où c'est... qu'on signe ?

— Tu veux signer avant d'avoir fini ta bière ? s'assura Jacobson un peu surpris.

— Ça me tente pas... deeee... me réveiller à côté de Ti-Stan. Piiiis, je peux ben te dire... juste une petite affaire. J'ai toujours vouluuu... signer ta maudite formule. Je voulais juste me... paqueter la... beurk !... la fraise... aux frais de la princesse.

— Tu devrais avoir honte ! Tu as gaspillé l'argent des contribuables pour t'enivrer.

— C'est pas moi... qui paye ! Où je signe, là ? balbutia Willy Jobin.

— Signe ici ! maugréa Jacobson.

— Est-ce que c'est geug... grave... si je vois plus clair ?

— Allez ! Signe ! Je vais ajouter une petite note au bas de la page qui dira que tu aimes bien faire le petit comique. On verra bien s'ils te trouveront aussi drôle là où tu seras envoyé.

Willy Jobin se leva et, par mégarde, renversa son verre de bière qui coula sur l'une des bottes de Jacobson.

— Ah non ! Mes belles bottes neuves ! ragea le recruteur.

— C'est quand même mieux queeee… le vomi à Ti-Stan, lui fit remarquer Jobin.

— Quoi ?

— Sur l'autre pied…

* * *

À l'autre bout du pays, dans le port de Québec, Gabardine et ses camarades s'embarquèrent en avril sur les navires transporteurs de troupes à destination de l'Angleterre. Ils regardèrent la ville s'éloigner lentement en longeant l'île d'Orléans, avec en toile de fond le tout récent Château Frontenac surplombant le fleuve du haut de la falaise abrupte. Plusieurs d'entre eux ne rentreraient jamais pour contempler ce paysage à nouveau. Pour Gabardine, comme pour plusieurs autres, la traversée s'avéra difficile. Le temps était mauvais. Transi dans l'air glacé qui soufflait avec force sur le pont du bateau, malade et râlant, Gabardine se surprit plus d'une fois à souhaiter être immédiatement au front, plutôt que d'avoir à endurer un tel supplice sur ce vaisseau ballottant.

— Ça va, soldat ? lui demanda un marin qui parcourait le pont en long et en large en surveillant la solidité des arrimages.

Gabardine hocha la tête puisqu'il ne se sentait plus la force de dire un mot.

— Ne vous approchez pas du bastingage, soldat, vous pourriez passer par-dessus bord.

Adossé contre la cloison extérieure d'un rouf, il voyait la proue du navire s'enfoncer dans l'incessant déferlement des vagues sombres, puis en briser les crêtes dans un fracas d'éclaboussures qui se mêlait au sifflement du vent, et remonter vers le ciel couvert aussi noir que la mer. Chaque roulis et tangage du bateau lui donnait des haut-le-cœur, et la sueur qui perlait sur son front semblait s'y être figée sous le froid. Il eut un pâle sourire quand son ami Portelance s'amena avec une couverture.

— Je te cherchais partout, Jean-Marie. Une chance qu'un marin t'a aperçu assis sur le pont. Je pensais que tu étais sorti prendre juste une bouffée d'air. Ça m'a pas l'air d'aller ben fort, toi.

Gabardine secoua lentement la tête et laissa échapper un râle.

— Pauvre vieux ! Tiens, enveloppe-toi là-dedans, l'encouragea Portelance en lui passant la couverture autour des épaules. Au moins, tu seras pas changé en glaçon.

— Merci, parvint à dire Gabardine dans un souffle nauséeux.

Wilfrid Portelance s'adossa à ses côtés et ils gardèrent le silence un long moment, secoués dans tous les sens par la mer agitée.

— Wilfrid ?

— Quoi ?

— Comment ça se fait que t'es pas malade, toi ? demanda Gabardine.

La question fit rire Portelance pour qui il était tout à fait normal de supporter n'importe quel roulement que ce soit.

— J'imagine que j'ai dû m'habituer dans mon enfance. Dans ce temps-là, je faisais la chauve-souris. Je m'accrochais par les jambes, la tête en bas, après la branche d'un arbre.

— Tu aurais pu te casser le cou, murmura Gabardine.

— J'ai passé proche. Une fois, la branche a cassé. Heureusement que j'étais pas trop haut. Je me suis seulement foulé un poignet, pis je suis retourné à la maison en braillant.

— Pourquoi tu rentres pas dans le bateau ? s'étonna Gabardine.

— Si ça peut te réconforter, je peux te dire qu'il y en a un méchant paquet qui sont malades en dedans. Je connais pas le gars qui fait le ménage, mais il va gagner son salaire. Si tu restes dehors, je reste dehors avec toi. Quand tu voudras rentrer, on rentrera ensemble.

— Merci, Wilfrid.

* * *

Tous les soldats réussirent à surmonter cette traversée mouvementée. Sur le sol anglais, ils se retrouvèrent dans la petite ville de Witley, au sud de Londres. C'est à cet endroit que se trouvait la base des forces canadiennes en Europe. N'eût été la nourriture réellement atroce qu'on y servait, leur séjour sur cette base aurait certainement pu être qualifié d'agréable. Les exercices militaires étaient plus légers et les congés plus nombreux. À croire qu'on avait voulu leur adoucir la vie avant qu'ils ne traversent dans la tourmente du continent.

La température maussade était surtout une source d'ennui et favorisait le repos. Les soldats avaient été formés pendant des mois pour participer aux combats et cette attente commençait à peser lourd sur leur moral. Au cours de ces longues journées de répit, Gabardine écrivait à sa mère ou bien aux Boulanger. Il leur racontait constamment qu'il était bien traité, qu'il n'avait aucune misère et qu'il mangeait à sa faim; même si c'était loin d'être comparable à la cuisine familiale. Il leur avoua s'ennuyer d'eux, du magasin, des parties de pêche, ou encore de courir les bois à chasser le lièvre et la perdrix. Il espérait rentrer bientôt à la maison, une fois la guerre terminée, et réitéra sa promesse de faire attention à lui.

Avec l'arrivée de ces nouvelles troupes venues grossir les rangs, les recrues furent en nombre suffisant pour rejoindre l'armée canadienne postée en Flandres. La traversée de la Manche parut une petite balade en comparaison de celle de l'Atlantique Nord. Le front, cependant, ne ressemblait à rien de ce que Gabardine avait pu imaginer. Les nouveaux soldats, assis à l'arrière des camions militaires, regardaient défiler, ébahis, un paysage cauchemardesque au fur et à mesure qu'ils se rapprochaient des zones de combat.

— Non mais, c'est quoi ça ? demanda Portelance à mi-voix.

Il était écrasé aux côtés de Gabardine entre des soldats pressés les uns contre les autres et il serrait nerveusement sa carabine entre ses mains.

— Je sais pas quoi te dire, lui répondit son camarade. J'ai jamais vu d'endroit pareil. Même après un feu de forêt, ça ressemble pas à ça.

Ils traversaient un désert stérile, une nature dévastée, avec des troncs d'arbres coupés au milieu, plantés çà et là dans une terre vaseuse jaune parsemée de flaques d'eau verte. Partout, on apercevait des dizaines de chevaux morts, sinon des morceaux de chevaux éparpillés au hasard. Cette odeur âcre de putréfaction se mêlait à celle des explosifs qui flottait continuellement dans l'air ambiant. Elle donna des nausées à plus d'un jeune soldat qui se croyait endurci.

Heureusement, ils rallièrent les positions canado-britanniques pendant un moment d'accalmie, sans doute choisi avec justesse par le haut commandement. Il fut toutefois de courte durée. À peine le temps de répartir les recrues et de repositionner les forces que les bombardements assourdissants reprirent, entraînant la riposte ennemie. On entendait sans arrêt des explosions d'obus. Les éclats de ceux-ci sifflaient et retombaient au hasard tout près de leurs positions.

Gabardine ne fut pas envoyé au combat immédiatement. On l'affecta plutôt au poste de brancardier. Il devait accomplir cette tâche en compagnie d'un infirmier. À sa grande stupéfaction, ils étaient plusieurs dizaines affectés au même service. Celui qui l'accompagnait se nommait Pete MacDonald. C'était un rouquin d'Halifax, en Nouvelle-Écosse. Sa grosse moustache retroussée, qu'il étirait fièrement, le faisait paraître plus vieux qu'il ne l'était en réalité.

— J'espère que tu résisteras plus longtemps que ton

prédécesseur, lui dit-il dès les premiers instants où ils firent connaissance.

— Pourquoi ? demanda Gabardine. Est-ce qu'il a abandonné son poste ?

MacDonald le regarda, sidéré pendant quelques secondes.

— Il a reçu une balle dans la nuque après seulement trois jours de service. À peine si j'ai eu le temps de le connaître par son nom. Moffatt ! Si je me rappelle… C'est étrange, parfois. Le type disait avoir toujours eu peur de recevoir une balle en plein cœur. Alors, tu vois qu'on ne peut pas vraiment savoir par où la mort nous sautera dessus.

— Ouais, c'est pas très rassurant, déglutit Gabardine.

— T'en fais pas, tu t'y feras. L'important, c'est de bien suivre les consignes que je vais te donner et de courir quand vient le temps de courir. Tu es de quel coin du pays, toi ?

— Grouard. C'est une ville… enfin, c'était une ville dans le nord de l'Alberta.

— Pourquoi c'était ? Elle n'existe plus ? l'interrogea MacDonald.

— Oui, mais les gens partent. Ils vont vers Edmonton, expliqua Gabardine.

— Bah ! C'est comme en Nouvelle-Écosse, ça. Mis à part Halifax, il n'y a que des villages de pêcheurs où les gars s'esquintent sur des bateaux qui prennent l'eau.

— Brancardiers !

L'ordre avait été hurlé entre les tirs des canons crachant des obus sur les lignes rivales. MacDonald et Gabardine se levèrent précipitamment pendant que l'officier qui venait de crier passait à grandes enjambées, la mine renfrognée.

— Nous allons tenter une percée ! Tâchez de nous ramener ceux qui ne seront pas trop amochés ! hurla-t-il.

L'officier continua d'avancer à la hâte vers d'autres secouristes, répétant chaque fois son ordre bref. Gabardine enfila sa carabine à l'épaule. MacDonald mit son sac de premiers soins rempli de bandages sur son dos.

— Demeure accroupi, même si tu cours, conseilla-t-il à son jeune aide. Ne regarde pas partout, contente-toi de me suivre.

Un dédale de tranchées boueuses les conduisit bientôt sur la ligne de feu. Gabardine aurait souhaité ne regarder que le sac sautant sur le dos de l'infirmier qui le précédait, mais comment ne pas voir les atrocités du monde surréel dans lequel il venait de plonger ? Il y avait là plusieurs morts mutilés, sans jambes, sans tête, sans estomac, alors que d'autres avaient un corps intact et un visage sans expression, mais le crâne brisé par une balle ou un éclat d'obus. Il aurait tant voulu se concentrer sur le simple sac à dos de l'infirmier, mais le sifflement d'une balle à ses oreilles ou une gerbe de boue projetée en l'air par l'éclatement d'un obus à proximité, parfois accompagnée d'un ou deux soldats, le ramenait malgré lui à la réalité de cet enfer.

MacDonald s'arrêta enfin auprès d'un blessé. Il était assis le dos appuyé contre le mur d'une tranchée. L'une de ses jambes était en sang sous le genou, sans doute traversée par un projectile, et il lui manquait le petit doigt de la main gauche. À voir son visage et son uniforme souillés de boue, on pouvait deviner qu'il avait rampé jusque-là pour se soustraire au tir ennemi. Le rouquin d'Halifax s'empressa de lui donner les premiers soins sur place, pendant que Gabardine essayait maladroitement de le réconforter en lui tapotant l'épaule.

— T'en fais pas, ça ira. J'en ai vu des biens pires que toi, lui dit-il.

Le jeune blessé ne semblait pas constater que sa jambe était en un si piteux état.

— Je veux que mes mains arrêtent de trembler. Je veux que mes mains arrêtent de trembler, mais je suis pas capable, répétait-il inlassablement.

MacDonald lui fit respirer une toute petite dose d'éther pour le calmer. Ensuite, ils l'installèrent sur la civière et le ramenèrent à la grande tente tenant lieu d'hôpital provisoire. Ils ne comptèrent pas les allers-retours faits au péril de leur vie pour en sauver d'autres. Lorsqu'ils le pouvaient, ils se hissaient à plat ventre hors des tranchées pour aller récupérer un soldat geignant sur le champ de bataille. Ceux qui, trop mal en point, agonisaient étaient laissés là. On les récupérerait plus tard, avec les autres soldats morts.

Cela entraînait inévitablement des situations insoutenables pour les secouristes.

Au détour d'une tranchée, alors qu'ils retournaient une fois de plus ramasser d'autres blessés, Gabardine perçut un faible appel à l'aide d'un soldat écrasé contre le rebord du retranchement.

— Aidez-moi !

N'eût été son faible cri, celui-ci aurait certainement passé pour mort tant il était maculé de sang. Il lui sembla pourtant que cette voix ne lui était pas étrangère. Malgré les blessures qui ravageaient le visage du blessé, Gabardine reconnut son ami Portelance.

— Attends, MacDonald ! Je le connais. Il faut lui venir en aide.

— Celui-là n'a aucune chance de s'en tirer. Viens, il y en a d'autres plus loin.

— Arrête, je te dis ! insista Gabardine. Je vais tout de même pas laisser mon ami crever dans ce merdier !

MacDonald se pencha à contrecœur sur le blessé. Il écarta délicatement du bout des doigts ce qui restait d'uniforme sur la poitrine de Wilfrid Portelance.

— *Holly shit !* Comment peut-il être encore en vie ? murmura-t-il en pâlissant à vue d'œil.

La poitrine rougie de Portelance laissait voir une énorme entaille d'où s'échappait un flot continu de sang. Au fond de celle-ci, on discernait nettement les battements de son cœur. L'infirmier remit les lambeaux de tissu en place et se releva à demi aussi rapidement que possible.

— Il n'y a rien qu'on puisse faire pour lui, désolé mon homme. Nous avons assez perdu de temps comme ça. Allons en ramasser un autre, maintenant. C'est un ordre! prit-il le soin d'ajouter devant l'hésitation de son aide.

— Tiens bon, Wilfrid. Nous reviendrons te chercher tout à l'heure, s'entêta tout de même à promettre Gabardine en reprenant le brancard.

Il suivit MacDonald, le visage crispé par le chagrin d'avoir abandonné son compagnon, le laissant seul devant la mort. Quand ils repassèrent en transportant un autre soldat amoché, il n'y avait plus, à l'endroit où s'était trouvé Portelance quelques minutes plus tôt, qu'un grand trou fait par la tombée d'un obus.

Les deux brancardiers terminèrent la journée en allant chercher quelques soldats commotionnés par l'éclatement continuel des bombes, ceux que le reste de l'armée appelait les trouillards. MacDonald les installait recroquevillés sur eux-mêmes et le regard vide sur son brancard. Gabardine, lui, devenu aussi muet que ces malheureux, aidait son compagnon à les transporter vers l'infirmerie militaire.

La bataille du mont Sorrel dura quinze jours. Deux semaines pour reprendre une demi-douzaine d'immenses cratères sur les hauteurs. Les Canadiens en sortirent victorieux, fouettés par le vent et la pluie, dans la nuit du 13 juin 1916. Les brancardiers, qui n'avaient jamais cessé d'encourager leurs camarades, étaient épuisés, puisqu'il y avait tout de même huit mille quatre cent trente hommes en moins à la fin du combat.

* * *

À Edmonton, Blanche et le docteur Laurent Gauthier savouraient pleinement les premières années de leur mariage. Leur relation était teintée de joie et de complicité. Bref, ils adoraient se retrouver ensemble et ils étaient devenus indissociables aux yeux de tout le monde. Seule ombre au tableau, ils n'avaient pas encore d'enfant malgré la passion qui les liait l'un à l'autre. Ils compensaient ce manque par un solide engagement dans leurs activités professionnelles. Laurent avait entrepris sa formation en chirurgie et Blanche, à l'aide de contacts privilégiés qu'entretenait son père, s'était trouvé un emploi de chroniqueuse au *Canadien Français*, un hebdomadaire local.

À l'occasion de la fête de la Saint-Jean, ils avaient tous deux été invités au bal des personnalités francophones de la ville. Cette soirée était en marge du traditionnel défilé populaire, dont le clou était toujours un enfant aux cheveux bouclés, qu'on avait recouvert d'une peau de mouton pour qu'il personnifie saint Jean-Baptiste. Le bon peuple terminait la soirée en écoutant des discours patriotiques et en allumant l'indispensable feu de joie.

Le bal était plus sélect, il va sans dire. Chacun considérait comme un honneur personnel d'y être admis. La fine fleur d'Edmonton s'y retrouvait et échangeait des idées générales ou simplement des futilités, dans un milieu où la frivolité n'avait que très rarement une telle importance. Laurent et Blanche se tenaient debout sur un côté de la salle, un verre de vin blanc à la main, et ils rendaient leurs salutations à des gens qu'ils ne connaissaient que très peu, sinon pas du tout. Surtout en ce qui concernait le docteur Gauthier, qui avait longtemps pratiqué la médecine dans un coin reculé. Il se sentait quelque peu désemparé face à tout ce tralala et ces courbettes.

— On aurait dû aller au feu de joie, dit-il à sa femme.

— Mais non, mon chéri, tu verras, tu feras des rencontres intéressantes, ce soir. Il n'y a que des gens importants tout autour de nous. Le grand maigre là-bas, qui rit à s'en tenir les côtes, c'est un conseiller de la ville. Les deux hommes avec des moustaches, un peu plus à gauche, ce sont des avocats reconnus. Celui qui vient de passer et de nous saluer, c'est un directeur de banque. Et puis... Ah non ! Pas lui !

— Qu'est-ce qui se passe ?

— Je viens d'apercevoir Galibois. Grand Dieu ! Il m'a vue aussi, se désola Blanche.

— Ton chroniqueur préféré, s'amusa le docteur Gauthier.

— Mon pire ennemi, tu veux dire, répliqua sa femme.

— Des rencontres intéressantes, tu disais...

Oui, Galibois les avait vus au travers de ses grosses lunettes rondes qui amplifiaient encore la rotondité de ses yeux. Ses cheveux gris, lissés sur le côté, un nez aquilin proéminent et son habit à queue lui donnaient un aspect peu banal au milieu de la foule. Il se balança d'avant en arrière pendant un court instant, en allant presque jusque sur la pointe des orteils, comme s'il hésitait à prendre une décision. Il prit une gorgée de vin rouge, puis il se dirigea résolument vers eux.

— Monsieur et Madame Gauthier ! Quelle surprise ! Comment allez-vous ?

— Très bien merci, répondit le médecin.

Blanche se contenta de lui adresser un mince sourire.

— Je te présente Edmond Galibois, chroniqueur à l'*Edmonton Journal*, dit-elle à son mari.

— Bonsoir ! J'ai entendu parler de vous à quelques reprises, admit Laurent en lui serrant la main.

— J'espère que c'était en bien, car voyez vous, je n'ai pas que des amis, dit Galibois en jetant un regard suspicieux vers Blanche. En fait, nous appartenons à des journaux rivaux, votre femme et moi. Cependant, ce serait déjà un très grand honneur pour moi si vous vous donniez la peine de lire quelques-unes de mes chroniques, que j'essaie de rendre toujours intéressantes et fort à propos.

— Oui, naturellement. Écoutez, je vous laisse discuter de vos articles. J'ai un confrère de travail qui vient d'arriver et que j'aimerais bien aller saluer. C'est un bon ami. Je vous reviens tout de suite, enchaîna le docteur Gauthier en s'esquivant.

— Je vous en prie, accepta Edmond Galibois par politesse.

Blanche parut embêtée et regarda partir son mari en fronçant les sourcils.

— Alors, ma chère, vous vous obstinez toujours à essayer de pondre des chroniques qui soient un tant soit peu valables ? lança Galibois sur un ton léger.

— Vos propos sont déplacés et offensants, Monsieur Galibois. Ce doit être le vin qui vous monte à la tête.

— N'en croyez rien, Madame Gauthier. J'ai un très bon souvenir de l'un de vos articles datant de l'an passé qui m'attaquait personnellement, alors que je travaillais au *Courrier de l'Ouest,* crut bon de lui rappeler Galibois.

— Et vous, Monsieur Galibois ? Vous ne ratez pas une occasion pour remettre en cause tout ce que j'écris, à ce qu'il me semble, répliqua Blanche.

— C'est là le nœud du problème, chère Madame, vous écrivez des choses qui ne tiennent pas la route.

— À vos yeux ! Sauf que maintenant, Monsieur Galibois, lorsque vous me critiquez publiquement, vous le faites en anglais. Par le fait même, vous dépréciez les gens de votre propre communauté.

— Foutaise ! Je suis en désaccord avec ce que vous écrivez et non pas avec ma culture, précisa Edmond Galibois.

— Vous êtes pourtant de ceux qui blâment durement les Canadiens français parce qu'ils ne participent pas encore en grand nombre à la guerre. Vous vous êtes même permis de me rabrouer parce que je dénonçais la façon dont le gouvernement canadien recrutait nos jeunes en les enivrant. Une chronique parmi tant d'autres qui aura eu le mérite de vous déplaire, ajouta encore Blanche en gardant néanmoins son calme du mieux qu'elle pouvait.

— Le pays a besoin de beaucoup de soldats pour assurer sa défense, cela me semble pourtant une équation fort simple. Peut-être que pour une petite femme comme vous, qui s'intéresse davantage à la musique et à la poésie qu'à la stratégie militaire, cela constitue un domaine où vous ne devriez pas vous aventurer, dit-il sur un ton cinglant.

— Évidemment ! Allez défendre le pays sur un autre continent, c'est ce que vous qualifiez de nécessité absolue. Quant aux femmes, parlons-en, puisque vous m'attaquez également sur ce sujet. Vous avez tenté de me ridiculiser une fois de plus quand j'ai soutenu dans l'un de mes articles que les femmes devraient avoir autant de place que les hommes, tant dans le domaine politique que dans toutes les sphères de notre société !

— Vous savez, c'est ça votre problème. Vous ne voyez pas le monde tel qu'il est. Vous préférez imaginer un monde utopique ! Les femmes, ma chère Madame Gauthier, ont déjà la place qui leur convient et elles ne s'en plaignent pas, contrairement à vous.

— Bien entendu ! Je suis la méchante mégère qui dérange. Vous respectez les femmes à condition qu'elles soient à votre service, n'est-ce pas ? l'accusa Blanche.

— Je vous ferai remarquer, très chère, que je suis célibataire, répondit-il, croyant marquer un point.

— Pas étonnant ! Qui voudrait d'un tel esprit rétrograde ?

— À ce que je vois, se renfrogna Galibois, ce n'est pas ce soir que je vous convaincrai de mettre un terme à ce que je qualifierais de gribouillis d'écriture dans le *Canadien Français*.

— Avouez, Monsieur Galibois, que vous auriez souhaité avoir mon poste quand le *Courrier de l'Ouest* a fermé ses portes, et que vous m'en tenez rigueur, lui sourit Blanche.

— Encore votre imagination, ma chère. Je suis très bien là où je suis présentement.

— À mon tour de dire que ce que vous affirmez là ne tient pas la route. Sinon, vous ne vous acharneriez pas sur moi du haut de votre tribune, dans ce journal où l'on vous traite en subalterne, fustigea-t-elle encore.

— Sachez qu'un nouveau journal francophone sera lancé dès l'an prochain. J'ai déjà été approché par les futurs propriétaires, chère Madame, et ils m'offrent un salaire qui vous ferait pâlir d'envie, laissa-t-il entendre méchamment.

— Je vous le souhaite, Monsieur Galibois. Peut-être qu'alors, vous ne laisserez plus l'impression de continuellement nous trahir par vos critiques méprisantes !

— Si c'est comme ça, Madame, tout ce que je peux personnellement vous souhaiter, c'est de passer une très belle soirée, termina Galibois faussement poli.

— Je vous en prie, ne dites pas ce que vous êtes à des lieues de penser. Ça non plus, ça ne tient pas la route ! le rabroua Blanche.

Edmond Galibois s'en retourna, vexé, aussi rapidement qu'il était venu, à la recherche d'un interlocuteur plus jovial. S'il s'était fait aussi vertement tancer, c'est qu'il l'avait cherché et il le savait. Mais il ne s'attendait pas à subir une telle riposte de cette jolie petite femme qu'il jalousait secrètement pour ses prises de position indépendantes des idées reçues et trop souvent contraires aux siennes. Cette déconvenue méritait qu'il écrive encore quelques broutilles à son sujet. À l'avenir, cependant, il devrait prendre garde, car il avait entrevu la tigresse sous ses dehors de chaton.

Blanche le regarda s'éloigner en rageant encore intérieurement. Elle cala la dernière gorgée de son verre de vin d'un coup sec. S'il n'avait pas compris le message, elle avait des moyens autrement plus dommageables de lui faire entendre raison. Jusque-là, elle s'était toujours refusée à jouer son jeu. Dorénavant, s'il voulait vraiment continuer à lui faire la guerre, attitude qu'il avait prisée par le passé, elle était prête à lui envoyer quelques directs bien placés par le biais de son journal. Toutefois, la sagesse lui dictait d'attendre qu'il lui manifeste encore une fois son hostilité.

— S'il s'y aventure, je l'aplatis, dit-elle à haute voix.

— Blanche ! Mais qu'est-ce que tu fais ? Sapristi, tu parles toute seule maintenant ?

Un brasier dans le regard, Blanche se tourna vers son mari, qui revenait tout sourire auprès d'elle.

— Oh ! J'ai dit quelque chose qu'il ne fallait pas ? demanda-t-il innocemment.

— Non, ce n'est pas toi. C'est ce mufle de Galibois qui est venu me narguer et que j'ai dû remettre à sa place, répondit-elle.

— Je suis désolé. Je n'aurais pas dû te laisser seule avec lui. Ce que je peux être bête !

— Au contraire ! Je ne pouvais avoir meilleure occasion de remettre les pendules à l'heure. Sauf qu'il a réussi à me mettre dans tous mes états ! Tu avais peut-être raison, le feu de joie aurait été plus intéressant que cette soirée mondaine, supposa Blanche.

— Mais non ! Il n'y a pas que Galibois. Viens là que je te présente à mon ami, le docteur Morrison. Il a l'intention de nous inviter à sa maison de campagne, près de Jasper.

— Au pied des Rocheuses ! Ça doit être magnifique.

— Pas autant que toi, mais… presque !

— Toi, alors ! Allez, embrasse-moi, coquin, dit Blanche qui avait retrouvé son sourire.

* * *

Allongé dans sa tente, quelques jours après la bataille du mont Sorrel, Gabardine repensait à tout ce qu'il venait de vivre. À tous ces soldats qui avaient perdu des amis, tout comme lui. À toutes ces familles qui avaient vu disparaître un fils en si peu de temps. À cette façon de mourir qu'on disait héroïque et qui lui paraissait tout de même indécente. En dépit de l'heure tardive, il savait qu'il devait profiter de ce court répit pour écrire soit à sa mère, soit à ses amis de Grouard. Mais que pouvait-il leur dire ? Il n'allait tout de même pas raconter qu'il avait vu plus d'horreurs depuis son arrivée au front qu'un homme normal ne pouvait en imaginer durant toute une vie. Non. Il se ferait rassurant, comme toujours. Il alluma un restant de bougie qu'il plaça sur la petite table pliante près de son lit. Il sortit un crayon et du papier de dessous son oreiller. Il décida finalement d'adresser la lettre à sa mère.

25 juin 1916
Chère maman,

Comment allez-vous dans ce beau pays du Petit Lac des Esclaves ? Avec la venue des jours chauds, je vous imagine en train d'étendre votre linge sur la corde derrière la maison, de planter les légumes au jardin, de prendre soin de vos fleurs et de chasser les mouches de la cuisine à l'aide de votre tablier. Votre santé est-elle toujours aussi bonne ? Si oui, reprenez un autre petit morceau de gâteau que vous faites toujours si délicieux et que vous avez toujours en réserve. Mangez-le à ma santé en buvant votre tasse de thé. Oh ! Vous imaginez sans doute qu'il n'y a pas beaucoup de gâteaux par ici. Vous avez raison. Je me porte tout de même à merveille, ne vous inquiétez pas. On mange plus qu'à notre faim et on dort du mieux qu'on peut. Heureusement, il y a moins de maringouins que par chez nous. C'est déjà ça de pris.

L'armée canadienne connaît sa part de succès, même si je n'ai pas encore eu l'occasion de tirer un seul coup de fusil ! C'est vous dire que je ne suis pas trop en danger. On m'a demandé de travailler pour l'infirmerie. Le docteur Gauthier serait sans doute content d'apprendre ça. Il y a des rumeurs qui racontent qu'on changera peut-être de région bientôt, pour aller combattre ailleurs. Personnellement, je n'ai rien contre le fait de voir du pays. Si vous saviez comment tout est tellement différent de Grouard dans ces contrées.

Je continue à prendre soin de moi, comme me l'a fait promettre monsieur Omer. Vous le saluerez d'ailleurs de ma part, ainsi que sa femme, madame Florida. J'espère qu'ils vont bien. Les enfants doivent grandir depuis le temps. Voilà, je tenais à vous donner un peu de mes nouvelles pour vous rassurer. Même si on ne s'est pas vus depuis longtemps, vous saurez au moins que tout va pour le mieux. Vous ferez aussi mes salutations à ma petite sœur et à mon petit frère dont je m'ennuie autant que de vous. J'espère que Pamela et Rodrigue ne sont pas trop tannants et qu'ils ont passé une belle année à l'école. Demandez à Rodrigue d'aller vous pêcher un beau gros poisson, je lui prête ma canne à pêche. Là, comme j'écris à la lueur d'un bout de chandelle qui s'achève, je vous laisse à regret. Sinon, je risquerais de mettre le feu à mon cahier ! Je souhaite pouvoir vous retrouver tous très bientôt.

Votre fils qui vous aime,

Jean-Marie XX

Une lettre qui fait jaser

Madame Duchesneau pressa la lettre de son fils contre son cœur et soupira. Lui disait-il vraiment tout ? Elle pouvait en douter, si elle se fiait aux échos affolants qui lui parvenaient à gauche et à droite sur la manière dont se déroulait la Grande Guerre.

— C'est pas le moment de paniquer, se dit-elle en reprenant sa contenance. Au moins les nouvelles sont bonnes, c'est ce qui compte. Pamela ! Rodrigue ! Venez vite, on a reçu des nouvelles de Jean-Marie !

Les deux enfants, qui s'amusaient dans une chambre d'en haut, dévalèrent l'escalier bruyamment et se précipitèrent auprès de leur mère.

— Est-ce que je peux la lire, maman ? demanda Pamela en sautillant. Parce que Rodrigue, lui, il a trop de misère à lire comme il faut.

— C'est pas juste ! s'exclama Rodrigue boudeur en fixant le bout de ses pieds.

— Tu peux la lire, Pamela, à la condition que tu laisses les dernières lignes à ton petit frère, décida rapidement madame Duchesneau. Allez Rodrigue, souris un peu. C'est toi qui auras l'honneur de terminer la lettre.

La jeune fille prit doucement la lettre des mains de sa mère et regarda son frère avec des yeux pétillants. Les deux tresses brunes qui lui tombaient sur les épaules ajoutaient à ce petit air espiègle.

— Qu'est-ce que t'attends ? s'impatienta Rodrigue.

— Ça m'énerve, répondit-elle en se balançant d'un pied à l'autre.

— Vas-y, fais comme si tu étais à l'école, l'encouragea sa mère.

Pamela se planta bien droite et fit la lecture d'une voix posée, sans hésitation. Elle se garda de lire les dernières phrases, résistant avec peine à l'envie d'y jeter un coup d'œil rapide. Rodrigue termina la lecture en s'efforçant de ne pas trébucher sur chacun des mots que son grand frère avait écrits.

— Bravo Rodrigue ! le félicita madame Duchesneau en reprenant la lettre.

— L'anglais, c'est plus facile à lire, maman, lui avoua-t-il.

— Moi, j'aime mieux le français, le contredit sa grande sœur. Jean-Marie dit qu'il va bien, maman. Je suis contente pour lui, affirma-t-elle d'une voix rassurante devant le regard inquiet de sa mère.

— Ouais, mais il a même pas tiré de la carabine, grommela Rodrigue, dépité.

— Pamela, tu vas t'occuper de ton petit frère. J'ai besoin de prendre l'air, déclara madame Duchesneau en s'éventant avec l'enveloppe. Je vais en profiter pour aller donner des nouvelles de votre frère à monsieur et madame Boulanger. Si vous avez faim, vous prendrez un morceau de gâteau dans la glacière.

— Oui ! J'ai faim, approuva tout de suite le cadet de la famille avec un sourire gourmand.

Madame Duchesneau se coiffa de son chapeau de paille à larges rebords et remonta la grande rue d'un pas rapide, la lettre de son fils en main. Lorsqu'elle arriva à une certaine distance du magasin général, elle remarqua une charrette garée juste en face. Dans celle-ci prenait place une jeune demoiselle, arborant un chapeau blanc orné de fleurs en tissu sur son pourtour. Du moins, d'après ce qu'elle pouvait en juger au loin. C'était là sa seule coquetterie, puisque sa robe grise était de celles que l'on portait en semaine pour les travaux domestiques. Un grand jeune homme, sensiblement du même âge, se tenait appuyé sur l'une des roues avant de la voiture. Nu-tête, les cheveux ébouriffés, il portait une salopette bleue par-dessus un maillot de corps blanc, comme les ouvriers du moulin à scie en étaient fréquemment vêtus. À les voir s'animer là-bas, ils semblaient avoir une conversation enflammée que madame Duchesneau ne parvenait pas encore à entendre.

— Puisque je te répète que tu serais vraiment bien avec moi, Laura. Pourquoi tu refuses encore que j'aille te voir chez toi ? As-tu peur de moi ?

— Peur de toi, Albert Pigeon ? Que Dieu m'en garde ! Moi, puisque je dois aussi te le répéter encore et encore, j'ai d'autres chats à fouetter que de recevoir un grand nigaud comme toi à la maison. C'est pourtant clair, il me semble. Arrête de m'embêter !

— On pourrait aller à la pêche, tous les deux. Je connais une belle petite île pas ben loin d'icitte, insista Albert Pigeon.

— Ah ! fit Laura en levant les yeux au ciel. J'imagine le reste.

— Je te transporterais dans mes bras pour que tu mouilles pas ta robe. Je suis presque aussi fort que Sam Perkins, se vanta le jeune homme en exhibant l'un de ses biceps.

— Bien sûr, et presque aussi faible d'esprit que lui, railla la jeune fille.

Elle allait se mettre à rire de sa blague, mais tout cet ergotage déclencha chez elle une quinte de toux sèche. Albert Pigeon s'était senti ridiculisé et cette soudaine frustration le fit changer radicalement de ton.

— Ouais, c'est ça... Tousse donc ! Toi, de l'esprit tu en as tellement que tu t'étouffes avec. J'ai l'impression d'entendre une vieille dinde qui glougloute, dit-il d'un air méprisant.

— Goujat !

Au moment même où elle criait son indignation, Laura avait attrapé son chapeau d'une main et l'avait rabattu vigoureusement sur la tête du jeune Pigeon, médusé. Madame Duchesneau arriva à cet instant et s'interposa pour mettre un terme à ce début de querelle.

— Voulez-vous ben me dire ce qui se passe icitte ? leur demanda-t-elle d'une voix autoritaire.

— Rien... Rien du tout, bredouilla Albert Pigeon. Elle voulait juste... me faire essayer son chapeau.

— Je crois qu'il ne lui convient pas, poursuivit Laura en regardant son pauvre chapeau cabossé dont l'une des fleurs pendait pitoyablement sur un côté.

— S'il y avait que ça qui soit inconvenant, reprit madame Duchesneau. Vous, jeune homme, vous feriez mieux de décamper tout de suite.

— Ouais. Je l'ai assez vue de toute façon, approuva Albert Pigeon.

— Enfin ! lança Laura.

— On se reverra ben, Mademoiselle au chapeau fleuri, nargua-t-il en s'éloignant et en feignant de tousser à la manière de Laura.

— Il vous embêtait depuis longtemps, celui-là ? demanda madame Duchesneau d'une voix douce, contrastant avec le ton retentissant qu'elle avait pris quelques secondes plus tôt.

— Non ! Oui ! Enfin... Je ne sais pas, constata Laura, rouge de confusion. Albert n'est pas un mauvais garçon en réalité. Il est juste un peu borné et il n'arrête pas d'insister pour être mon cavalier. Moi, il ne m'intéresse pas du tout !

— En tout cas, je crois qu'aujourd'hui vous lui avez passé le message, dit madame Duchesneau en pointant le chapeau déformé que Laura tenait entre ses mains.

— Je vous en supplie, ne le dites pas à mon père. Nous l'avons acheté chez *Barrow's*, il y a moins d'une heure.

— Comment je pourrais ben le lui dire ? Je le connais pas, votre père, Mademoiselle.

— C'est lui, dit Laura en désignant un homme assez costaud qui sortait tout juste du magasin général.

— Ah ! Monsieur Harper ! s'exclama madame Duchesneau en faisant un pas en sa direction.

— Vous le connaissiez déjà ? marmonna Laura dont la confusion s'amplifiait.

Elle s'empressa de dissimuler le côté abîmé de son chapeau entre ses genoux.

— Ben sûr, voyons. Il y a longtemps que mon fils, Jean-Marie, me l'a présenté. Autrefois, mon plus vieux travaillait icitte au magasin, vous savez.

— Madame Duchesneau ! Comment allez-vous ?

Monsieur Harper enleva sa casquette marine, dévoilant les mêmes cheveux blonds que sa fille. Il s'approcha rapidement en lui tendant la main. Pendant que les adultes se saluaient, Laura en profita pour débosseler son chapeau en catimini, à l'aide d'un léger coup de poing savamment appliqué à l'intérieur.

— Je faisais un brin de jasette avec votre fille, dit madame Duchesneau.

— Oh ! Ce n'est pas étonnant, Laura n'arrête pas de bavarder. Encore heureux lorsque vous pouvez y échapper.

— Papa !

Monsieur Harper partit d'un grand éclat de rire, constatant que sa taquinerie avait fait mouche.

— Je venais au magasin pour apporter des nouvelles de mon gars qui est à la guerre, l'informa madame Duchesneau.

— J'espère qu'il ne lui est rien arrivé, se ressaisit monsieur Harper.

— Si je me fie à ce qu'il écrit, tout va pour le mieux. Il faut sans doute pas trop s'inquiéter, affirma-t-elle d'une voix mal assurée.

— Votre fils a beaucoup de courage, Madame Duchesneau, ne put s'empêcher de soupirer Laura. Ce n'est pas comme cet Albert Pigeon !

— Qu'est-ce qu'Albert Pigeon vient faire dans cette histoire ? lui demanda son père surpris par cette allusion.

— Oh ! Rien ! Je le sais, c'est tout.

— Bon, je vous retiendrai pas plus longtemps. Les Boulanger ont sûrement hâte d'avoir des nouvelles de Jean-Marie, s'interposa madame Duchesneau, consciente du malaise dans lequel s'empêtrait Laura chaque fois qu'elle ouvrait la bouche.

— Au revoir, chère Madame, salua galamment monsieur Harper. Ne vous inquiétez pas pour votre fils. Je suis sûr que tout ira bien jusqu'à son retour.

* * *

Comme madame Duchesneau l'avait anticipé, les Boulanger furent heureux de recevoir des nouvelles encourageantes de Gabardine. Ils se doutaient quand même que les conditions de vie devaient être plus difficiles que ce qu'il laissait entendre. Mais ils étaient à cent lieues d'imaginer toutes les misères qu'endurait leur petit commis. Tout naturellement, le bavardage glissa vers une autre lettre. Celle que Florida avait reçue de Blanche quelques jours auparavant. Non pas que les nouvelles envoyées par sa belle-sœur furent inquiétantes, au contraire. C'était plutôt le style et l'esprit manifesté dans sa lettre qui avaient laissé Florida pantoise depuis qu'elle l'avait lue.

— Je vous le dis, Madame Duchesneau, depuis que la Blanche écrit dans les journaux, elle est pas facile à suivre ! confessa Florida.

— Dites-moi pas que l'ancienne petite sœur du couvent serait devenue journaliste ?

— Ben, peut-être pas une grande journaliste, évidemment... reprit Florida. Elle écrit des chroniques, comme elle dit. Pis là, d'après ce qu'elle raconte, la chicane aurait éclaté avec un autre chroniqueur d'un journal rival. Il lui aurait dit qu'elle écrivait à tort et à travers, pis qu'elle ferait aussi ben de ranger sa plume.

— Ben voyons donc ! protesta madame Duchesneau.

— C'est un certain Galibois. Apparemment, il lui tient rancune depuis longtemps, d'après ce que j'ai pu comprendre. En tout cas, sans entrer dans les détails, elle finit sa lettre en le traitant de triste sire à physionomie de hibou. Avez-vous déjà entendu quelqu'un se faire traiter de la sorte ?

Madame Duchesneau s'esclaffa de son rire cristallin en se tapant sur la cuisse.

— Ah, cette Blanche ! Il y en a pas deux comme elle, Madame Boulanger.

Joseph-Omer avait écouté leur badinage. Il s'était allumé une pipe un peu plus loin et les avisa qu'il retournait travailler à sa boutique de forge. Madame Duchesneau jeta un coup d'œil à la grosse horloge aux chiffres romains accrochée sur le mur, face au comptoir. Elle réalisa aussitôt qu'il était temps de rentrer à la maison.

— Je suis mieux d'aller voir ce que mes deux espiègles peuvent encore inventer pour me faire damner, dit-elle avec un soupir résigné et en prenant congé de ses amis.

Florida s'assit sur le tabouret derrière son comptoir. Elle s'y appuya le coude et se mit à méditer, le menton au creux de la main. Elle se rendait bien compte que chaque fois qu'elle parlait de Blanche à quelqu'un, invariablement cela allumait une étincelle dans les yeux des gens. Bref, sa belle-sœur avait réussi à charmer tout le monde y compris elle-même, elle devait bien se l'avouer. Le charme de Blanche avait opéré sur elle l'été précédent, lors d'une visite avec son mari chez les Boulanger. Fixant le gros bocal de bonbons à un sou au bout du comptoir, Florida revit la scène. Elles avaient marché un peu toutes les deux dans la cour arrière, pendant que les hommes discutaient et fumaient assis à l'ombre de la maison.

— Je suis vraiment heureuse que vous me receviez avec autant de gentillesse, lui avait dit Blanche après quelques mots échangés sur la magnifique journée et quelques compliments sur son potager.

— Il y a pas de quoi. Ça faisait longtemps que mon frère était pas venu nous rendre visite. Vous l'avez accompagné, en plus. Il fallait ben mijoter de bons petits plats.

— Je ne parle pas seulement de votre excellente cuisine. D'ailleurs, vous devrez me confier quelques-unes de vos recettes dont Laurent ne cesse de faire l'éloge. Ce que je voulais dire, plus précisément, c'est que vous avez été tout à fait aimable avec moi, que vous avez usé de délicatesse et de petites attentions pour me mettre à l'aise. Je sais que vous aimez beaucoup votre frère et je ressentais une petite gêne de me présenter ici. Je vous l'ai un peu enlevé, après tout.

— Vous me l'avez pas enlevé, Blanche. Vous l'avez rendu heureux et c'est ce qui compte le plus à mes yeux, affirma Florida. Je l'ai tellement vu travailler fort du temps de ses études, quand nous étions à Montréal, que j'accepterais pas qu'il en soit autrement.

— Je sais. Il m'a raconté qu'à cette époque, vous n'aviez souvent droit qu'à un repas par jour et que la tranche de viande, vous la gardiez pour lui.

Florida sourit au bout de son tabouret, comme elle l'avait fait tout près de son potager.

— Ça m'a pas fait mourir pis ça lui a fait avoir de bonnes notes dans ses examens. C'était pas facile, mais je regrette rien.

— Vous l'avez aidé à devenir ce qu'il est aujourd'hui. Il continue toujours à travailler aussi fort mais, heureusement, nous pouvons nous nourrir plus facilement que pendant ces années difficiles. En tant qu'épouse, je lui apporte tout l'amour et tous les encouragements nécessaires à sa réussite, avait soutenu Blanche.

— Je suis contente de vous entendre dire ça. C'est le plus beau cadeau que vous pouviez me faire.

Florida s'était avancée spontanément vers Blanche et l'avait pressée doucement dans ses bras pour lui démontrer sa reconnaissance et son amitié.

La marchande était toujours là, perdue dans ses pensées derrière le comptoir, si bien qu'elle ne vit ni n'entendit le client qui venait d'entrer dans son commerce. Ses réflexions l'entraînaient trop loin pour qu'elle en prenne conscience.

« Blanche est devenue plus qu'une simple belle-sœur, elle est devenue une grande amie, pensait-elle. Et pour Laurent, elle est devenue… comment disaient-ils ça dans le journal, déjà ? Elle est devenue… une âme sœur ! C'est ça, une âme sœur. »

— Pardon, avez-vous des hameçons ? demanda le client.

— Hein ? Quoi ? Qu'est-ce que vous dites ?

— Des hameçons, Madame Boulanger. Est-ce que vous avez des hameçons ?

— Des âmes… des hameçons ? Oui, bien sûr ! Par ici, je vous prie.

* * *

Le temps doux, pratiquement parfait, de cette journée aurait pu favoriser la promenade et le farniente. Madame Duchesneau, au contraire, se hâtait d'un pas décidé sur le trottoir de bois bordant la grande rue après avoir quitté le magasin général. Ses préoccupations allaient de son fils sur les champs de bataille à ses deux enfants qui l'attendaient à la maison. Elle sursauta brusquement lorsqu'elle entendit une voix l'interpeller à quelque distance derrière elle.

— Antonia!

« Qui m'appelle par mon prénom ? » se demanda-t-elle en se retournant.

Elle reconnut tout de suite ce grand monsieur aux yeux gris qui accourait, égayé, malgré son essoufflement. Même s'il était à Grouard un résidant célèbre, elle le connaissait depuis bien plus longtemps que quiconque dans cette ville. Malgré cela, au cours des dernières années, leur relation amicale s'était refroidie. Elle avait même cherché à l'éviter, se distançant de celui qui était devenu tenancier d'hôtel.

— J'ai *crou* que je te rattraperais jamais, *Goddam*!

— Tommy! Veux-tu ben me dire ce qui te fait courir comme ça, aujourd'hui?

— C'est peut-être toi, Antonia, dit-il en lui faisant un clin d'œil. Je t'ai *voue* passer quand j'étais encore assis chez le barbier. Je voulais te parler un *pou*. On se voit *plous*!

— Tu tiens le genre de commerce que j'ai pas l'habitude de fréquenter, Tommy. Tu le sais depuis longtemps ce que j'en pense, lui mit sous le nez madame Duchesneau.

— Il faut pas toujours croire tout ce qu'on dit. Il y en a qui aiment ajouter des détails à des histoires qui sont pas *sériouses*, se défendit l'hôtelier.

— On dit aussi qu'il y a pas de fumée sans feu. Bon, dis-le ce que tu avais tant à me dire, parce que je suis un petit peu pressée, là, le hâta madame Duchesneau.

— Ce que je voulais te demander, reprit Tommy, c'est pourquoi *tou* me *fouis* toujours *depouis* que ton mari est mort, Antonia? Ça fait des années de ça! On était de ben bons amis dans ce temps-là.

Madame Duchesneau le fixa dans les yeux en silence. Elle se remémora le temps où ils étaient jeunes et téméraires, rêvant d'une vie meilleure, autre que la vie de misère qui les attendait dans les usines de textiles à Worcester, en Nouvelle-Angleterre. À cette époque, Tommy Bradford avait cherché à gagner son cœur. Hélas pour lui, elle était tombée amoureuse du meilleur de ses copains, Émile Duchesneau, et c'était plutôt lui qu'elle avait épousé.

Tant bien que mal, Tommy s'était résigné à son sort. Néanmoins, il recherchait de nouveaux défis qui l'exalteraient encore, comme par le passé. Bref, il avait besoin de changer d'air. Trop attaché à Émile et Antonia pour partir seul, il les avait attirés avec lui dans le nord-ouest du Canada en faisant miroiter bonheur, liberté et prospérité. Si leurs débuts sur ces nouvelles terres avaient été prometteurs, tout s'était subitement écroulé pour les Duchesneau.

Encore une fois, Tommy Bradford était au cœur de cette histoire. Il s'était mis en tête d'aller pêcher au fanal à la nuit tombée et avait entraîné son ami Émile dans cette aventure. Ce soir-là, à demi enivrés par le whisky que le tenancier avait apporté de son hôtel, ils avaient ramé vers le large avant de tendre leurs lignes. Soudain, Émile s'était levé imprudemment, croyant avoir appâté le plus gros trophée du lac. Un court moment d'inattention avait suffi pour le faire trébucher par-dessus bord. Les eaux froides et opaques l'avaient englouti aussitôt, ne laissant qu'un sillon en surface et quelques bulles d'air venant y éclater en une succession rapide. Tommy avait appelé son ami en hurlant comme un fou. Ensuite, il avait enlevé son manteau et ses bottes en vitesse et il s'était précipité dans l'obscurité du lac. L'hôtelier avait replongé plusieurs fois, sans succès.

La mort d'Émile Duchesneau avait laissé sa femme et ses trois enfants dans le dénuement presque complet. Madame Duchesneau avait sans doute fait des miracles pour maintenir sa maison et réussir à faire manger les siens. Près d'un an plus tard, seul un petit héritage légué à la mort de son vieux père avait empêché que la famille ne fût complètement dissoute.

— Tout ça, c'est du passé, Tommy, dit-elle enfin, en faisant mine d'effacer de la main ce lointain souvenir. Aujourd'hui, tu as toujours ton hôtel pas plus recommandable qu'il faut, pis moi, ben, j'ai la réputation des Duchesneau à protéger.

— J'aurais aimé t'aider ben *plous*...

Madame Duchesneau leva une main pour l'empêcher d'aller plus loin dans ses explications.

— Non, Tommy. Perds pas ton temps à courir après moi.

— *Goddam*, Antonia ! *Tou* es *doure* avec moi, se plaignit le tenancier.

— Je suis pas dure, Tommy, je te parle franchement. Je serais dure si je te ferais des accroires qui finiraient, tôt ou tard, par te décevoir, lui dit-elle.

— *Well*... Est-ce que notre vieille amitié c'est fini ?

— Ben non. C'est juste nos chemins qui s'en vont pas dans la même direction.

Madame Duchesneau lui sourit pour la première fois depuis qu'il l'avait abordée.

— Des fois, ça arrive que des chemins différents aboutissent au même endroit, Antonia, espéra encore Tommy.

— Quand ton chemin s'en va vers un mur, t'es ben mieux de faire un détour, riposta madame Duchesneau.

— *Goddam !*

Cette fois, madame Duchesneau éclata du petit rire léger qui le faisait toujours craquer.

— Je t'en prie, Tommy, fais-en pas un drame. Il y a des choses ben plus graves que ça dans la vie. Je dois rentrer chez moi, maintenant. Ça m'a fait vraiment plaisir de te rencontrer, dit-elle en lui présentant la main.

Tommy prit sa main sans la serrer. Il la porta à ses lèvres et y déposa un baiser délicat.

— Tout le plaisir a été pour moi, Antonia.

— Tu changeras jamais, hein ? plaisanta madame Duchesneau dont les joues rosissaient à vue d'œil.

— *Un* vieille racine, c'est coriace, répondit Tommy sur le même ton.

Avant qu'il ait pu rajouter quoi que ce soit, elle partait déjà d'un pas plus libéré que précédemment, une esquisse de sourire accroché aux lèvres.

— *And your son*, *John*-Marie. *Tou* as des nouvelles ? lança Tommy.

Madame Duchesneau se retourna en levant la lettre qu'elle tenait toujours dans sa main.

— Il va très bien, c'est encourageant !

Elle salua le tenancier une dernière fois et reprit sa marche vers la maison.

« Ah ! Ce sacré Tommy qui me fait encore du charme, pensa-t-elle en s'éloignant. C'est vrai que j'ai été pas mal trop sévère avec lui. Ça fait des années qu'il me tourne autour et que je le tiens à distance. Ma réputation… Eh ! que la vie peut être mal faite des fois. Il faudra ben que je me trouve une raison de lui reparler, sinon j'aurai ça sur la conscience toute ma vie. »

Tommy Bradford marchait lentement à contresens, les pouces accrochés aux poches de son pantalon. Il sifflotait un air improvisé et méditait sur cette rencontre qu'il venait de provoquer.

« J'ai bien fait d'aller lui parler, se dit-il. C'est une sacrée chance qu'elle m'ait écouté, aujourd'hui. Je me suis vidé le cœur et je lui ai fait comprendre qu'elle m'intéressait encore. Je me demande ce qu'elle a pensé de moi. Elle se dit peut-être que je suis collant comme ça se peut pas, même après toutes ces années. Peut-être pas… Elle avait un fichu de beau sourire et elle s'est laissé embrasser la main. *Goddam,* qu'elle était belle ! J'ai peut-être encore une chance... Si c'était pas de ce damné hôtel ! J'ai gagné de l'argent avec mon commerce, mais j'ai jamais réussi à gagner son cœur. Je devrai prendre une grande décision, si je l'aime autant que je le pense. »

Pamela Duchesneau attendait sa mère avec impatience. Elle s'empressa de lui ouvrir la porte dès qu'elle mit le pied sur la première marche de la galerie.

— Maman ! Ça a donc ben pris du temps pour aller au magasin.

— Tu t'inquiètes déjà ? la taquina sa mère.

— Non, c'est à cause de ce tannant de Rodrigue. Il a mangé deux morceaux de gâteau ! le dénonça Pamela les poings sur les hanches et la mine autoritaire.

— Et puis ? dit sa mère en haussant les épaules.

— Pas des petits, là ! Des gros comme ça, ajouta la jeune fille en mimant des portions qui devaient bien être de la dimension du gâteau tout entier.

— Bon ! Où est-ce qu'il est allé se cacher, celui-là ? demanda madame Duchesneau en levant les yeux au ciel.

— Il est dans le salon, maman. Je pense qu'il va pas très bien, en plus.

Madame Duchesneau accrocha son chapeau près de la porte et retrouva le petit glouton recroquevillé dans le grand fauteuil défraîchi en tissu rouge, dans un coin de la pièce exiguë aménagée pour les visiteurs occasionnels.

— Rodrigue, ça va ? s'inquiéta madame Duchesneau.

— J'ai mal au cœur, maman. Je pense que je vais vomir...

— Vite, Pamela ! s'affola madame Duchesneau. Apporte-moi la petite bassine. Seigneur, quelle journée !

Fin de guerre

En Europe, la guerre se poursuivait, implacable. Les Britanniques préparaient une offensive vers la Somme, petite rivière tranquille de l'autre côté de laquelle les Allemands occupaient fermement des positions stratégiques. Le but de cette opération était de soulager l'armée française à Verdun. Là-bas, les soldats des deux camps s'entretuaient sans répit depuis plusieurs mois. Le 1er juillet 1916, à 7 h 30 du matin, les Britanniques appuyés de troupes françaises montèrent à l'assaut des lignes ennemies sur un front de quarante kilomètres. Au cours de cette seule journée, cinquante-sept mille cinq cents soldats britanniques furent tués.

De leur côté, les Canadiens abandonnèrent les plaines boueuses de Flandres à la fin du mois d'août de la même année. Ils se dirigèrent également vers la Somme où ils prirent un tronçon du front à l'ouest de Courcelette. Gabardine fut assigné pour la première fois à la 3e Division. Celle-là même qui avait subi de très lourdes pertes au mont Sorrel. À son tour, il fut envoyé dans la mêlée arme au poing. Bien qu'excellent tireur, il ne pouvait dire s'il touchait réellement la cible, visant souvent au hasard à travers la fumée des explosions qui courait sur le terrain. Pendant ces violents combats, il aida ses compagnons à prendre position près de Courcelette en attendant la grande offensive sur la Somme. Néanmoins, deux mille six cents autres Canadiens tombèrent sur le champ de bataille à cet endroit.

L'offensive d'envergure sur la Somme commença à l'aube du 15 septembre. Les Canadiens progressèrent à l'abri d'un barrage d'artillerie. Ils furent appuyés par les tout nouveaux chars d'assaut anglais. Cette arme moderne était peu fiable, en fin de compte, mais réussissait tout de même à impressionner l'ennemi. Gabardine se blottissait derrière eux lorsqu'il devait recharger sa carabine. Quelques chars furent touchés par des obus, d'autres s'enlisèrent, mais les troupes avancèrent tout de même jusqu'à Courcelette où ils repoussèrent plusieurs contre-attaques. Les Allemands purent cependant compter sur l'appui de renforts. Aussi les gains devinrent-ils négligeables par la suite. Au cours des semaines qui se succédèrent, les Canadiens attaquèrent sans relâche les retranchements ennemis. Ils tentaient de prendre, sans succès, ce qu'ils appelaient la tranchée Regina, car ils se butaient toujours à un barrage de feu impénétrable.

Gabardine frôla la mort à plusieurs reprises. Il ne pouvait dire par quel miracle il y échappa. Ses compagnons d'armes tombaient près de lui. Il entendait les balles siffler de toutes parts. Chaque fois, il parvenait à se glisser à temps dans un trou d'obus d'où il pouvait tirer à l'abri et reprendre ensuite sa progression. Sinon il se repliait, si tels étaient les ordres reçus lorsque les morts se faisaient trop nombreux.

À la mi-octobre, la 4e Division de l'armée canadienne prit la relève, au grand soulagement des soldats engagés au combat. Les remplaçants, quant à eux, étaient beaucoup moins enthousiastes. La pluie, qui n'avait cessé de tomber pendant plusieurs jours d'affilée, les obligeait à se battre dans d'affreuses conditions. Ils avançaient enlisés dans la boue jusqu'aux genoux face à un mitraillage nourri.

Les soldats de la 3e Division, qui se retirèrent du front ces jours-là, n'étaient désormais plus les mêmes hommes. Ils avaient tous vu la mort de près et avaient, eux-mêmes, tué ou blessé quelqu'un dans le camp ennemi. En pensant à leurs compagnons perdus au combat, plusieurs se demandaient: «Pourquoi eux et pas moi?» L'anxiété se lisait sur les visages épuisés par cette guerre qui n'en finissait plus.

* * *

Dans la tranquillité de la campagne où ils s'étaient installés loin du front, des gars de Winnipeg imaginèrent pour la première fois des petits numéros de divertissement. Ils espéraient chasser les idées macabres qui hantaient leurs compagnons. Ils recrutèrent des chanteurs et des comédiens amateurs parmi les militaires. Ceux-ci allaient mettre en évidence leur talent, insoupçonné de tous, devant un public. Le groupe avait fait sa propre publicité parmi les soldats, vantant la qualité des «artistes» qui seraient à l'affiche. Leur enthousiasme attisa la curiosité en vue du spectacle à venir. Par la suite, on monta la scène à l'aide de caisses d'emballage. On fabriqua des décors et des costumes de fortune avec ce que l'on trouvait sur place, ou avec des accessoires prêtés par les villageois qui n'avaient pas fui la région.

Les numéros de comédie, qui entrecoupaient les tours de chant, étaient attendus avec impatience et ils soulevèrent l'engouement des spectateurs. Dans l'un de ces numéros, deux apprentis comédiens s'avancèrent sur scène, dont le matelot Willy Jobin. Gabardine en resta bouche bée, se demandant s'il ne rêvait pas. Le soldat qui accompagnait Jobin était en chaussettes et était revêtu de pantalons beaucoup trop courts. Pour ajouter à son air loufoque, il avait posé son casque de travers sur sa tête. Il amorça cette partie du spectacle sur un ton débonnaire qui ravit tout le campement.

Trop abasourdi par l'apparition du matelot Jobin, Gabardine

n'écoutait pas les joyeux propos du numéro présenté. Il voyait pourtant les spectateurs, sourire aux lèvres, se presser devant la scène pour ne rien manquer. Parfois les rires fusaient autour de lui sans qu'il en comprenne le sens. Au travers de ce brouhaha, il se retenait de ne pas crier : « Monsieur Jobin, je suis là ! Moi aussi, je suis là ! » Il voyait bien que tous ces visages heureux fixant la scène lui interdisaient d'entraver le numéro.

« Mais qu'est-ce qu'ils peuvent bien raconter pour faire rire tout le monde ? » se demanda-t-il en s'efforçant d'écouter comme les autres.

— Exactement, Willy, un kilt. Quand j'ai vu que mon Écossais était en jupe, je lui ai demandé s'il trouvait un avantage à combattre habillé comme ça.

— Ah ! ça, au moins, c'est une bonne question. Il t'a sûrement donné une raison évidente.

— Ouais, qu'il m'a dit. Ça t'évite de faire dans ton pantalon.

Soudainement, Gabardine se surprit à rire de bon cœur, comme il ne l'avait pas fait depuis trop longtemps.

Willy et Benny quittèrent la scène sous les acclamations des spectateurs, arborant des visages enjoués. D'autres numéros de comédie et plusieurs chanteurs se succédèrent, prodiguant un véritable remède à ces soldats blessés jusqu'au fond de l'âme. Ils réussissaient à rire ensemble de leur situation déplorable, réalisant qu'ils partageaient tous la même misère et les mêmes chagrins.

À la fin du spectacle, Gabardine se fraya un chemin jusqu'à Willy Jobin, entre les nombreux soldats venus féliciter les artistes amateurs.

— Monsieur Jobin ! Quelle surprise de vous voir icitte !

Jobin tourna la tête en sa direction, se demandant qui pouvait bien l'interpeller par son nom de famille, tout en y ajoutant un « Monsieur », par surcroît. Il n'arrivait toutefois pas à mettre un nom sur le visage amaigri de ce jeune garçon aux yeux exorbités.

— Vous vous souvenez pas de moi ? Gabardine, de Grouard, Monsieur Jobin !

— Bordel ! Ben oui… Le seul qui m'appelait « Monsieur » sur le quai à Grouard, c'était toi, Gabardine. Content de te voir, fiston ! lança-t-il, même s'il était à peine plus âgé que lui.

Il lui serra vivement la main, aussi étonné que le jeune Duchesneau par le hasard de cette rencontre.

— Alors, qu'est-ce que tu fous dans ce guêpier ? lui demanda Willy Jobin.

— Je fais comme vous et tous les autres icitte, Monsieur Jobin. Je vais au front à chaque fois qu'il le faut.

— Arrête-moi les vous et les messieurs, mon Gabardine, souffla Jobin en jetant un regard autour de lui. Le bonhomme Charron m'a déjà appris que c'est pas toujours la meilleure chose à dire. Si tu veux être considéré comme un ami, appelle-moi Willy, ça fera l'affaire.

— Oh pardon, c'est une vieille habitude, dit timidement Gabardine. Je croyais que tu travaillais encore sur le *Beaver*, reprit-il d'une voix qu'il s'efforçait maintenant de laisser paraître ferme.

— Malheureusement, le *Beaver* a jeté l'ancre pour de bon, quelques mois avant que je m'enrôle dans l'armée. Grouard continue à dépérir, les routes s'améliorent partout ailleurs et le chemin de fer passera finalement à High Prairie. Avec tout ça, les bateaux à aubes ont fait leur temps.

— C'est dommage, constata tristement Gabardine. J'aimais ça les voir arriver et repartir sur le lac. Pourquoi tu t'es pas engagé dans la marine, dans ce cas-là ? Tu avais déjà l'expérience nécessaire pour travailler sur un bateau.

— Es-tu malade ? grimaça Jobin.

— Sur un bateau, oui, se remémora Gabardine.

— Non, je veux dire que quand on est sur la mer, la rive est ben trop loin. Pis, je vais te faire une confidence, murmura tout à coup Jobin en lui lançant un clin d'œil. Je sais pas nager, bordel !

La foule rassemblée autour d'eux les pressa et les entraîna brusquement vers une tente où l'on offrait le thé aux nouvelles vedettes, pendant que Willy Jobin, les bras en l'air, riait encore à gorge déployée de sa dernière trouvaille.

* * *

La guerre sévissait toujours à proximité, faisant jour après jour son lot de victimes. Les pertes alliées, subies dans la Somme et à Verdun en cette année 1916, s'élevaient à près de deux millions de soldats. Du côté canadien, on comptait déjà plus de trente-deux mille morts, blessés, ou disparus depuis le début du conflit. Soit à peu près le nombre total de recrues qui avaient traversé en Angleterre avec le premier contingent, en octobre 1914.

La 4e Division avait gagné sa bataille et capturé la tranchée Regina, à Courcelette. Elle était maintenant venue rejoindre les autres divisions canadiennes. Au fil des combats, ces soldats du Nouveau-Monde s'étaient bâti une réputation de troupes de choc. On envisageait maintenant de les utiliser comme fer de lance dans les grandes batailles à venir.

L'état-major britannique avait décidé de ne leur confier rien de moins que Vimy, cette crête, extrêmement fortifiée, aux environs d'Arras et occupée par les Allemands depuis le début de la guerre. Auparavant, les Français et les Britanniques avaient déjà perdu cent quatre-vingt-dix mille hommes en tentant de la reprendre. Les Canadiens furent transférés sur le front de Vimy, tard à l'automne de 1916, afin de se préparer pour cette nouvelle offensive. Toutefois, le commandement canadien n'avait pas l'intention de lancer ses quatre divisions, comptant plus de quatre-vingt-dix-sept mille hommes, agissant à l'aveuglette dans cette attaque. On voulait tout d'abord la préparer minutieusement.

Contrairement à ce qui se faisait souvent ailleurs, on informa tous les soldats des objectifs de la mission et du rôle que chaque groupe aurait à jouer. On s'entraîna donc tout l'hiver à répéter cette offensive cruciale, jusqu'à ce que chaque homme en vienne à connaître son propre rôle par cœur. Dès le début, Gabardine fut souvent utilisé en mission de reconnaissance en compagnie d'un petit groupe de soldats. Parfois, ils ramenaient un prisonnier allemand auquel on essayait de soutirer d'utiles informations. L'un de ceux-là lança une sévère mise en garde aux officiers canadiens.

— Vous, les Canadiens, peut-être réussirez-vous à vous rendre jusqu'au sommet de la crête, avec un peu de chance. Par contre, le nombre de soldats qui survivront à cette attaque, vous pourrez tous les mettre dans une petite barque quand vous les ramènerez à la maison.

— C'est ce que nous verrons, s'était contenté de répondre le responsable de l'interrogatoire.

La vie de Gabardine n'était pas seulement faite de coups d'éclat au cours de cet interminable hiver. Il continuait à subir les éternelles railleries de Foster qui rôdait continuellement dans les parages. Tout comme au camp militaire de Valcartier, le robuste soldat ne manquait jamais une occasion de déblatérer contre les francophones. C'était encore pire lorsque Foster était accompagné d'un ou deux de ses camarades. La plupart du temps, Gabardine n'y prêtait guère attention, sachant bien qu'il n'avait rien à gagner en s'embarquant dans ces discussions puériles, mais une fois, Foster alla manifestement trop loin.

— *Hey Frenchie !* Tu te souviens de ton ami, la grande gueule de Québec qui se prenait pour un acrobate ? À ce qu'on raconte, il se serait fait péter sa grande gueule dès la première bataille. Probablement en se sauvant. On dit aussi qu'ils auraient retrouvé des morceaux un peu partout, mais pas ses couilles.

Ce n'est pas étonnant, il n'en avait pas ! s'esclaffa-t-il.

En un instant, Gabardine ramassa sa carabine, qui était armée, et en deux enjambées, il pointa le canon de celle-ci sous le menton de Foster, le doigt appuyé sur la gâchette.

— On va ben voir si tu as plus de couilles que lui ! s'emporta le jeune homme. S'il est mort, c'est peut-être parce qu'il se cachait pas aussi bien que toi, Foster.

— Du calme, Jimmy, dit ce dernier d'une voix à peine audible.

Il avait levé les mains et louchait maintenant vers le canon appuyé contre sa gorge.

— Je sais pas ce qui me retient de pas te la péter tout de suite, la tienne, ta maudite gueule ! pesta Gabardine. T'es ben mieux de t'excuser pour toutes les niaiseries que tu dis pis assez fort pour que tout le monde t'entende, ordonna-t-il en enfonçant davantage la pointe de sa carabine dans la peau de Foster.

— Je m'excuse, déglutit Foster.

— Plus fort, pis au complet ! cria Gabardine.

— Je m'excuse pour toutes les niaiseries que j'ai dites ! cria à son tour Foster.

Gabardine retira prestement sa carabine. Il appuya un pied contre la poitrine du gaillard qui gardait les mains levées et l'envoya rouler par terre.

— Maintenant, tu peux ben aller au diable, Foster, maugréa Gabardine en retournant à son affaire.

Cette saute d'humeur ne le fit évidemment pas remonter dans l'estime de Reggie Foster. Elle lui procura néanmoins une paix relative en cette morne fin d'hiver 1917. Désormais, Foster évitait soigneusement de passer ses commentaires désobligeants en sa présence. Soulagé, Gabardine put garder toute sa concentration sur les objectifs fixés par le commandement.

* * *

Dans les semaines suivantes, une nouvelle venant d'Amérique raviva fortement l'énergie de toutes les troupes alliées engagées en Europe. En effet, le 6 avril 1917, les États-Unis déclarèrent la guerre à l'Allemagne, en réponse à la reprise de la guerre sous-marine par les Allemands. Ceux-ci avaient préalablement interrompu ces activités en mai 1915, après le torpillage du paquebot britannique Lusitania, sur lequel se trouvaient des citoyens américains.

Le commandement canadien profita de l'enthousiasme suscité par l'entrée en guerre des États-Unis, et par l'effet inverse qu'elle suscitait chez l'ennemi, pour passer à l'attaque. À l'aube du 9 avril 1917, en ce lundi de Pâques froid et neigeux, aussi loin que pouvait porter le regard sur sept kilomètres le long de la crête de Vimy, on pouvait apercevoir les quatre-vingt-dix-sept mille soldats canadiens face à une église en ruines, au pied de l'immense colline.

Les premiers coups de canon retentirent à cinq heures trente. L'artillerie était positionnée en avant de l'infanterie. La stratégie consistait à cibler les nids de mitraillettes ennemis et à les détruire avant l'attaque. Elle devait également démolir les bastions allemands en plus de fournir une couverture pour l'assaut de l'infanterie qui suivrait. La 3e Division, dans laquelle se trouvait Gabardine, était placée au centre de la crête. Son groupe utilisa une série de souterrains qu'ils avaient repérés en mission de reconnaissance. Ces souterrains les amenèrent rapidement au front et leur permirent de prendre les Allemands par surprise.

Gabardine, baïonnette au canon, fonçait avec ses camarades. Il devait attendre le moment propice pour tirer, puisque le temps pris à recharger son arme pouvait lui être fatal. Plusieurs Allemands résistaient farouchement et il s'estimait chanceux quand certains d'entre eux se rendaient, impressionnés par ce déferlement de combattants. Au sommet de la crête, la bataille faisait rage et les Canadiens qui affluaient de tous les côtés à la fois prenaient nettement l'avantage.

Gabardine, entraîné au milieu de cette mêlée, se retrouva face à un grand soldat allemand pris à court de balles. Celui-ci fonçait vers lui, la baïonnette pointée à l'avant de sa carabine. Le jeune Canadien aurait pu tirer immédiatement. Sans réfléchir, il décida de le combattre au corps à corps. À l'aide du canon de son arme, il écarta la baïonnette du colosse que celui-ci allait lui planter en plein ventre. Gabardine avait cependant sous-estimé la force d'un homme qui se bat pour sa vie. Il ne réussit pas à écarter complètement l'arme blanche qui alla s'enfoncer profondément dans sa cuisse droite. Il poussa un cri de douleur qui se perdit au milieu des autres cris et de la pétarade environnante.

L'Allemand, tête baissée, commençait déjà à retirer son arme tranchante lorsque, par un automatisme maintes fois pratiqué, Gabardine lui remonta sa propre baïonnette dans la gorge. Les genoux du soldat ennemi fléchirent, laissant voir la pointe de métal qui lui sortait à l'arrière du cou. Chancelant, Gabardine attrapa d'une main la carabine allemande pendant que le grand soldat s'écroulait à ses pieds. En criant à nouveau de douleur, il retira d'un geste brusque la baïonnette fichée dans sa cuisse. Il laissa ensuite retomber cette carabine ennemie devenue inutile auprès du soldat mort.

Il sentait maintenant le sang chaud couler abondamment le long de sa jambe. Tous les bruits aux alentours n'étaient plus qu'un immense bourdonnement. Il luttait courageusement pour ne pas s'affaisser, malgré les vagues d'obscurité qui passaient et repassaient sans cesse devant ses yeux. Un cri de détresse lancé à peu de distance attira encore son attention.

— *No!*

Gabardine aperçut Foster qui glissait à reculons, le dos au sol, en tentant d'échapper à un autre guerrier allemand. Celui-là venait de lever son arme à bout de bras et se préparait à rabattre sa baïonnette contre la poitrine de Foster. Gabardine ne prit pas le temps d'épauler sa carabine. Il tira tout simplement en vitesse et atteignit l'agresseur en plein cœur, le faisant s'effondrer sur les jambes du Canadien. Sur le contrecoup du tir, la crosse de son fusil heurta violemment sa hanche. Il s'affaissa à son tour par terre, en exprimant une grimace de souffrance muette. Submergé par la douleur, il s'étonna de ressentir la fraîcheur du sol avec autant d'acuité contre sa joue. Il ne pouvait dire si le vacarme de la bataille s'était estompé ou s'il ne l'entendait tout simplement plus. Seules les paroles de Foster accroupi à ses côtés lui parvenaient encore vaguement, comme un écho lointain, juste avant que le voile noir de l'inconscience ne l'engloutisse totalement.

— On va te sortir de là, Jimmy, répétait Foster d'une voix tremblotante. Brancardiers ! Brancardiers !

Deux heures après le début des combats, la 3e Division avait atteint la plupart de ses objectifs. À midi trente, Vimy était pratiquement aux mains des Canadiens. Deux positions allemandes résistèrent encore, mais tombèrent tout de même trois jours plus tard. Au sein des troupes canadiennes, cet engagement fit trois mille six cents morts et sept mille blessés, soit des pertes peu élevées comparativement aux tentatives précédentes. Bien entendu, cette bataille ne mit pas fin à la guerre. Mais en réussissant à capturer une cible qu'on croyait imprenable, les soldats canadiens avaient remporté la première victoire d'importance au cours de la Grande Guerre. Désormais, l'avantage dans cette guerre allait être totalement du côté allié.

* * *

Gabardine fut transporté dans l'une des grandes tentes servant d'hôpital avec les milliers d'autres blessés. Certains, à l'agonie, poussaient parfois quelques râles profonds. D'autres, semi-conscients, se lamentaient atrocement, mêlant leurs plaintes aux sanglots de ceux qui craignaient ne pouvoir éviter l'amputation. Cependant, la plupart attendaient en silence le passage des médecins qui devaient évaluer l'ampleur des dommages causés à leurs corps estropiés.

Celui qui examina Gabardine était un petit homme chauve, portant des lunettes rondes à monture dorée. À tous les lits de camp précédant le sien, il avait jeté un regard d'une froideur implacable sur chacun des blessés allongés sur les draps souillés de sang. Il découpait maintenant aux ciseaux le bandage fait en vitesse par les brancardiers autour de la cuisse entaillée du soldat Duchesneau. Il se pencha de près au dessus de la plaie ouverte pour juger de sa gravité.

— Vous avez de la chance. Ce n'est qu'un coup de baïonnette, dit-il le plus sérieusement du monde. Habituellement, ça fait bien moins de dommages qu'une balle qui vous aurait éclaté dans la jambe. Il a tout de même raté l'artère fémorale de peu, votre Allemand. S'il l'avait sectionnée, ce n'est pas ici que vous seriez étendu, soldat. Je vais vous envoyer quelqu'un pour désinfecter ça.

— Il y a aussi ma hanche, se hasarda à dire faiblement Gabardine.

Le médecin tâta rapidement la hanche qui avait d'horribles teintes violacées alors que Gabardine grimaçait en serrant les dents.

— Ce n'est qu'une grosse contusion, décréta-t-il. N'y pensez même plus.

Sans plus attendre, le médecin se dirigea vers le lit suivant en conservant des dehors inexpressifs. Un peu plus tard, il donna quelques directives à un infirmier en pointant Gabardine du doigt. L'infirmier désigné s'empressa de venir lui prodiguer les soins nécessaires. Il paraissait plus aimable que le chirurgien, sans être plus loquace pour autant.

— Ça va chauffer un peu. Toi, au moins, tu garderas tes deux jambes, murmura-t-il entre ses dents.

Gabardine se cramponna à son lit pendant que l'infirmier désinfectait la blessure, évitant de crier par respect pour les autres soldats plus amochés que lui. Les deux grosses larmes qui coulèrent le long de ses joues furent les seuls signes à trahir sa souffrance.

— Tu devras passer quelques jours allongé dans cette tente, s'il n'y a pas de complications. Ensuite, on te ramènera en Angleterre avec tous les autres blessés qui seront en mesure de faire le voyage, l'avisa l'infirmier avant de partir à son tour.

Gabardine n'osait plus regarder l'étendue des souffrances tout autour de lui. Il fixait le toit de la grande tente en se questionnant sur ce qui lui était arrivé.

« J'ai passé des années à pratiquer le tir à la carabine pis je me fais blesser comme un imbécile, pensait-il. Pourquoi est-ce que j'ai agi comme un abruti ? J'avais seulement qu'à tirer, misère ! »

Il s'efforça de mémoriser ce dont il se souvenait du combat. Il se rappela tout à coup avoir vu Foster allongé par terre, en péril.

— J'ai tiré... Oui, j'ai tiré, murmura-t-il.

* * *

Au cours de son bref séjour dans cet hôpital de fortune, Gabardine reçut une visite un peu particulière. Foster lui-même se présenta au pied de son lit au milieu d'une matinée tranquille. Il s'approcha les mains dans les poches et l'air repentant.

— Comment ça va, Jimmy ?

— Eh ben ! Foster qui vient de m'apparaître ! Je vais mieux icitte que sur la crête, mais veux-tu ben me dire qu'est-ce que tu fais icitte ? Viens-tu m'annoncer que la guerre est finie, ou viens-tu me voir encore pour me dire des bêtises ?

— Non, Jimmy, ni l'un ni l'autre. On leur a tout de même donné une bonne raclée, répondit Foster, en faisant semblant de ne pas comprendre l'allusion à peine voilée de la guerre inlassable qui avait toujours sévi entre eux deux.

— Je voulais te rendre une petite visite pour prendre de tes nouvelles et aussi, euh... te remercier de m'avoir sauvé la vie, poursuivit-il un peu mal à l'aise. Après tout ce que je t'ai fait endurer, d'autres que toi n'auraient pas eu de scrupules à me laisser mourir.

— Voyons, Foster ! Tu sais ben qu'on est tous dans le même bateau pis qu'on doit se serrer les coudes pendant les combats, qu'on s'aime la face ou non, s'opposa Gabardine.

— C'est vrai, ça fait longtemps que j'aurais dû me rentrer cette idée dans la tête. Je voulais que tu saches aussi que mon entêtement à vous... blâmer, auparavant, ce n'était pas personnellement contre toi. C'était plutôt parce qu'il n'y a pas assez de francophones pour nous aider. Tu comprends, avec l'éducation que j'ai reçue, j'ai appris qu'on doit défendre l'Empire britannique tout autant que le pays quand ils sont menacés. Chez nous, c'est une question d'honneur. Il faut avoir le courage de prendre les armes quand c'est nécessaire. J'aurais voulu que ce soit pareil pour vous autres, les Français.

— Oui mais, ce que t'as jamais compris, toi, Foster, c'est que du courage, on en a autant que n'importe qui. Mets-toi à notre place. Tu serais content, toi, si on te demandait d'aller risquer ta vie pour l'Empire qui est venu te conquérir, ou pour ton ancienne mère patrie qui t'a abandonné ? Pis, en plus de ça, penses-tu vraiment qu'il y avait une menace contre le pays ? Malgré tout, il y a quand même pas mal de francophones icitte qui sont venus défendre des valeurs importantes à leurs yeux. Qu'est-ce que ça donne de chialer contre ces gars-là ? T'arrives à rien d'autre qu'à les démotiver. Il serait à peu près temps que tu comprennes qu'on est pas tous comme toi.

— Ouais… Je suis désolé. De toute façon, avec tout ce que j'ai vu pendant les combats, je ne peux plus critiquer ceux qui ne se sont pas enrôlés. Même moi, il y a des jours où je regrette de l'avoir fait, admit Foster.

— Pas moi ! Il faut que cette guerre finisse et il faut la gagner, affirma Gabardine en soutenant le regard du grand soldat dont les traits se décomposaient à vue d'œil.

Reggie Foster détourna les yeux et parcourut les rangées de blessés étendus sur leurs étroits lits de camp. Il secoua la tête pendant un instant.

— Les vrais héros de cette maudite guerre, ce sont ceux qu'on a déjà enterrés un peu partout ou ceux qui sont ici avec toi. Je vais te laisser tranquille maintenant, Jimmy. Avant de partir, euh… je comprendrais si tu refusais ma proposition, mais j'aimerais que tu me considères maintenant comme un ami, proposa Foster en lui tendant la main.

Gabardine parut d'abord surpris par cette ouverture subite. Il lui serra tout de même la main avec un sourire narquois.

— Ça me fait plaisir de devenir l'ami d'un converti, déclara-t-il avec un clin d'œil, pour le taquiner un peu.

— Bon ! Je m'en vais tout de suite avant que tu mêles la religion à tout ça, répliqua Foster en riant et en saluant Gabardine d'un grand geste.

— Foster ! Fais attention à toi…

Le grand soldat aux larges épaules s'était retourné. Il leva un pouce en l'air pendant une seconde et il repartit aussitôt de sa démarche assurée.

Quelques jours après cette rencontre, Gabardine fut ramené en Angleterre avec les autres blessés qui remplissaient tout un navire. Il lui semblait sortir tout droit d'un mauvais rêve, comme si les années passées sur le continent ne pouvaient réellement avoir existé. Pourtant, quand il ouvrait les yeux chaque matin et qu'il apercevait les soldats mutilés à ses côtés, ou quand il ressentait la douleur lancinante de sa blessure, il savait qu'il revenait d'un enfer à quelques heures de distance au sud. Lorsque Gabardine parut suffisamment rétabli, on l'assigna à l'entraînement des recrues à Witley.

Le gouvernement canadien, en manque de nouveaux effectifs, avait décrété la conscription au cours de cet été-là. On voulait à tout prix gonfler le nombre de soldats disponibles pour le front qui en réclamait sans cesse, ce que dénonçaient haut et fort plusieurs de nos chroniqueurs au pays.

* * *

— Le pays se transforme désormais en usine de chair à canon, déclara Blanche en déposant son crayon sur sa feuille de papier.

— Quoi ? demanda le docteur Gauthier qui finissait de lire son journal à l'autre bout de la table.

— J'ai trouvé la conclusion pour ma prochaine chronique, dit-elle.

— Tu vas encore te mettre Galibois à dos avec tes prises de position.

— Tu crois ça ? Sache que depuis que j'ai mis les points sur les i avec lui, Monsieur se tient tranquille.

— En tout cas, tu ne te gênes pas pour te ranger carrément du côté adverse de ce qu'il approuve la plupart du temps, argumenta Laurent.

— Mais non ! Je le teste, c'est tout. Quoique… lorsqu'on veut dénoncer une chose en particulier, on n'a qu'à regarder du côté des idées reçues de ce Galibois pour avoir l'embarras du choix, badina sa femme.

— Il a quand même droit à ses idées, lui fit remarquer Laurent.

— Et moi aux miennes. Sauf que dans mon cas, je défends des idées générales. Alors que lui, il est l'instigateur des attaques personnelles. Tant pis pour lui ! Ce n'est pas parce qu'il travaille maintenant au nouveau journal *L'Union* que je vais cesser de l'avoir à l'œil, reprit-elle sérieusement.

— Changement de propos, Blanche. Je viens de lire une petite annonce dans ton journal. Elle est d'un menuisier qui offre ses services pour tout genre de rénovations. On pourrait faire agrandir la salle de bain au détriment du salon, depuis le temps qu'on en parle.

— Tu sais comment je suis, Laurent. Je ne veux pas confier des travaux au premier venu qui risquerait de venir tout gâcher dans la maison. On ne le connaît même pas, ton type.

— C'est là que tu te trompes, chérie. C'est écrit en toutes lettres : « Pour information, contactez Honoré Corbeil, ouvrage garanti », lut Laurent.

— Tu crois que c'est le même Corbeil qu'à Grouard ? demanda Blanche intriguée.

— J'en suis certain. Il vit à Edmonton depuis un certain temps déjà. Je vais tenter de le joindre, on verra bien. C'est un fichu de bon menuisier, tu ne serais pas déçue.

Laurent Gauthier contacta effectivement l'unique Honoré Corbeil, qui accepta avec empressement de venir jeter un coup d'œil aux travaux demandés. Il arriva dès le lendemain, en fin d'après-midi, à bord de son cher vieux camion qu'il continuait d'astiquer malgré de nombreuses années de loyaux services et une multitude d'éraflures sur sa carrosserie. Laurent le reçut chaleureusement sur le seuil de sa porte.

— Monsieur Corbeil ! Heureux de vous revoir ! Vous allez bien ? dit-il en lui serrant vivement la main.

— Bonjour, Docteur ! Oui, oui, je vais bien, merci. Au moins, je viens pas vous voir pour des hémorroïdes, ce coup-là, rigola Honoré.

— Oui... Vous étiez plutôt souffrant à l'époque... se remémora le docteur embarrassé.

Blanche arriva au même instant en replaçant sa coiffure de la main gauche.

— Bonjour, Monsieur Corbeil ! Entrez, je vous en prie. Il y a bien longtemps qu'on s'est vus. Vous m'avez l'air en grande forme !

— Pas si mal, ma belle Madame. L'ouvrage, ça a jamais fait mourir personne, à condition de savoir s'arrêter, hein, Docteur ?

— Euh... oui.

Blanche se mit à rire, amusée autant par cette remarque que par la mine perplexe de son mari.

— Vous avez de ces expressions, Monsieur Corbeil, qui sont tout à fait savoureuses. Allons nous asseoir, proposa-t-elle, j'ai préparé du café.

— Du café ! On dirait ben que vous voulez me recevoir comme de la grande visite !

— Vous en êtes, insista le docteur Gauthier.

— En passant, mon cher Docteur, il faut que je vous complimente pour avoir réussi à marier un aussi joli brin de fille. Joseph-Omer me l'avait dit, itou, que sa nouvelle belle-sœur était ben plaisante à regarder, s'échappa Honoré.

— Il vous a dit ça ? s'étonna Blanche.

— Euh... ben... peut-être pas exactement dans ces termes-là, baragouina Honoré en réalisant son erreur.

— Si je peux me permettre, Monsieur Corbeil, n'allez pas répéter ça à Florida, lui conseilla Laurent sur un ton de confidence.

— Ben non, Docteur. Ça va rester entre nous autres. Ça doit être les maudites nouvelles de la guerre qui m'énervent de même, aussi. Ça me fait dire toutes sortes d'affaires que je devrais pas dire.

— Des troupes et encore des troupes ! s'exclama Blanche en pensant à sa prochaine chronique. Ils ne cesseront donc jamais de s'entretuer ?

— Ben, c'est peut-être les troupes pis les troupes, comme vous dites, qui vont mettre fin à la guerre, prétendit Honoré Corbeil.

— Vous croyez ? s'étonna à nouveau Blanche.

— Quand les Américains se mettent le nez là-dedans, ça niaise pas longtemps, expliqua Honoré avec son franc-parler. C'est devenu une grande puissance, les États-Unis. Vous allez voir, les Allemands vont se faire botter le derrière.

— Ah bon...

— Pis, les travaux, Docteur ? s'informa soudainement Honoré à voix forte, après avoir avalé une grande gorgée de café. Qu'est-ce que c'est qu'il faut que je démolisse, icitte ?

— Sapristi ! Je préférerais que l'on discute de rénovation plutôt que de démolition, Monsieur Corbeil, précisa le docteur Gauthier en jetant un regard en biais vers sa femme.

* * *

Comme l'avait pressenti Honoré Corbeil, l'engagement américain en Europe faisait maintenant basculer le sort de la guerre en faveur des Alliés. Lorsque la guerre arriverait à terme, la nation américaine partagerait la joie de toutes les nations célébrant la fin du conflit. Ils se flatteraient, avec justesse, du fait que leur présence avait apporté la victoire. Toutefois, se souviendraient-ils que leurs premiers soldats engagés dans les combats ne le furent qu'en 1918 ? Sur les deux cent onze divisions dont disposait le général Foch, douze seulement étaient américaines et, ironiquement, elles étaient en partie équipées d'artillerie française.

Le 11 novembre 1918, les cent dix mille soldats canadiens en Europe se sautèrent dans les bras, pleurant et criant leur joie à l'annonce de la fin de la guerre. Ils imitaient en cela tout autant les Britanniques, les Français et les Allemands que toutes les autres nations impliquées dans cette horreur. Parmi tous les soldats canadiens engagés au cours du conflit, cinquante-sept mille avaient été tués au combat. Sur la terre de la vieille Europe, gravé sur l'une de ces milliers de petites pierres tombales alignées dans un champ transformé en cimetière militaire, on peut encore lire à ce jour:

Reggie Foster
1894-1918
Mort en héros

Certains nous reviennent

Tellement loin de cette guerre, tellement en dehors de ces enjeux pour lesquels des milliers hommes s'étaient entretués, Grouard à l'autre bout du monde poursuivait son déclin tranquille, sans que personne n'y prête la moindre attention. Joseph-Omer et Florida réussissaient encore à s'en tirer. Ils reprenaient en partie la clientèle des commerces analogues au leur qui avaient dû fermer leurs portes. Cela comblait pour l'instant la perte des autres clients ayant eux aussi délaissé la région.

Les enfants avaient grandi chez les Boulanger. L'aîné des enfants, Armand, s'intéressait à toute forme de lecture. C'était un enfant studieux que les travaux scolaires ne rebutaient pas, ce qui en faisait, évidemment, un premier de classe. Peu enclin aux jeux extérieurs, il conservait depuis toujours un teint pâlot. On le voyait souvent effectuer de petites tâches dans le magasin, autant pour tromper l'ennui que pour aider sa mère. Celle-ci, pour le taquiner, l'appelait son petit Gabardine.

Augustin, lui, avait les cheveux bruns ébouriffés et le teint basané. Il était tout le contraire de son frère. Il s'ennuyait à mourir en classe et préférait de loin passer du temps à jouer dehors avec les petits Indiens du voisinage. Ceux-ci accompagnaient souvent leurs parents venus faire quelques emplettes en ville. Si la docilité d'Armand le mettait facilement dans les bonnes grâces de sa mère, Augustin, plus dissipé, était devenu quant à lui le favori des Indiens qui s'arrêtaient au magasin.

Dès le premier jour de sa vie, ce bébé au teint foncé, probablement causé par une jaunisse contractée à la naissance, avait entraîné une véritable procession de la petite population cris à la porte du magasin général. Le soir venu, ils avaient allumé un grand feu en bordure de la ville. Ils y avaient exécuté des danses rituelles accompagnées de chants tribaux jusque tard dans la nuit pour célébrer sa naissance. Étonnamment, ce bébé avait été accepté par les Indiens avec une facilité déconcertante, comme peu de Blancs n'en avaient eu l'occasion jusque-là.

C'est pourquoi Augustin, quelques années plus tard, partageait souvent les jeux de ses jeunes compagnons au teint cuivré. L'un de leurs passe-temps préférés s'appelait « Au chevreuil et aux loups ». Plaisir fort simple qui consistait à ce qu'un poursuivi, le chevreuil, se cache ou bien échappe à toutes jambes à la meute de poursuivants, les loups, tant et aussi longtemps qu'il le pouvait. Augustin adorait faire le chevreuil. Tout d'abord, parce qu'il courait plutôt vite pour son âge et ensuite, parce qu'il connaissait de bonnes cachettes aux alentours du magasin. Un jour, pourtant, il se fit avoir par la ruse des petits Indiens qui l'avaient repéré et piégé silencieusement. Il tenta bien sûr de fuir quand il découvrit la ruse. Mais l'étau se refermait de tous les côtés à la fois. Il lui vint alors une idée de dernière minute au moment où les jeunes loups, piaillant de plaisir, allaient s'élancer sur lui.

— Banane ! s'écria-t-il, de toutes ses forces.

Tous les enfants s'immobilisèrent en même temps, comme pétrifiés sur place.

— Pourquoi tu cries « Banane » ? demanda le plus grand d'entre eux.

— Parce que mon père m'a déjà dit que pour faire peur à un

loup, on a juste à crier: « Banane! ». Il faut croire que ça marche, ajouta-t-il en les pointant du doigt.

Il n'en fallut pas plus pour qu'ils s'élancent tous sur Augustin pour le chatouiller, même si celui-ci riait déjà à gorge déployée, plié en deux et se tenant les côtes.

Les gamins de Grouard trouvaient toujours une façon de s'amuser. Au milieu de l'été, les plus hardis se jetaient à l'eau pour une baignade rafraîchissante. Ils lançaient des cris de joie, par bravade, sous les regards envieux des plus douillets. Quand revenait l'hiver, Augustin et ses amis jouaient au hockey, la plupart du temps sans patins. Ils maniaient un bâton qu'on leur avait grossièrement taillé à la scierie. Une crotte de cheval gelée servait de rondelle. Quand la patinoire qu'ils avaient grattée tout l'hiver sur le lac disparaissait au printemps, ils sortaient les cannes à pêche en bambou, à l'affût de la meilleure prise. Celle qui serait une fierté et ferait leur renommée pendant tout l'été.

Toutes ces escapades au grand air faisaient souvent rouspéter Florida. Elle exigeait qu'Augustin rentre à la maison à l'heure convenue et qu'il prenne ses repas en même temps que tous les autres membres de la famille. Elle n'avait pas ce problème avec Armand et encore moins avec Florence, la petite dernière. Impressionnée par le va-et-vient de la clientèle du magasin, la fillette s'accrochait instinctivement à la jupe de sa mère. Quoi qu'il en soit, ces petites anicroches quotidiennes n'enlevaient absolument rien au bonheur que les Boulanger ressentaient, sans qu'ils l'expriment ouvertement pour autant.

Au cours d'un après-midi coutumier, madame Duchesneau entra en coup de vent au magasin général. Elle se présenta tout essoufflée, un chapeau mis à la hâte sur sa tête et le visage extraordinairement réjoui. Elle appuya ses deux mains sur le comptoir face à Florida en s'efforçant de reprendre son souffle.

— Seigneur! Qu'est-ce qui se passe, Madame Duchesneau?

— J'ai reçu une lettre de Jean-Marie. Il devrait être icitte la semaine prochaine! parvint-elle à dire enfin en haletant.

Pendant un instant, Florida se retrouva sans voix tellement cela la rendait tout aussi heureuse.

— Vous entendez, Madame Boulanger? Il s'en revient!

— Mon Dieu! Quelle bonne nouvelle, Madame Duchesneau! Je suis tellement contente pour vous, se ressaisit Florida.

Elle contourna le grand comptoir et alla presser son amie dans ses bras. Délivrée de plusieurs années d'inquiétude, madame Duchesneau riait et pleurait à la fois.

— C'est qui Jean-Marie, maman? demanda Florence avec insistance.

Elle avait rattrapé la jupe protectrice qu'elle secouait maintenant vigoureusement pour attirer l'attention.

— C'est... le monsieur qui a déjà travaillé icitte, lui dit sa mère.

— Ah! Gabardine! Le monsieur que papa avait engagé il y a ben longtemps? Il est toujours en train d'en parler!

— Oui, oui! Va chercher ton père, Florence. Il sera sûrement heureux d'apprendre la nouvelle, la pressa Florida.

— Dans sa lettre, Jean-Marie raconte qu'il reviendra en même temps que le matelot Jobin, reprit madame Duchesneau.

Elle essuya une larme du revers de la main et prit une grande respiration.

— Il dit que ça va l'aider à trouver le temps moins long jusqu'à Grouard. Il dit aussi qu'il a ben hâte de revoir tout le monde.

— Nous autres aussi, on a hâte de le revoir! s'enthousiasma Florida en prenant les mains de madame Duchesneau dans les siennes. Ga... euh... Jean-Marie et le matelot Jobin qui reviennent en même temps! J'ai comme l'impression que ce sera tout un événement.

La nouvelle se répandit telle une traînée de poudre dans cette ville où tout le monde se connaissait de près ou de loin. On mit rapidement sur pied un comité d'accueil chargé de recevoir les deux héros dès leur sortie du train à Edmonton. Par la suite, ils seraient ramenés en triomphe à la maison. On préparerait une grande fête dont le clou serait un défilé dans les rues de Grouard, le dimanche suivant leur retour. Finalement, un grand banquet à saveur locale serait servi à l'hôtel Royal, le plus renommé et le plus spacieux des hôtels de l'endroit.

* * *

Madame Duchesneau, Joseph-Omer Boulanger, le vicaire Régimbald, monsieur Harper, le docteur Gauthier et Honoré Corbeil, ces deux derniers rejoints par téléphone à Edmonton, faisaient tous partie du comité d'accueil. Ils se dandinaient maintenant avec impatience sur le quai de la gare d'Edmonton, guettant l'arrivée promise du train pour seize heures. C'était une journée fraîche d'avril 1919. Trois années s'étaient écoulées depuis que le matelot Jobin avait quitté Grouard, presque quatre dans le cas de Gabardine. Le comité d'accueil était donc là à se questionner, se demandant si les deux soldats avaient beaucoup changé, ou à s'inquiéter du souvenir que ces jeunes avaient pu conserver de chacun d'eux. Bref, toutes ces folles questions qui traversent l'esprit dans l'attente de personnes chères depuis si longtemps.

— Le voilà ! s'écria le docteur Gauthier.

Il pointa du doigt un panache de fumée noire au loin, là où disparaissait la voie ferrée. Elle tournait lentement derrière les hangars et les maisons qui se mêlaient confusément entre les arbres à cette distance.

— Mon Dieu ! lâcha aussitôt madame Duchesneau en joignant nerveusement les mains contre sa poitrine.

Ces dernières années lui avaient paru interminables. Même si elle avait pu vivre convenablement grâce aux payes que son fils lui avait fait parvenir, elle avait accumulé tant d'inquiétude et de nuits blanches que son physique s'en était ressenti. Ses cheveux étaient maintenant fortement marqués de mèches grises et de profondes rides s'étaient creusées sur son front. De plus, elle aurait souhaité pouvoir camoufler ses yeux cernés.

« Qu'est-ce qu'il va dire en me voyant comme ça ?, songea-t-elle en passant nerveusement une main sur son visage. Que je suis devenue vieille ? Sera-t-il content de me retrouver ? Je suis sûre que lui, il a pas dû changer. Il sera toujours mon beau Jean-Marie. Pourvu qu'il soit en santé. J'ai tellement passé de nuits à prier pour lui ! »

Le train apparut lentement à l'horizon, prenant du volume de seconde en seconde. Il lâcha un coup de sifflet strident là-bas, pour annoncer son approche. Cela déclencha instantanément des petits rires excités sur le quai. Le bruit qu'il faisait, d'abord presque imperceptible, s'amplifia jusqu'à devenir assourdissant lorsqu'il entra en gare. Il s'y arrêta enfin dans un crissement de roues et de jets de vapeur qui enveloppèrent la locomotive à l'avant.

On chercha fébrilement des yeux les deux soldats aux fenêtres et aux portières des wagons, parmi les passagers qui se pressaient de descendre. Madame Duchesneau fut la première à apercevoir son fils qui se pointa à l'une des portières, trois wagons plus loin. Elle s'élança en courant, une main levée vers le ciel, talonnée par le petit comité d'accueil qui tentait de la suivre tant bien que mal. Elle sauta au cou de son fils qui souriait à belles dents, les yeux mi-clos, dans un moment d'attendrissement quasi palpable. Les autres membres du groupe s'étaient arrêtés quelques pas derrière et assistaient à la scène en silence, parvenant difficilement à dissimuler leur trouble. Willy Jobin, également en tenue militaire, se tenait immobile sur la dernière marche du wagon. Il obstruait ainsi le passage aux autres passagers qui gardèrent une patience respectueuse envers l'uniforme.

— Mon Jean-Marie ! Mon Jean-Marie, enfin !

— Je suis ben content de vous voir, maman. Merci d'être là.

Joseph-Omer fut le premier à s'immiscer dans cet instant de grâce particulier. Il s'avança vers Gabardine les bras ouverts, prenant soin de ne pas brusquer madame Duchesneau qui desserrait à peine son étreinte.

— Heureux que tu sois de retour, mon jeune, lui dit-il ému.

— J'ai tenu ma promesse, Monsieur Omer.

Ils se donnèrent une forte accolade et furent bientôt entourés par Willy Jobin et tous les autres, au travers des rires, des poignées de main et des tapes sur l'épaule. Le vicaire Régimbald, désirant mettre un peu plus de solennité dans cet accueil populaire, se dérouilla la voix. Cela déclencha aussitôt des regards inquiets chez plusieurs membres du petit comité.

— Au nom du comité d'accueil de Grouard, commença le vicaire, j'ai le plaisir de vous souhaiter la plus cordiale des bienvenues parmi les vôtres, sur cette terre qui vous a vus grandir, cette terre qui vous offrira tout le calme et le repos que vous avez mérité. Vous avez servi courageusement votre pays à l'étranger. Soyez assurés que nous sommes tous très fiers…

— Bon ! Bon ! Bon ! coupa le docteur Gauthier qui en avait vu d'autres. Blanche nous attend à la maison où elle nous prépare actuellement un bon souper. Si on y allait tous maintenant, plutôt que de demeurer sur ce quai à grelotter ?

Cette suggestion lui valut quelques applaudissements des auditeurs soulagés par cette interruption salvatrice.

— J'aurais peut-être dû retravailler mon texte, marmonna le vicaire pour lui-même, décontenancé certes, mais non découragé pour autant.

* * *

Au nord, Grouard s'était préparé pour le retour attendu de ses soldats. La ville avait été décorée de banderoles et de drapeaux. On les avait suspendus aux maisons le long du parcours que le défilé allait emprunter. Le menu du buffet proposé au Royal avait été soigneusement sélectionné. Les quelques musiciens provenant de l'ancienne fanfare s'étaient exercés toute la semaine à la caserne des pompiers. Finalement, un photographe professionnel avait été engagé pour immortaliser ce grand jour. Honoré Corbeil aurait le privilège de conduire les glorieux combattants, installés debout à l'arrière de son camion. Il faut avouer qu'il avait insisté auprès des autres membres du comité pour ce faire. Le menuisier avait recouvert son tacot de petits drapeaux, certains à l'effigie du Vatican, et de bouts de tissus multicolores empruntés à Florida. Tout ce fardage hétéroclite s'accrochait, on ne savait trop comment, à la carrosserie de son véhicule.

Clara Manning, toujours serveuse au Western et plus belle que jamais, allait ouvrir la marche. Elle avait été choisie par monsieur Harper lui-même, malgré quelques réticences du vicaire Régimbald. On lui avait offert le seul rôle de majorette. Contrairement aux autres filles, elle se sentait tout à fait à l'aise de défiler en pleine rue, les mollets dénudés, en faisant tourner un bâton enrubanné entre ses doigts.

Elle avait reçu ce bâton de parade grâce au travail minutieux de Laura Harper. Celle-ci s'était acharnée à le confectionner à la dernière minute à la demande de son père. Initialement, Clara Manning s'était équipée d'une simple canne qu'elle comptait faire tournoyer dans tous les sens. Soudainement, Laura avait surgi en courant quinze minutes avant le départ, en tenant ce bâton garni de couleurs vives, de rouge, de jaune et de bleu.

— Mademoiselle Clara! avait-elle crié. J'ai quelque chose pour vous.

— Quoi? Vous êtes qui, vous? lui demanda la serveuse qui n'aimait pas se faire brusquer.

— Euh... Laura Harper. Je vous ai fabriqué un bâton de majorette. Je crois que ce sera moins boiteux qu'avec votre canne.

— Ouais. J'allais défiler pliée en deux avec ma canne en me tenant les reins, répliqua Clara amusée et mimant la scène.

La serveuse observa le bâton de plus près et demanda d'un geste de le prendre dans ses mains. Elle laissa échapper un sifflement admiratif.

— C'est du joli travail. Comment t'as fait? demanda-t-elle.

— J'ai coupé un support à rideaux, avec la permission de ma mère, et j'ai cousu des rubans bien serrés tout autour, répondit Laura.

— Vraiment? On dirait un authentique. Pourquoi tu parades pas avec moi? Après tout, c'est ton idée, ce bâton.

— Euh... Je ne crois pas que ce serait une bonne idée. Tu es probablement la seule à Grouard qui n'aura pas à subir les protestations de sa famille en défilant à l'avant. Tu réussiras à capter plus l'attention que moi.

— Misère! Je commence à comprendre leur insistance, raisonna l'employée du Western.

Le défilé se mit en branle à quinze heures précises. La petite fanfare suivait Clara Manning. Malgré des effectifs réduits, les musiciens réussissaient à faire reconnaître des airs de musique à la mode et d'autres plus traditionnels. L'absence de tambours pour rythmer la parade était compensée par une dizaine d'enfants qui frappaient en cadence sur des fonds de chaudrons à l'aide de cuillères en bois. Évidemment, Armand et Augustin faisaient fièrement partie de ces tambourineurs improvisés.

Venait ensuite le camion d'honneur. Il transportait les deux compagnons d'armes qui saluaient au passage la petite foule exubérante rassemblée sur les trottoirs. Cette volée d'applaudissements et les vivats enthousiastes criés spontanément leur faisaient vivre des moments inoubliables. Honoré Corbeil, assis derrière le volant, rayonnait de bonheur. Il se hâtait de saluer lui aussi les gens par sa fenêtre ouverte, chaque fois qu'il lui semblait reconnaître un visage familier. Entre deux airs de musique qu'on s'efforçait de rendre agréable, le fier conducteur lançait des coups de klaxon dissonants pour soutirer un peu de l'attention du public.

Au cours du défilé, Gabardine fit remarquer à son compagnon le nombre accru de maisons abandonnées. Leur triste délaissement était facilement observable du haut de leur plate-forme.

— C'est encore pire qu'avant, l'approuva Jobin. J'espère que les départs finiront par s'arrêter, sinon, ça sera plus vivable icitte.

— Il y a de plus en plus d'automobiles dans la province. Peut-être qu'avec une belle grande route qui viendrait jusqu'à Grouard, tout pourrait s'arranger, espéra Gabardine.

— Tu rêves, soupira l'ancien matelot. Si les gouvernements n'ont pas voulu mettre une maudite cenne pour construire notre petit bout de chemin de fer, t'imagines pas qu'ils vont nous faire ta belle grande route demain matin. C'est triste, mais on dirait ben que Grouard fait déjà partie du passé.

Madame Duchesneau marchait derrière le camion en compagnie des autres membres du comité d'accueil et de plusieurs personnes qui les rejoignaient. En passant devant le Western, elle remarqua Tommy Bradford qui applaudissait aux abords de son hôtel.

— Continuez sans moi, dit-elle à son amie Florida. Je vous retrouverai dans une minute.

— La commerçante jeta un coup d'œil par-dessus l'épaule de madame Duchesneau et aperçut le grand Tommy qui les observait de manière intéressée.

— Oh ! Je crois comprendre, Madame Duchesneau. Allez, à tout à l'heure, l'encouragea Florida.

Madame Duchesneau courut sur une petite distance jusqu'à Tommy qui l'accueillit avec ravissement. Légèrement intimidée, elle lui rendit tout de même son sourire.

— Tu viens pas défiler avec nous autres, Tommy ?

— Il n'y a rien que j'aimerais *plous* que de marcher avec toi. *Sourtout oune* journée spéciale comme *aujourd'houi*. C'est ben de *valour* que je doive *sourveiller* mon *Goddam* d'hôtel.

— Qu'est-ce qui t'oblige ? insista madame Duchesneau.

— Quatre ou cinq clients *inside* qui boivent de la bière pis les paroles à Perkins. Je vais finir par me débarrasser de *toute* ça, *as soon as possible, Goddam* ! *Tou saloueras* ton fils pour moi. *Tou loui* diras que je *souis* content qu'il soit de retour, ajouta Tommy Bradford.

— Dans ce cas-là, pourquoi tu viendrais pas le saluer à la maison cette semaine ?

— C'est *oune* invitation ? voulut s'en assurer l'hôtelier enchanté.

— C'est une façon de voir les choses. À moins que ton... *Goddam* d'hôtel t'en empêche ?

— Je vais pas manquer ça *oune* autre fois. J'ai un ami qui va me remplacer à l'hôtel.

— Eh bien, je... je vais aller rejoindre tout le monde. À bientôt, lui sourit-elle.

— À bientôt, ma belle Antonia, lui dit l'hôtelier complètement subjugué par son charme.

— Ouf ! Mets-en pas plus qu'il en faut, rougit madame Duchesneau.

— *Tou* es la *plous* belle de toutes quand *tou* souris comme ça.

Madame Duchesneau lui fit un petit salut de la main et repartit au petit pas de course pour rattraper le défilé en fête.

Le camion continuait d'avancer tout doucement, entraînant à sa suite les spectateurs qui guettaient sa venue de chaque côté de la rue. Si bien qu'avant même d'atteindre le Royal, il y avait plus de personnes dans le défilé qu'il n'y en avait pour le regarder passer. Ce long cortège finit tout de même par s'arrêter devant l'hôtel dans l'allégresse générale. Honoré eut tout un choc en y apercevant nul autre que Casimir Charron, droit comme un chêne et bien campé sur ses deux jambes largement écartées. Il se tenait près du personnel de l'hôtel et applaudissait avec eux l'arrivée des soldats.

— Veux-tu ben me dire ce qu'il fait icitte, celui-là ? ne put s'empêcher de ronchonner Honoré.

Il lui envoya discrètement un petit signe de la main. Aussitôt, Charron pointa du doigt les jeunes soldats debout à l'arrière, pour bien lui faire comprendre que c'était à eux qu'il destinait ses applaudissements. Honoré coupa le contact du moteur et ravala sa salive. Dehors, la foule s'empara des héros, qui furent transportés sur les épaules des participants jusqu'à la salle à manger de l'hôtel. Charron patienta calmement, pendant qu'on se pressait à la porte de l'établissement pour s'y engouffrer peu à peu. Il espérait tout de même pouvoir regagner à temps son tabouret, qu'il avait laissé devant un verre de whisky entamé. Honoré en profita pour rejoindre le trappeur sur le parterre du Royal.

— Salut Charron. Je suis… content de te voir, dit-il sans trop d'expression dans la voix.

— Laisse faire les éloges, mon gros. Tu aurais dû te voir la face il y a même pas deux minutes, répliqua Charron.

— Ben, ça devait être l'émotion. Je m'attendais jamais à te voir icitte, au Royal, déglutit Honoré. Tu es venu fêter nos deux héros, toi aussi ?

— Penses-tu que si c'était juste pour venir te voir la binette, je me serais donné la peine de sortir du bois, gériboire ! Disons que j'ai depuis longtemps une petite dette de reconnaissance envers Jobin. J'aimerais ben ça avoir la chance de lui payer un bon whisky, à soir. C'est ben dommage, par contre, que les gnochons d'organisateurs aient pas choisi de faire leur soirée au Western. Je suis plus à l'aise là-bas. Icitte, il y a trop… trop de…

— Trop de classe, coupa Honoré d'un ton sec.

— Ouais, gériboire ! Ça doit être ça, feignit d'approuver Charron en le pourfendant du regard. Là, j'ai un verre qui s'ennuie de moi en dedans. On se reverra plus tard, mon gros Monsieur Corbeil.

Aussitôt, il se glissa à la suite des autres personnes qui s'entassaient dans l'hôtel. Honoré réussit à entrer peu après. Il rejoignit sa femme attablée en compagnie de la famille Boulanger, du docteur Gauthier et des deux autres enfants de madame Duchesneau, tous installés à proximité de la table d'honneur. Celle-ci accueillait, outre Gabardine et le matelot Jobin en son milieu, madame Duchesneau et les parents de Willy Jobin de chaque côté des soldats. On retrouvait aux extrémités le vicaire Régimbald et le nouveau maire de Grouard, Horace Trudel, accompagné de son épouse.

Quand tous ceux et celles qui pouvaient s'asseoir dans la salle eurent rejoint leurs tables respectives, on leur servit un verre de vin qui fut bien accueilli par les paradeurs. Le vicaire Régimbald grimpa alors prestement sur l'estrade aménagée face à la salle derrière la table d'honneur. Il avait manifestement préparé un petit mot de circonstance pour inaugurer le banquet.

— Monsieur le Maire, distingués invités, chers concitoyens et concitoyennes de Grouard, commença-t-il d'une voix claire. Un peu de silence, s'il vous plaît !

Le tumulte des conversations ne s'apaisa guère, malgré les quelques secondes qu'attendit le vicaire pour permettre aux gens d'y mettre fin.

— Jean-Marie Duchesneau et Willy Jobin sont de retour au pays, mes amis, reprit-il avec un peu plus de force.

Instantanément, le brouhaha se dissipa. Le vicaire Régimbald put savourer, l'espace d'un instant, tous ces regards tournés vers sa personne.

— Avant de poursuivre cette présentation, j'inviterais tout d'abord nos deux grands soldats à venir me rejoindre sur la tribune, proposa-t-il faussement modeste, sachant très bien qu'il capterait encore davantage l'attention de tout l'auditoire.

Gabardine et Jobin y montèrent sous de chaleureux applaudissements. Cette fois-ci, le vicaire n'eut qu'à lever les mains pour retrouver le silence complet dans la grande salle.

— Chers amis, nous avons le privilège, aujourd'hui dans cette communauté, d'assister au retour de deux enfants de Grouard, déclara le vicaire en ouverture de son discours. Deux jeunes qui ont combattu avec courage et hardiesse sur les champs de bataille lointains, bravant les dangers, endurant les souffrances et des conditions de vie périlleuses, et qui, grâce au ciel, nous sont revenus à la maison sains et saufs. Malheureusement, tous n'ont pas eu cette chance. On n'a qu'à penser aux Choquette et Richardson qui ont fait le sacrifice de leur vie pour défendre la patrie. Ayons aussi une pensée pour le petit Maloin, présentement hospitalisé à Edmonton en raison de troubles mentaux causés par les bombardements.

Le docteur Gauthier baissa la tête, car il connaissait l'état lamentable dans lequel se trouvait ce jeune soldat. Il avait complètement perdu la raison et semblait hanté par des cauchemars, nuit et jour, depuis son retour au pays.

— Nous aurons également ces jeunes à l'esprit, ce soir, soyez-en certains. Que nos prières les accompagnent, eux et leurs familles. Néanmoins, en ce jour de fête, il convient de souligner dignement le retour de nos héros ici présents. Ils sont partis d'une simple petite ville et ils se sont mêlés aux soldats venus des quatre coins du monde. Willy et Jean-Marie ont emporté dans leur cœur ces qualités de vaillance et de ténacité qui font de nous un peuple à nul autre pareil. Ils n'ont pas hésité, devant la menace ennemie, à défendre ces vertus et surtout, à combattre pour notre si précieuse liberté. Nos jeunes soldats, habités par un cran indéfectible, n'ont pas lésiné sur les efforts pour triompher des forces obscures qui voulaient régir notre monde…

À ce moment, Willy Jobin, qui se tenait posté derrière le vicaire Régimbald, résolut de mettre un peu de comédie dans un discours comportant beaucoup trop d'emphase à son goût. Il se laissa tomber la tête sur l'épaule de son camarade en faisant semblant de dormir, et même de ronfler. Gabardine fut pris d'un fou rire silencieux, le visage contorsionné, les épaules secouées de soubresauts. Jobin accentua volontairement ce mouvement, de telle sorte que la tête semblait lui rebondir comme un ballon sur l'épaule de son voisin. Il gardait cependant un œil attentif sur le vicaire. Lorsque celui-ci se retourna pour voir ce qui amusait tant l'assemblée, il ne vit que deux visages innocents qui se demandaient eux aussi ce qui pouvait bien se passer.

— Mes amis, souvenons-nous toujours des sacrifices consentis, reprit le vicaire.

Il se doutait bien, agacé par ces murmures et ces rires silencieux, que quelque chose clochait avec son discours pourtant si minutieusement préparé.

— Aujourd'hui, levons nos verres à ceux qui ont combattu énergiquement pour préserver nos valeurs fondamentales, poursuivit-il tout de même.

La tête de Willy Jobin retomba encore endormie, vers l'avant cette fois-ci. Gabardine dut passer un bras autour de la poitrine de l'ex-matelot pour éviter qu'il ne tombe à plat ventre. Les rires étouffés fusaient d'un peu partout dans la salle. Ils décidèrent finalement le vicaire Régimbald à abréger son allocution.

— Je crois que j'ai suffisamment parlé, concéda-t-il. Sans plus attendre, je cède donc la parole à nos deux camarades, qui sont la raison même de notre présence ici ce soir.

Des applaudissements polis saluèrent la fin de son laïus. Ils augmentèrent d'intensité lorsque les deux soldats s'avancèrent devant le vicaire.

— Merci beaucoup, Monsieur le Vicaire, pour votre excellent mot de bienvenue, le flatta Gabardine. Merci aux organisateurs de cette fête et à vous tous qui vous êtes déplacés pour nous saluer. C'est bon d'être de retour icitte, parmi vous. Parce que là-bas, vous savez, ça a pas toujours été facile.

Des tonnes de souvenirs affluèrent dans l'esprit de Gabardine et il resta sans voix, la lèvre inférieure tremblotante. Quelques secondes interminables s'écoulèrent avant que Willy Jobin ne lui vienne en aide, en s'adressant à son tour au public.

— Au fond, ce que Jean-Marie veut vous dire, c'est que même si on est très touchés de vous voir tous réunis pour fêter notre retour au pays, notre plus grand bonheur c'est d'avoir retrouvé nos familles et cette paix que vous avez toujours connue. Tantôt, monsieur le vicaire avait ben raison de vous dire qu'on devait se souvenir de ceux qui sont morts là-bas et de ceux qui sont revenus estropiés, physiquement ou mentalement. Les voilà, les grands héros de cette damnée guerre. Ça, on le répétera jamais assez. Oui, on a participé aux combats, Jean-Marie pis moi. Mais personnellement, si j'ai pu finir la guerre, c'est parce qu'on m'a engagé pour faire le clown dans tous les spectacles organisés pour remonter le moral des troupes. On s'est promenés d'un régiment à l'autre jusqu'à la fin du conflit. Mon brave ami Jean-Marie, lui, a été blessé à Vimy. Puis, il a terminé la guerre dans le camp de Witley, en Angleterre. Vous voyez, ce sont ces circonstances qui nous ont permis d'être exemptés des combats jusqu'à la toute fin et peut-être ben d'avoir eu la vie sauve.

Willy Jobin prit une grande inspiration pendant que la foule immobile et silencieuse attendait, captivée par son propos.

— Je vous raconterai pas en détail comment c'était, la guerre, continua-t-il. Tout simplement parce que c'est pas racontable. Il y a quand même quelque chose que je tiens à vous dire. C'est que tous ceux qui sont tombés là-bas joindraient leurs voix à la nôtre, s'ils le pouvaient, pour demander de plus jamais provoquer une telle catastrophe. Alors, si vous tenez à lever vos verres bien haut, faites-le pas juste à notre santé. Portez plutôt un toast À LA PAIX !

Jobin avait pratiquement crié ces derniers mots, incapable de se contenir plus longtemps. Joseph-Omer se leva de table et brisa le silence qui continuait de planer sur l'assistance pétrifiée.

— À la paix ! lança-t-il en levant son verre à la hauteur de sa tête.

Toute la salle se dressa d'un même élan et l'imita en posant le même geste.

— À LA PAIX !

Le banquet fut accueilli avec bonheur, car tout le monde était en appétit après avoir arpenté les rues de la ville. On évita de parler de la guerre, comme le suggérait le discours persuasif de Willy Jobin. Le simple fait de se retrouver tous ensemble, à partager le même repas et à discuter de choses et d'autres, ne suffisait-il pas pour égayer tous ces gens de Grouard ? À la fin du festin, un espace fut dégagé où deux violonistes et un accordéoniste s'installèrent. Cela permettrait aussi à ceux et celles qui seraient tentés d'y aller d'une valse, ou d'un quadrille, de pouvoir le faire. Quelques joueurs d'instrument à vent, récupérés de la fanfare, se juchèrent quant à eux sur la petite estrade désertée.

La soirée se poursuivit donc sous des airs joyeux, favorisant la discussion, la danse et la bonne humeur. Honoré Corbeil, un verre de boisson à la main, alla retrouver Charron. Le bonhomme, adossé au bar, se tapotait les cuisses en écoutant jouer les musiciens.

— Tiens, prends ça, dit tout bonnement Honoré en lui offrant le verre qu'il tenait. Moi aussi, ça s'adonne que j'ai une petite dette de reconnaissance. C'est pas du whisky, par contre. C'est du cognac. Ils appellent ça un… un digestif.

— Gériboire ! s'exclama Charron en prenant le verre chatoyant que lui tendait Honoré. Regarde-moi donc ça la belle couleur, toi. Ça sent fort, mais ça sent bon. C'est pas tout à fait comme nous autres quand on était dans le bois ! Si ça continue comme ça, je vais ben finir par te digérer, le gros.

— Maudit Charron ! Tu changeras jamais…

Honoré retourna à sa table, laissant Charron à son verre et à son grand éclat de rire.

— Merci, Corbeil !

Il eut tout juste le temps d'entendre ce rare remerciement du bonhomme avant d'aller se perdre au milieu des gens et de la musique.

Antoinette avait profité de l'absence de son mari pour rejoindre Clara Manning qui, seule, semblait se morfondre dans son coin.

— Bonsoir Clara ! Je suis contente de vous voir ici, l'accosta Antoinette joyeusement.

— Ah oui ? Dans ce cas-là, merci Madame, répliqua Clara pas très sûre d'elle.

— Absolument ! Mon mari m'a dit que vous avez été sensationnelle pour ouvrir la parade.

— C'est bien la première fois qu'un homme raconte à sa femme que je suis sensationnelle. J'ai fait n'importe quoi, tout à l'heure. C'était pas évident avec la musique qu'on avait.

— Ça ajoute à votre mérite. Pourquoi vous venez pas vous asseoir avec nous ? Il y a de la place à notre table, l'invita Antoinette.

— C'est gentil, mais je préfère rester ici, refusa Clara. Surtout qu'il y a des enfants à votre table. Il y a des mauvaises langues qui en profiteraient pour salir vos familles.

— On s'en fiche, de ces gens-là !

— Pas moi, j'ai trop de respect pour vous, Madame. Allez plutôt vous amuser et danser avec votre mari. Vous souciez pas de moi, je serai partie dans quelques minutes de toute façon.

— Vous êtes certaine ? hésita Antoinette Corbeil.

— Tout à fait, merci quand même, ajouta Clara en lui serrant la main.

— C'est dommage... Soyez prudente !

— Vous en faites pas.

Pendant ce temps, Gabardine et Willy étaient sollicités par tous ceux qui désiraient renouer avec eux et leur serrer la main. Les jeunes filles n'étaient pas en reste. Elles lorgnaient en leur direction avec beaucoup d'intérêt, s'échangeant des petites remarques à voix basse et gloussant de plaisir. Monsieur Harper s'approcha de Gabardine et lui présenta Laura, sa fille aînée. Elle l'avait discrètement prié de lui accorder cette faveur quelques instants auparavant.

— Je me souviens de vous, Monsieur Duchesneau, lui dit Laura avec gentillesse. Vous aviez étendu la moitié d'un sac de farine sur la galerie de notre maison au cours de l'une de vos livraisons, ajouta-t-elle en esquissant un sourire.

Gabardine, rouge comme un coq, plissa les yeux pour tenter de reconnaître cette jolie jeune femme. Il n'avait conservé d'elle que le souvenir d'une petite fille maigrichonne, toussotant sans arrêt. Il se remémora néanmoins cet incident qui l'avait mis jadis dans l'embarras.

— J'ai cru pendant longtemps que c'était ce qui avait déclenché vos quintes de toux, insinua-t-il maladroitement en tentant de reprendre sa contenance.

Cette fois, Laura se mit à rire de bon cœur.

— Non, non. Quelle idée! Disons simplement qu'il m'arrive d'avoir un peu de difficulté avec mes bronches. Votre farine n'y était pour rien.

— Je vais vous laisser un petit moment, les interrompit monsieur Harper qui écoutait la conversation. Je crois que ma femme aimerait bien que je l'invite à valser. Les femmes, il faut les garder de bonne humeur. C'est dans mon intérêt, dit-il à Gabardine avec un clin d'œil.

— Je suis pas très à l'aise avec les valses, avoua Gabardine à la jeune femme quand monsieur Harper se fut éloigné quelque peu. Il savait très bien que Laura guettait avec impatience le moment où il l'inviterait à danser.

— J'ai pas eu l'occasion de pratiquer beaucoup dernièrement, se justifia-t-il au bout d'une seconde de silence.

— Ce n'est pas grave du tout. Vous aurez toute la vie pour apprendre. Voulez-vous que je vous présente à mes amies ? Je suis certaine qu'elles se meurent d'envie de vous parler.

— Je veux ben, accepta Gabardine. Si ça me prive pas de votre présence, Mademoiselle Laura.

La jeune demoiselle, visiblement flattée, se mit à rire de nouveau.

— Ne craignez rien, Monsieur le Soldat, je promets de veiller sur vous. Venez!

Ils n'avaient pas fait trois pas qu'Albert Pigeon, surgissant au milieu de nulle part, leur barra la route.

— Tu viens danser Laura ? demanda-t-il d'un air complaisant.

— Tiens! Albert qui est encore en travers de ma route. Tu dois pourtant avoir remarqué que je suis occupée en ce moment, s'impatienta Laura Harper.

— Ben, t'es pas occupée à danser, en tout cas, répliqua Albert.

— Et alors ? J'allais présenter monsieur Duchesneau à mes

amies. Au fait, vous vous connaissez ? Jean-Marie Duchesneau, Albert Pigeon, les présenta d'un simple geste Laura.

— Ben oui ! Ça fait longtemps que je le connais, Gabardine, répondit le jeune Pigeon agacé.

— Je me souviens de toi aussi, acquiesça Gabardine. Quand tu étais petit, tu aimais ça te cacher derrière les buissons pis lancer des roches à mon cheval quand je revenais de faire une livraison.

— Tu faisais ça, Albert ? Tu as toujours été insupportable, à ce que je vois, le blâma Laura Harper sur un ton de reproche en s'efforçant de garder son sérieux.

— C'était pour rire, voyons donc ! Ça le faisait avancer plus vite, se défendit Albert Pigeon.

— Dans ce temps-là, tu voulais que j'aille plus vite, pis aujourd'hui tu me barres le chemin ! fit semblant de s'offusquer Gabardine.

— Ben non... dit Albert Pigeon en se rangeant de côté.

— Bien dit, Jean-Marie. Bonne soirée, Albert.

À l'autre bout de la salle, Willy Jobin s'était rapproché doucement de Clara Manning. Bien entendu, il la connaissait déjà pour l'avoir souvent observée avec admiration lorsqu'elle était en service aux tables du Western. La jolie serveuse, nonchalamment appuyée contre le mur tout près de la porte d'entrée, faisait la moue. Elle était ignorée au milieu de toute cette foule. Plusieurs hommes louchaient vers elle, mais aucun ne s'aventurait à aller lui parler. Ils avaient peur du jugement sévère qu'ils pourraient encourir dans cette assemblée de bons paroissiens. Quant aux femmes, à l'exception d'Antoinette qui s'était hâtée de la saluer, elles en faisaient abstraction. Elles se demandaient même comment on avait pu tolérer qu'elle soit des leurs pour une soirée aussi prestigieuse. D'ailleurs, elles ne comprenaient pas davantage la présence de Charron qui s'émoustillait tout seul là-bas, sur son tabouret.

— Vous êtes bien la gentille serveuse qui travaille au Western ? demanda Willy en abordant Clara Manning.

— Et vous ? Vous êtes bien celui qui donne des corrections aux abrutis qui s'en prennent au bonhomme Charron ? lui retourna-t-elle la question.

Elle pointa du menton Casimir Charron qui trépignait avec son verre de cognac au bout du comptoir.

— Une fois n'est pas coutume. J'ai aucun regret de l'avoir déjà fait. J'ai au moins le mérite de m'être fait remarquer par une gentille serveuse sans que je le sache, dit Jobin.

— La gentille serveuse, comme vous dites, elle est pas autant aimée de tout le monde, croyez-moi, soupira-t-elle.

— Peu m'importe le reste du monde, Mademoiselle Clara. Mon jugement vaut bien le leur. Au point que j'aurais aucune gêne de vous inviter à danser tout de suite, devant toute la ville, se hasarda-t-il à lui dire.

— Moi, j'en aurais ! Pensez donc, Jobin ! Une jeune femme peu recommandable, aller valser avec l'un des héros de cette soirée. Ce serait un véritable scandale pour la plupart des bonnes gens de Grouard. De toute façon, je commence à en avoir assez de voir tous ces hypocrites qui osent même pas m'adresser la parole. Il y en a plusieurs parmi eux qui se gêneraient pas pour le faire en privé. Je vous le jure. Je vais plutôt rentrer et vous laisser à votre fête, mon ami.

— Non ! Faites pas ça, protesta Willy. Enfin... Je veux dire... Laissez-moi pas tout seul icitte.

Clara Manning eut un petit rire agacé.

— Seul ! Mais qu'est-ce que vous me racontez là, Jobin ? Tous ces gens sont à vos pieds et demandent qu'à vous tenir compagnie.

— Moi, c'est votre compagnie dont j'aurais plutôt besoin ce soir, Mademoiselle Clara, lui avoua-t-il franchement.

— Eh ben ! Qu'est-ce qu'il y a de si important pour que je doive accepter votre présence auprès de moi, comme ça, à l'improviste ?

— Écoutez, dit-il en baissant la voix. Je suis un peu embarrassé de vous dire ça, mais je me suis pas retrouvé dans les bras d'une femme depuis... je sais plus combien de temps. Pis, c'est pas tout. J'avais déjà remarqué combien vous étiez gentille avant même de partir pour la guerre. En plus, maintenant, vous êtes devenue tellement jolie que c'est presque à en perdre la tête.

— J'ai bien peur que vous l'ayez déjà totalement perdue, répliqua Clara en retenant un sourire. Quand bien même j'accepterais de quitter cet endroit à votre bras, Jobin, ça choquerait tellement cette population qu'en fin de compte, ça vous ferait plus de mal que de bien.

Willy jeta un regard autour de lui, cherchant comment résoudre ce problème devant une aussi séduisante possibilité, qui s'annonçait difficile à gérer.

— Si vous m'attendiez dehors quelques minutes, Mademoiselle Clara ? Je suis sûr que je pourrais aller vous rejoindre sans que personne s'en aperçoive, suggéra Jobin.

— J'allais quitter cet endroit, d'une manière ou d'une autre, lui dit-elle d'un ton las. C'est à vos risques ! Je vous aurai prévenu. Je vous donne cinq minutes pour venir me rejoindre tout près du réverbère au coin de la rue. Pas une seconde de plus. Sinon, je rentre au Western sans vous attendre, mon ami.

— Entendu ! J'y serai, faites-moi confiance. À tout à l'heure.

Willy ne perdit pas un instant. Il se dirigea aussitôt vers Charron qui entamait un autre verre de ce délicieux cognac qu'il venait de découvrir, pendant que Clara Manning quittait l'hôtel Royal avec un soulagement évident.

— Gériboire ! s'exclama Charron lorsqu'il vit Jobin s'approcher. Si c'est pas le gars à qui je dois au moins un whisky depuis des années. Ou ben un cognac, si on tient compte des intérêts !

— Non, il y a autre chose qui me ferait ben plus plaisir que ça, Charron, lui dit Willy en se gardant d'être entendu par les autres.

— Pas encore ta gériboire de bière ?

— Ben non, écoute ! Il y a une dame qui m'attend impatiemment dehors. J'aurais besoin de toi pour faire une petite diversion, juste le temps que je sorte à mon tour sans être vu.

Charron jeta un coup d'œil à l'endroit où se tenait Clara Manning quelques secondes plus tôt. Il comprit tout de suite la situation.

— Je vais faire ça pour toi, mon Jobin. Mais dis-toi ben qu'après ça, je te devrai plus rien, mon gériboire !

— D'accord ! Je le savais ben que tu m'aiderais. Merci beaucoup, Charron.

Le bonhomme poussa son verre à demi plein sur le comptoir face à Willy, pour qu'il paraisse occupé à le siroter. Il se dirigea ensuite rapidement vers les musiciens qui s'apprêtaient à jouer un nouvel air de danse.

— Wo ! rugit-il, les deux bras levés bien droit au dessus de sa tête pour attirer l'attention de tout le monde. On a entendu toutes sortes de beaux morceaux de musique, à venir jusqu'à cette heure. Ben là, gériboire, je pense qu'il serait grand temps d'y aller d'une bonne vieille gigue !

— Ouais ! approuvèrent plusieurs voix spontanément.

On se hâta de libérer le plancher de danse devant l'arrivée impromptue de l'impopulaire bonhomme mal rasé.

— Les musiciens, vous autres, jouez-moi quelque chose qui a de l'allure, ordonna Charron en se frottant les mains.

L'un des violonistes se pencha vers ses compagnons. Ils discutèrent un instant à voix basse afin de se concerter.

— Le *reel* du pendu ! annonça-t-il enfin en se tournant vers le public. Et en avant la musique !

Dès les premiers accords de cet air endiablé, Casimir Charron se lança dans une gigue frénétique, sautant, gesticulant, tournoyant, les pieds heurtant le plancher dans tous les sens, dans une chorégraphie improvisée qui laissa les spectateurs tout à fait éberlués. Les musiciens se donnaient à fond et le bonhomme ne ralentissait guère le rythme, dans son ahurissant manège. C'était à se demander qui, des uns ou de l'autre, allait manquer de souffle en premier. Dans la salle, où tous étaient entraînés par le rythme, certains frappaient des mains alors que d'autres cognaient le plancher du talon. Quand on acheva de jouer les derniers accords de ce *reel* mémorable, Charron termina sa folle gigue le visage en sueur, les deux bras en croix, une jambe tendue vers l'avant avec les orteils pointés vers le ciel, tout en émettant un retentissant pet d'une telle sonorité qu'on ne l'aurait pas cru possible. Au même moment, le photographe immortalisait la scène en illuminant la salle avec le flash de son appareil.

Si certains se mirent à rire et à applaudir immédiatement, quelques distinguées dames attablées aux alentours furent outrées par cet écart de conduite. Elles se raidirent, affectant un air vexé, et murmurèrent entre elles des commentaires désapprobateurs. De son côté, le vicaire Régimbald se signa à la hâte. Il s'était vainement imaginé pouvoir chasser par ce geste les pensées injurieuses qui déferlaient en cascades dans son esprit. À vrai dire, le plus à plaindre fut sans contredit l'accordéoniste qui, assis à proximité du bonhomme, en prit pour son rhume ce soir-là.

Willy Jobin avait profité de la gigue à Charron pour se glisser dehors sans se faire remarquer. Presque en courant, jetant de temps à autre un coup d'œil par-dessus son épaule, il rejoignit la belle Clara à l'endroit convenu.

— Vous m'étonnez, reconnut-elle. J'aurais pas imaginé que vous réussiriez à vous sortir de là en si peu de temps.

— Sous-estimez jamais un petit soldat comme moi, répliqua-t-il satisfait de son coup. Il en faut plus que ça pour m'arrêter.

— Vous craignez pas d'avoir des regrets ? lui demanda la jolie serveuse. Vous sauver au beau milieu d'une fête donnée en votre honneur !

— Heureusement que Gabardine y est toujours, soupesa Willy après une courte réflexion. Pour le reste, ce qui me peine le plus, c'est d'avoir manqué la gigue que Charron commençait à peine quand je suis parti.

— Ah! C'était donc ça, votre astuce. Soyez sans crainte, Jobin. Demain, toute la ville se fera un plaisir de vous raconter les exploits de Charron dans leurs moindres détails.

— C'est à peu près la seule chose qui soit demeurée inchangée, icitte, se désola-t-il.

— Il y a des choses qui changeront jamais. Allez, marchons avant d'être aperçus.

Clara prit Willy Jobin par le bras et l'entraîna doucement le long de la rue principale. L'obscurité engloutit lentement leurs silhouettes enlacées. Ils s'enfoncèrent dans cette noirceur avec des petits rires complices, laissant les notes d'un *reel* entraînant se perdre avec eux dans la nuit étoilée.

À l'intérieur du Royal, Charron avait si bien réussi son effet que personne n'avait constaté immédiatement l'absence de Willy Jobin. Même les plus scandalisées des dames se mettaient à rire entre elles en se remémorant toute la gigue. En fait, le bonhomme alimentait toutes les conversations et tous finirent par admettre qu'il s'agissait bien là des agissements de Casimir Charron à son meilleur. Retournant s'asseoir en sueur, il avait d'abord fait mine d'aller féliciter Gabardine et lui avait rapidement glissé un message à l'oreille.

— Jobin est parti avec une fille. Si on te pose des questions, tu diras qu'il est allé se coucher parce qu'il était fatigué. C'est beau ! termina Charron à haute voix.

Il lui asséna en même temps une grande tape sur l'épaule qui faillit bien faire étouffer Gabardine. La fête se poursuivit pendant un long moment avant que plusieurs personnes, sans doute encouragées par le départ de Jobin ou gagnées par le sommeil, ne délaissent également le Royal, les paupières lourdes, les jambes endolories, la voix éraillée mais le sourire accroché aux lèvres.

* * *

Au réveil, Grouard avait retrouvé son train-train coutumier. Les anciens résidants, revenus pour l'occasion, s'apprêtaient à repartir vers leur domicile non sans avoir salué parents et amis. Les Corbeil et le docteur Gauthier étaient de ceux-là. Ils prenaient le petit déjeuner chez les Boulanger en discutant avec intérêt de la dernière soirée.

— Damné Charron ! On dira ben ce qu'on voudra, il trouve toujours le moyen de faire parler de lui, le bonhomme, leur rappela Honoré. Sans compter le vicaire Régimbald ! Il a pas eu trop de succès avec son discours, celui-là. Tout le monde lui dormait dans la face.

— Ben non ! C'est Jobin qui faisait semblant de dormir, rectifia Antoinette. Toi, tu t'imagines toujours toutes sortes d'affaires.

— N'empêche que j'aurais fait pareil, moi itou, reprit Honoré. En parlant de Jobin, il est donc ben parti de bonne heure, hier soir. J'ai même pas pu le saluer.

— Pas étonnant ! Il doit être fatigué après tout ce qu'il a vécu, estima le docteur Gauthier. Si l'on tient compte également de la durée de son voyage de retour, on peut comprendre qu'il ait besoin de repos. À mon avis, il devrait en avoir encore pour quelques semaines avant d'être au sommet de sa forme.

Le médecin se garda bien de dévoiler le fond de sa pensée. Il avait aperçu le matelot du coin de l'œil, discutant avec la jolie Clara.

— Moi, j'ai trouvé que Gabardine avait ben changé, pis pas juste physiquement, raconta à son tour Joseph-Omer. Il est devenu plus sérieux, il parle moins qu'avant. Même que des fois, on dirait qu'il est comme dans la lune.

— Ah... Veux-tu dire qu'il était pas un petit peu comme ça dans le temps qu'il travaillait pour toi ? lui demanda Honoré sourire en coin.

— Oui ! Mais pas autant que ça, Jupiter !

— En tout cas, madame Duchesneau m'a confié que sa blessure de guerre le faisait encore souffrir les jours de mauvais temps, ajouta Florida pour se mêler à la conversation.

— La guerre laisse toujours des blessures derrière elle. C'est parfois celles qui sont invisibles qui sont les plus difficiles à endurer, pensa tout haut Laurent Gauthier. Sur ce, mes amis, n'allez pas croire que je m'ennuie, mais la route est longue jusqu'à Edmonton. Je dois donc vous quitter. Il faut dire aussi que j'ai bien hâte de retrouver ma chère Blanche, qui m'attend patiemment à la maison.

— Ouais... C'est vrai que la route peut paraître longue dans ce temps-là, approuva Joseph-Omer l'air taquin.

— Tu la salueras de notre part, mon frère, en attendant qu'on puisse vous rendre une petite visite, enchaîna Florida. J'espère qu'elle va toujours bien ?

— Absolument ! Elle est tout à fait rayonnante ces jours-ci. Oh ! Peut-être un petit peu de fatigue à cause de ses nombreuses activités. Vous la connaissez, elle essaie toujours de me faciliter la vie et de s'intéresser à mon travail. Que ce soit en mettant de l'ordre dans la paperasse de mon bureau, ce qui n'est pas une mince tâche en soi, ou encore en effectuant plusieurs visites charitables à l'hôpital. Elle n'a pas perdu cette bonne habitude depuis qu'elle a quitté le couvent. Sans oublier qu'elle signe toujours sa chronique hebdomadaire dans le journal *Le Canadien Français*, celui-là même que je vous fais parvenir régulièrement.

— Rayonnante ! Joseph-Omer m'a jamais fait ce genre de compliment, fit mine de déplorer Florida.

Elle avait tellement été impressionnée par la toute première phrase de son frère que ce mot résonnait encore à ses oreilles.

— Mon mari non plus, si ça peut te consoler, pouffa Antoinette en lui lançant un clin d'œil complice.

— Bon ! dit Honoré en se levant de sa chaise. Nous autres aussi, il est temps qu'on y aille. On a tout dit ce qu'on avait à dire, hein'toinette ?

— Ouais... J'imagine que la rayonnante, ça sera pour une autre fois, lui répondit-elle.

Elle se leva de table en continuant de pouffer de rire tout autant que Florida qui essuyait une larme furtive.

D'autres nous quittent

— Ahhhhh!

Gabardine se redressa vivement dans son lit, le visage en sueur. Il tenta de chasser d'une main des êtres invisibles qui paraissaient le menacer. Dans le lit près du sien, une forme recroquevillée sous les couvertures indiquait la présence de son petit frère, Rodrigue. Au rez-de-chaussée, madame Duchesneau enfila sa robe de chambre et alluma une ampoule électrique. Elle monta ensuite précipitamment l'escalier jusqu'à la chambre des garçons.

— Jean-Marie? C'est toi qui as crié comme ça?

Gabardine haletait encore, assis dans son lit. Il regardait autour de lui, reprenant conscience de l'endroit où il se trouvait.

— J'ai peur, maman! appela Pamela de la chambre voisine.

— C'est rien, Pamela! C'était juste un mauvais rêve! la rassura sa mère.

— Ils voulaient tous me tuer avec des carabines pis des couteaux. Il y avait du sang partout qui coulait de leur bouche. Je pataugeais dedans jusqu'aux genoux, ohhh...

— J'ai peur, maman! reprit Pamela de l'autre côté du mur avec plus d'insistance.

— Ça sera pas long, je vais aller te border dans une minute! Bon, Jean-Marie, ça va? Calme-toi un peu, là, lui dit doucement madame Duchesneau. Tu es en sécurité icitte, il y a rien qui puisse te faire du mal. Essaie de te rendormir, c'est fini tout ça.

Gabardine se rallongea dans son lit et madame Duchesneau lui essuya le front avec sa main.

— Voilà. Pis toi, Rodrigue, tu devrais te sortir le nez d'en dessous de ta couverture avant d'étouffer, dit-elle.

— Deux doigts pratiquèrent un petit orifice dans les replis de la couverture pour permettre à un visage invisible de respirer.

— Maman! appela encore la jeune fille de l'autre côté de la cloison.

— Oui, oui, Pamela! Moi aussi je veux dormir, Seigneur!

Lorsque les membres de la famille Duchesneau se levèrent et prirent le petit déjeuner, ils avaient tous les traits tirés à cause de cette mauvaise nuit. Ils évitèrent de parler du cauchemar de Jean-Marie et se contentèrent de bâiller à tour de rôle pour chasser la fatigue.

— Je pense qu'on va avoir de la visite cette semaine, dit madame Duchesneau en déposant une crêpe dans l'assiette en étain de son fils aîné.

— Ah oui? Qui ça? l'interrogea Gabardine intrigué.

— Le grand Tommy.

— Tommy Bradford? En quel honneur? Il est pas venu icitte depuis que papa était encore en vie.

— J'imagine que ce sera en ton honneur. Il a pas pu venir à la grande fête pis il tenait à te saluer, répondit sa mère.

— C'est quoi encore, cette idée-là? C'est pas nécessaire que tout le monde me salue. D'après moi, maman, il viendra ben plus pour vous voir que pour me saluer.

Pamela pouffa de rire et regarda Rodrigue, qui essayait de rire sans trop comprendre, trop absorbé qu'il était par sa bouchée de crêpe.

— Je crois que Pam est de mon avis, ajouta Gabardine en faisant un clin d'œil à sa petite sœur.

— Il m'a dit lui-même qu'il voulait te voir en personne, se défendit madame Duchesneau. Je pouvais pas lui refuser ça.

— Ouais ben, je trouve qu'il y a quand même anguille sous roche, dit Gabardine en constatant l'air embarrassé de sa mère.

— C'est un hôtelier, lui, grogna Rodrigue en s'essuyant le menton du revers de la main.

— Il y a pas de sot métier, mon petit bonhomme, lui enseigna son grand frère. Tommy a jamais fait de mal à personne. Il y en a des biens pires que lui. Ça va me faire plaisir de le rencontrer pis maman pourra le revoir aussi souvent qu'elle voudra. Après tout, on est plus des bébés. Pas vrai, Rodrigue ?

— Oui, chef !

— Il faut pas oublier qu'il nous a ben aidés, dans le temps, ajouta madame Duchesneau.

— Oh ! Oh... Si maman penche du côté de Jean-Marie, ça veut peut-être dire que le grand Tommy viendra souvent faire son petit tour, en déduisit Pamela.

* * *

Lorsque le docteur Gauthier rentra chez lui, il ne retrouva pas la femme rayonnante qu'il avait décrite à sa sœur. Il l'avait pourtant laissée en bonne santé à son départ. D'accord, elle souffrait d'un peu de surmenage, mais rien de plus. Voici qu'elle l'accueillait grippée, abattue et fiévreuse sur le seuil de sa porte.

— Je l'avais pourtant suppliée de demeurer au lit, Monsieur, se désola mademoiselle Ursule.

Cette vieille fille aux cheveux argentés était employée comme bonne à plein temps dans leur grande résidence située au cœur du quartier français.

— Allons, Ursule ! Ces choses-là ne se font pas quand votre mari revient d'une absence de quelques jours, s'objecta Blanche entre deux accès de toux.

— C'est la santé qui devrait passer en premier, Madame, soutint fermement leur bonne.

— Tu as fait un bon voyage, Laurent ?

— Oui, très bon. Cependant, mademoiselle Ursule a raison, affirma le docteur Gauthier. Il faut que tu te reposes si tu veux te rétablir rapidement. Je vais te faire prendre un excellent sirop pour soulager cette vilaine toux. Quant à vous, Ursule, préparez donc un bouillon de poulet bien chaud. Ça lui redonnera de l'énergie.

— Oui, Monsieur, acquiesça la demoiselle en retournant vers la cuisine.

— J'en ai pris, du sirop et je n'ai pas faim, se lamenta Blanche appuyée contre le mur.

— Pas de discussion et au lit, lui ordonna son mari. Laisse-nous le soin de nous occuper de toi, maintenant.

Blanche retourna lentement à sa chambre, supportée par le bras de Laurent. Elle se laissa choir lourdement sur son lit. Le simple fait de s'être tenue debout pendant quelques minutes semblait l'avoir épuisée. Son mari prit sa température, l'ausculta, examina sa gorge et l'intérieur de ses oreilles. Il repartit ensuite se laver vigoureusement les mains au lavabo de la cuisine, pendant que mademoiselle Ursule se pressait à préparer le bouillon de poulet à ses côtés.

— Dites-moi, Ursule. Quand avez-vous remarqué les premiers symptômes de la grippe chez Blanche ? l'interrogea-t-il.

— Hier après-midi, Monsieur, au retour de sa visite à l'hôpital. Elle avait mal à la tête et à la gorge. Elle a commencé à tousser un peu en soirée et elle s'est couchée tôt. Elle croyait qu'elle serait mieux ce matin. Malheureusement, au matin, c'était bien pire qu'hier. On aurait dit que plus la journée avançait et plus son état empirait. Vous croyez que c'est grave, Monsieur ?

— Je lui avais pourtant dit de se tenir loin de l'hôpital ces temps-ci, et même de sortir le moins possible. À partir de maintenant, Ursule, je vous interdis de vous approcher de sa chambre. J'irai moi-même lui porter ses repas et je ferai de mon mieux pour l'aider à faire sa toilette, décréta le docteur Gauthier.

— Mais pourquoi, Monsieur ? Elle a bien le droit de sortir un peu. Après tout, elle n'a attrapé qu'un rhume. Je ne vous comprends pas ! protesta la vieille bonne.

— Je ne fais pas ça pour la punir, Ursule. À la vitesse avec laquelle l'infection progresse, nous avons affaire à bien plus qu'un simple rhume. Je téléphone tout de suite à un collègue pour lui demander son avis. Mon ami Morrison est le spécialiste de ces cas-là.

Laurent alla décrocher le combiné posé sur un petit meuble à l'entrée du salon et signala le numéro du docteur Morrison. Mademoiselle Ursule ne le lâcha pas des yeux en se tenant à une distance respectueuse. Laurent attendit quelques secondes, puis parla en faisant quelques gestes. Il attendit encore, regarda sa montre et parut remercier son interlocuteur avant de raccrocher. Il revint ensuite lentement vers sa bonne, l'air soucieux.

— Et puis, Monsieur ?

— Morrison partage mon opinion, selon les symptômes que je lui ai décrits, répondit le docteur Gauthier à voix basse. Je crains que Blanche ne soit atteinte de la grippe espagnole.

— Seigneur Jésus ! Ça m'a traversé l'esprit, l'espace d'un instant, se désola la servante visiblement secouée. Je me disais tout de même que cette malédiction ne pouvait pas entrer dans la maison d'un médecin réputé comme vous.

— La grippe espagnole... soupira-t-il longuement en secouant la tête. Elle ne choisit pas sur qui elle va s'abattre. Tout ce qu'on en sait, c'est qu'elle est très contagieuse. Alors, tenez-vous éloignée de Blanche et, pendant que vous y êtes, lavez-vous les mains aussi souvent que vous le pouvez. J'aurais souhaité la faire hospitaliser immédiatement, mais ils sont débordés à l'hôpital avec un tas de nouveaux cas de grippe qui ne cessent de se déclarer. Il n'y a que le repos qu'on puisse conseiller comme remède. Sapristi ! Du repos, elle en manquait déjà avant de tomber malade ! la plaignit son mari le cœur serré.

Le docteur Gauthier alla chercher sa trousse, qu'il avait abandonnée à l'entrée de la cuisine, et il la déposa sur la table de la salle à manger. Il en sortit deux masques chirurgicaux et tendit le premier à sa bonne.

— À partir de maintenant, vous devrez porter ça en tout temps dans la maison. À la seule exception de votre chambre où vous pourrez l'enlever pour dormir.

— Vous n'y pensez pas, Monsieur ? s'y refusa mademoiselle Ursule.

— C'est de votre vie qu'il s'agit, Ursule, insista Laurent avec conviction.

Il appliqua soigneusement l'autre masque contre son visage, puis, les mains anormalement tremblotantes pour un chirurgien, il apporta le plateau contenant le bouillon de poulet et une tasse de thé chaud à sa femme. De la cuisine, on pouvait entendre celle-ci tousser péniblement dans la grande chambre située au bout du corridor.

— Dieu du ciel ! J'espère que tu n'as pas l'intention de m'opérer, Laurent ? essaya de plaisanter Blanche lorsqu'elle le vit entrer avec son masque et ses gants chirurgicaux.

— Bien sûr que non, chérie. En tant que médecin, c'est de mon devoir d'éviter la contagion. Tiens, essaie d'avaler ce que t'a gentiment préparé mademoiselle Ursule.

Blanche s'adossa à la tête de son lit, repoussant sur ses jambes l'édredon de soie doré qui la recouvrait jusqu'à la taille. Elle avala quelques cuillerées de bouillon, sans appétit, pendant que Laurent l'observait en silence. Quand Blanche eut fini d'ingurgiter péniblement tout ce qu'elle se sentait capable de prendre, elle se laissa glisser lentement sur son oreiller.

— Je me sens tellement faible. C'est sérieux, n'est-ce pas Laurent ? Sinon, tu ne serais pas accoutré comme ça, lui dit-elle.

— Oui, c'est sérieux. C'est... C'est une très vilaine grippe, se força-t-il à répondre, sans la regarder. Il enveloppa précautionneusement la cuillère à soupe dans un linge de coton propre en se sentant observé par sa femme.

— Une vilaine grippe ? Tu veux dire: la vilaine grippe espagnole, en déduisit Blanche. On ne parle que de ça partout, ces temps-ci.

Ne sachant que répondre, Laurent prit doucement le plateau et se releva la tête basse.

— Je m'en doutais, reprit-elle. Tous les journaux d'Edmonton en font leurs manchettes. Chaque jour, il y a de nouveaux cas qui apparaissent. Ça m'a foudroyée quelques heures après une très courte visite à l'hôpital. Je voulais simplement apporter la poupée que j'avais promise à une toute petite fille qui se meurt lentement. J'aurais dû t'écouter et me tenir loin de tout ça. Je suis désolée, Laurent. Tu crois que mon étourderie pourrait me condamner ?

— Ne sois pas si alarmiste, Blanche. Ce n'est pas aujourd'hui qu'une damnée grippe va nous empêcher de faire notre vie. Espagnole ou pas, il y en a beaucoup qui en réchappent.

— Et beaucoup qui en meurent, dit-elle, comme si elle lisait dans les pensées de son mari. Tu sais bien que je n'ai jamais été très forte. Je sens que c'est grave, je ne sais pas comment je réussirai à passer au travers.

— Avec ta volonté, ma chérie, cette force que j'ai toujours reconnue en toi. Allons, ne te laisse pas entraîner par des idées négatives. Tu t'en sortiras.

Blanche se remit à tousser violemment, remplissant la pièce d'un son rauque, comme si elle allait étouffer. Ensuite elle se frotta légèrement la gorge et la poitrine qui la faisaient tant souffrir.

— Je vais combattre de toutes mes forces, Laurent, comme l'ont fait ces braves soldats que tu as fêtés à Grouard.

— Oublions cette fête, j'aurais mieux fait d'être ici, avec toi. Tu dois te reposer, maintenant. C'est un ordre du médecin, dit-il avec un sourire attristé.

Tard en soirée, constatant que l'état de Blanche s'aggravait encore, le docteur Gauthier exerça toute son influence pour faire transporter sa femme à l'hôpital. De là, après avoir fait les cent pas, il téléphona à monsieur et madame Favreau pour les aviser.

— Qu'est-ce que vous dites, Laurent ? Pas ma petite Blanche qui a attrapé la grippe espagnole ! Ce n'est pas vrai ? refusa d'y croire sa mère bouleversée.

— Je viens de la faire transporter à l'hôpital, Madame Favreau. Elle ne va pas bien.

— Paul-Henri ! Laurent dit que Blanche a la grippe… C'est sérieux, Laurent ?

— Oui, malheureusement, répondit-il affligé.

Il y eut un boum à l'autre bout du fil, suivi d'un silence, avant que monsieur Favreau ne prenne la communication.

— Laurent ? C'est Paul-Henri. Écoutez, pouvez-vous me rappeler dans quelques minutes pour m'expliquer ce qui se passe ? Parce que là, Donatienne vient de perdre connaissance.

— Désolé, Monsieur Favreau. Mettez-lui une serviette d'eau froide sur le front. Je vous rappelle dans dix minutes.

Le docteur Gauthier communiqua aussi l'information à sa sœur Florida ainsi qu'à son frère Léon, à Edmonton. Il savait que la journée du lendemain serait déterminante. Pour la nuit, il décida de se caler au fond d'un fauteuil au pied du lit de son épouse. Les heures s'égrenèrent peu à peu à observer sa femme dormir d'un sommeil agité, sans qu'il réussisse lui-même à fermer l'œil tant l'inquiétude le rongeait.

Le matin suivant n'apporta aucune amélioration, ni vraiment de détérioration, dans la condition de Blanche. Le docteur Morrison, en service, remarqua comme tout le monde les traits tirés de Laurent et il réussit à le convaincre d'aller dormir un peu chez lui. Il s'engagea à le rappeler sans faute en cas de nécessité. Monsieur et madame Favreau accoururent pour prendre la relève au chevet de leur fille jusqu'à son retour en fin d'après-midi. Les Favreau étaient méconnaissables, enveloppés dans les costumes blancs de l'hôpital, les cheveux enfouis dans un bonnet et un masque stérile solidement collé à leur visage.

— Blanche, c'est maman…

— Maman… Papa… Je me sens mal. Est-ce que je vais mourir ? demanda faiblement Blanche.

Monsieur Favreau baissa la tête et deux larmes échappèrent à son flegme. Il serra les lèvres et ravala ses émotions.

— Non, Blanche, tu ne mourras pas, répondit madame Favreau. Ma grande fille que j'aime tant, tu n'as pas le droit. Nous allons t'aider, tu verras, ça ira mieux.

Madame Favreau prit affectueusement la main de sa fille dans la sienne.

— Je me sens si faible, maman. Et il y a cette toux…

Blanche avait à peine prononcé ces mots qu'elle fut secouée d'un nouvel accès de toux.

— Ça finira bien par passer, lui dit sa mère avec un peu d'affolement dans la voix. Économise tes forces, c'est de repos que tu as besoin.

— Maman, papa, je vous aime.

— Nous aussi, Blanche, on t'aime beaucoup, réussit à dire son père avant de fondre en larmes.

Quand le docteur Gauthier revint à l'hôpital, le docteur Morrison le tira à l'écart pour lui dresser un tableau de la situation.

— Les nouvelles ne sont pas bonnes, Laurent.

— Explique-toi.

Le docteur Morrison soupira et lui résuma la condition de la malade.

— Tu sais autant que moi, Laurent, qu'on ne peut pas faire beaucoup plus. Elle doit tenir le coup et laisser agir son système immunitaire.

— Merci, Morrison, je sais que tu fais l'impossible, dit Laurent en lui serrant la main. Je vais aller la retrouver, maintenant. Peut-être que le vent tournera et qu'elle prendra du mieux. On a déjà vu ça des miracles, tous les deux.

— Je vous le souhaite sincèrement, sympathisa le docteur Morrison.

Quand Laurent pénétra dans la petite chambre isolée, il ne put que constater à quel point la maladie avait à nouveau étendu son emprise pendant les quelques heures de repos qu'il s'était allouées. La respiration de Blanche ressemblait maintenant davantage à un râlement, entrecoupé de temps à autre d'une toux sèche qui la faisait suffoquer chaque fois que cela la prenait. Ses yeux étaient méconnaissables. L'éclat vif qui les avait toujours caractérisés s'était amenuisé considérablement. À cela s'ajoutait un teint blafard qui ne présageait rien de bon. Blanche était maintenant devenue moribonde et elle avait de longues phases d'inconscience. Elle s'éveillait lorsque lui prenait cette toux creuse qui lui déchirait la poitrine. Alors, elle se mettait à penser, paniquée, sans pouvoir bouger.

« Je vais peut-être mourir, malgré tout ce qu'ils peuvent bien me dire. Si ce n'était que de perdre ma vie, je l'accepterais. Mais je vais perdre Laurent du même coup et ça, je ne peux l'accepter. Mon Dieu, tiens-tu donc à me punir d'être sortie de chez tes Sœurs ? Hein ? Pourquoi, sinon ? »

Ces moments de conscience s'espaçaient de plus en plus. Avant que la nuit ne tombe, Blanche s'éveilla à nouveau et sembla plus agitée. Elle enleva son masque à oxygène et appela son mari qui se tenait debout tout près du lit. Il s'accrochait au moindre espoir quand survenaient de rares minutes de lucidité. Il chassait alors la rage qu'il éprouvait d'assister ainsi à cette mort presque inévitable de sa femme. Lui, pourtant un médecin réputé, impuissant devant cette maladie dévastatrice.

— Laurent... Laurent... je n'ai plus... la force... de combattre. La vie... me quitte, souffla Blanche péniblement.

— Ne dis pas ça, ma chérie. Tu peux encore y arriver. Conserve ton énergie, l'implora son mari en lui prenant la main.

— Non... Mon temps... s'achève... Je... le sens, reprit-elle en entrecoupant ses mots. Je veux... te dire que... je t'ai toujours... aimé. Depuis... le début. Tu m'as donné... mes plus belles... années.

— Je t'aime aussi Blanche, ma chérie. Je t'adore ! Il ne faut pas que tu me quittes, s'affola le docteur Gauthier en pressant sa main dans la sienne. Comment pourrais-je continuer à vivre sans toi ?

— Il y a... tant de malades... que tu peux... soigner. Ils ont... besoin... de toi. Ne les... laisse... pas tomber.

— Je t'en prie, résiste encore. Il le faut, implora le docteur Gaurhier.

— Laurent... elle est...là !

— Quoi ? Qui ça ?

— La... petite fille... avec... la poupée, acheva Blanche dans un dernier souffle.

Laurent sentit la pression de la main de Blanche se relâcher doucement dans sa paume, pendant qu'elle fermait à demi les yeux. Sa respiration difficile s'arrêta dans un léger râlement à peine audible. En une seconde, il n'y eut plus là qu'un corps inerte où s'était trouvé, l'instant d'avant, l'amour de sa vie. Pris de sanglots, Laurent porta la main de sa femme à son front, puis à sa joue où ruisselait sa peine. Se trouvant incapable d'appeler quelqu'un pour constater le décès avec lui, il alla à la fenêtre. Il regarda à l'extérieur, au travers des larmes qui embuaient ses yeux. Les dernières lueurs du jour coloraient le ciel au-dessus des arbres et des toits avoisinants pendant que deux hirondelles, volant à toute allure, se pourchassaient l'une l'autre dans la faible lumière du couchant.

* * *

La grande tueuse que fut cette grippe légendaire ne faucha pas que la vie de Blanche. Elle tua des millions de personnes à travers le monde au cours de ces années-là. Néanmoins, l'état du monde ne préoccupait pas vraiment Laurent Gauthier en ce moment. Ses pensées revenaient sans cesse vers son épouse disparue et il erra plusieurs jours dans sa grande maison déserte après les funérailles. Il mit la main sur un petit article paru dans le journal *L'Union*, qui louangeait la regrettée chroniqueuse du *Canadien Français*. L'hommage funèbre était signé Galibois. Laurent froissa le journal, qu'il lança en une grosse boulette dans un coin du salon. Il attrapa une bouteille de bourbon dans la petite armoire vitrée et il but avec excès.

On frappa à sa porte le lendemain, en fin de matinée. Laurent, allongé sur le divan, se sentait incapable de se lever pour aller ouvrir. Les coups de heurtoir, répétés bruyamment, insistaient pourtant pour qu'il le fasse.

— Ouais ! finit-il par lâcher pour mettre fin à ce tapage insupportable.

Il se leva en déséquilibre, et posa une main sur son front. Il se dirigea ensuite vers la porte, clopin-clopant, en jurant contre ce casse-pieds. Il ouvrit la porte au visiteur qui tenait une boîte en carton dans ses bras. Celui-ci resta sans voix. Le docteur Gauthier était méconnaissable, avec ses cheveux en bataille et sa barbe de trois jours. Il avait les yeux rougis par les larmes, la fatigue et l'alcool, et sa chemise froissée à demi déboutonnée lui donnait un air de clochard. Pour abasourdir encore davantage son visiteur, il dégageait une haleine fétide qui semblait aspirer tout l'air frais autour de lui.

— Honoré ? Qu'est-ce que vous voulez ? s'étonna Laurent.

— Ben… Je pensais faire un bon coup en venant vous visiter, pis en vous apportant un peu de mangeaille, qu'Antoinette a préparée pour vous. Mais j'ai peut-être pas choisi le bon moment, à ce que je vois.

— Entrez. Il n'y en a plus, de bons moments, déclara le docteur Gauthier.

— La soirée a pas été facile, Docteur ?

— Hein ? Non. J'ai mal dormi.

— Dans ce cas-là, j'ai dans ma boîte de quoi vous remettre sur pied. Venez voir ça, dit Honoré en se dirigeant directement vers la cuisine.

— Quoi ? essaya de comprendre Laurent en le suivant péniblement.

Le menuisier éparpilla sur la table le contenu de sa boîte et en fit l'énumération.

— J'ai deux pâtés à la viande, une tarte aux raisins, pis un beau gros morceau de rôti de porc que vous seriez mieux de mettre dans votre glacière au plus vite. J'ai pas apporté de patates, par contre. Antoinette m'a dit que vous en auriez sûrement. Et pour couronner le tout, tadam ! Un beau pot de betteraves de l'année passée. Elles sont encore ben bonnes. Antoinette a le tour de sceller ses pots comme il faut. En avez-vous, des patates ?

— Des patates ? Oui, j'imagine qu'il doit m'en rester. C'est Ursule qui s'occupait de tout ça, mais elle est partie le lendemain du décès de Blanche. Pourquoi m'apportez-vous toute cette nourriture ? demanda le docteur Gauthier éberlué.

— Antoinette pis moi, on s'est dit qu'un bon repas à la maison, ça vous ferait du bien après tout ce que vous avez vécu. Un estomac vide, ça donne pas des idées claires. Je vous avoue que ça me gênait un petit peu d'arriver icitte comme un cheveu sur la soupe, mais là je pense que j'ai ben fait de venir vous voir.

— Pourquoi ? questionna encore Laurent. Je ne suis pas malade.

— Vous êtes peut-être pas malade, mais ça paraît quand même que vous avez bu pis que vous prenez pas soin de vous, par exemple, le réprimanda Honoré.

— C'est mon affaire, rétorqua Laurent, contrarié.

— La mienne, c'est de m'arranger pour que vous vous repla-ciez. Un médecin, c'est trop important pour se laisser aller comme ça. Vous allez commencer par faire un brin de toilette, ensuite on va manger. Où est-ce que vous mettez vos patates, Docteur ?

— Au sous-sol, j'y vais.

— Non, non. Je m'en occupe. Vous, c'est dans le bain qu'il faut que vous sautiez.

— Euh... d'accord, obtempéra finalement Laurent.

Lorsque Laurent Gauthier revint à la cuisine, il était complè-tement transformé. Honoré ne cacha pas sa satisfaction de le voir propre et bien vêtu, ni sa joie devant le repas qu'il venait de pré-parer.

— Ah ! Là, vous êtes comme on vous a toujours connu. J'ai fait chauffer le pâté à la viande d'Antoinette qu'on va manger avec nos betteraves pis vos patates. On va se régaler, Docteur ! Avez-vous faim ?

— Euh... pas vraiment.

— Ben, comme on dit, l'appétit vient en mangeant. Je suis ben placé pour le savoir. Assoyez-vous, je vous sers, dit Honoré qui salivait déjà.

Même s'il n'avait pas très faim, le docteur Gauthier dut reconnaître que c'était bon. De plus, le fait de manger lui replaçait un peu les sens. Cependant, il continuait à rêvasser en grignotant sa nourriture.

— Vous savez, si je perdais mon Antoinette, moi aussi je virerais sur le couvert, lui confia Honoré.

— Pardon ?

— Ben oui, je perdrais la boule !

— Ah ! Vous croyez que c'est ce qui m'arrive ? demanda Laurent.

— En tout cas, vous avez la tête ailleurs, c'est évident. Écoutez, on est tout seuls entre hommes, on peut ben se parler franchement. Ce que je voulais vous dire, c'est que je trouve ça normal d'être un peu perdu quand on vient de perdre sa femme. Je vous comprends, je serais probablement pire que vous, Docteur. Malgré tout, je sais qu'il faut pas se décourager non plus. Le temps replace ben des affaires.

— Je n'ai plus le goût de faire quoi que ce soit, Honoré. La vie me semble terne, insignifiante. C'est comme s'il y avait un grand vide devant moi, lui avoua Laurent en déposant sa fourchette.

— C'est certain que ça doit pas être facile. Il faut quand même que vous restiez digne, Docteur. Il faut continuer à travailler, au moins par respect pour votre femme qui vous admirait. Si vous vous mettez à prendre un coup, c'est pas ça qui va arranger les choses.

— Vous avez sûrement raison, Honoré. Je devrai éviter les abus d'alcool à l'avenir. Vous réussissez à m'en convaincre tout autant que ce mal de tête qui me darde atrocement. Travailler, aider les autres, c'était le souhait de Blanche, pour ne pas dire sa vie. Eh bien ! je me retrousserai les manches puisqu'il le faut, se résigna le docteur Gauthier. Merci, Honoré, de me parler avec votre franchise habituelle. C'est apprécié.

— Il y a pas de quoi, Docteur. C'est ben la moindre des choses, entre amis. Vous avez pas fini votre assiette. Mangez, mangez ! Voulez-vous encore des patates ?

— Non, merci ! Plus de patates.

* * *

Joseph-Omer et Florida ne s'étaient pas attardés à Edmonton après les funérailles de Blanche. La sœur de Laurent aurait pourtant souhaité rester un peu plus longtemps, pour lui apporter le soutien et le réconfort dont il avait besoin. Toutefois, la grippe espagnole effrayait tout le monde. On évitait donc, dans la mesure du possible, de se retrouver là où on savait qu'elle s'était déclarée. Les rues d'Edmonton habituellement animées paraissaient désertes le temps que dura l'épidémie. Ceux qui s'y aventuraient par obligation portaient souvent un masque hygiénique comme mesure de précaution.

De retour chez elle, Florida se sentait consternée d'avoir perdu sa belle-sœur, sa nouvelle amie. Elle n'arrivait pas à comprendre comment on pouvait passer aussi soudainement des moments d'euphorie, comme lors de la fête aux soldats, à d'autres d'une telle tristesse. Aux alentours, tous ceux à Grouard qui avaient connu Blanche furent profondément peinés d'apprendre son décès. Au couvent, les religieuses se retirèrent dans la prière. Même la grande sœur Gertrude s'en trouva attristée et ne fut plus tout à fait la même par la suite.

Florida partageait son chagrin avec les résidants, à la différence qu'elle s'inquiétait également pour son frère.

— Je me sens tellement mal, Joseph-Omer, qu'on soit même pas restés à Edmonton avec Laurent. Je suis certaine qu'il a besoin de moi, se plaignit-elle une fois de plus à son mari.

— Je le sais ben, Florida. On en a déjà parlé ! Il faut penser à protéger notre famille. C'est pas le temps d'aller attraper cette cochonnerie de grippe-là. C'est trop dangereux ! On va retourner voir ton frère aussitôt que ce sera possible. Ça, je peux te le garantir.

— Seigneur... On dirait que le malheur arrête pas de nous tomber dessus, se lamenta Florida en essuyant une larme.

Elle se retourna sur son oreiller, soupirant bruyamment toute sa peine.

— Ben non... Ben non... lui chuchota Joseph-Omer à l'oreille. Tu t'en fais trop avec ça.

Même s'il se voulait rassurant, le forgeron était tout aussi peiné et il éprouvait les mêmes inquiétudes que sa femme. Le sommeil lui fit défaut une bonne partie de la nuit et au petit matin, il avait pris une décision. Florida s'éveilla à son tour, un peu plus tard, et s'assit pensive sur le rebord se son lit.

« Blanche partie... J'arrive pas à y croire. Je me demande ben comment Laurent va réagir devant ça. Elle était toute sa vie, son grand amour. Seigneur, qu'il doit être malheureux ! En tout cas, ce qui est certain, c'est que mon frère a toujours été là pour moi quand les choses tournaient mal. Je devrais pas être icitte. C'est là-bas, auprès de lui, que je devrais être. »

— Florida ?

— Quoi, Joseph-Omer ? Tu dors pas ?

— Non. J'ai ben pensé à ton frère, cette nuit. Qu'est-ce que tu dirais si on demandait encore une fois à Pamela et à madame Duchesneau de garder les enfants, pis qu'on repartait pour Edmonton ?

— Oui ! s'exclama sa femme.

— À la condition qu'on s'apporte des masques comme ceux qu'on a vus là-bas, insista Joseph-Omer. Ils doivent sûrement en vendre à la clinique.

— Je vais aller les chercher dans le temps de le dire. En même temps, je vais arrêter chez les Duchesneau pour être certaine que ça les dérange pas, proposa Florida.

— Moi, je m'occupe du transport.

— On part pour combien de temps ? demanda Florida.

— Le temps qu'il faudra pour s'occuper de ton frère, répondit Joseph-Omer.

— Oui !

Vengeances

Pour les francophones de l'Ouest canadien, le début des années 1920 fut une période de tensions. Des sentiments anti-français avaient pris de l'ampleur puisque le Québec s'était opposé à la conscription au cours de la guerre, alors que les anglophones du Canada n'en avaient eu que pour la couronne britannique. Ce ressentiment se poursuivit au cours des années suivantes. Des petits groupes d'extrême droite, se regroupant à travers les Prairies, exaltaient ce fanatisme et contribuaient à le répandre parmi bon nombre de leurs compatriotes. À Grouard, comme dans plusieurs localités où le fait français avait son importance, les heurts survenaient souvent durant les réunions de commissions scolaires.

Dès 1892, l'Assemblée des Territoires du Nord-Ouest avait voulu faire de l'anglais, non seulement la seule langue de l'Assemblée législative, mais également la seule langue de l'enseignement. Cette année-là, on avait abrogé le droit des francophones d'administrer leurs écoles. Lors de la création de l'Alberta en 1905, l'anglais demeura la seule langue des débats et de l'enseignement. Les classes de français furent réduites aux première et deuxième années de fréquentation de l'école. Pour les autres années scolaires, on ne permettait qu'une demi-heure de français par jour, souvent pendant la dernière période de la journée.

Malgré tout, dans bien des endroits, on avait toujours quelque peu triché sur les heures accordées au français. La nouvelle réalité engendrée par le durcissement du contexte social allait pourtant changer la situation. Les Canadiens anglais qui avaient migré massivement vers les plaines de l'Ouest depuis la fin du 19e siècle y étaient maintenant bien implantés. Ils régnaient en maître et ne se souciaient guère des attentes des minorités ni de leurs antécédents historiques.

Le révérend James Matthewson avait invité l'ex-commerçant Gordon Donnelly à dîner. Il sentait depuis trop longtemps le besoin d'échanger quelques idées sur un sujet qui le préoccupait beaucoup. Ils conversèrent amicalement pendant le repas en compagnie de leurs épouses, puis ils se retirèrent seuls au salon où ils s'allumèrent un cigare fin.

— Mon cher Gordon, comment vous débrouillez-vous depuis que vous avez été élu au poste de président de la commission scolaire ? lui demanda le révérend.

— Ça va très bien. Nous avons de petites écoles ici, c'est bien moins difficile à administrer que ne l'était mon commerce.

— Ah bon, tant mieux pour vous, reprit le révérend. Pourtant, votre rôle ne devrait pas se limiter qu'à l'administration des dépenses scolaires.

— Que voulez-vous dire, James ? demanda l'ex-commerçant déconcerté.

— Vous devriez savoir que vos responsabilités sont beaucoup plus étendues que cela. Entre autres choses, vous avez l'obligation de vous assurer que les règlements et les lois provinciales sont respectés, précisa le révérend Matthewson.

— Je sais. Aurais-je manqué à mon devoir, selon vous ? interrogea Donnelly sur la défensive.

— Allons, Gordon, soyez franc. Vous savez très bien que dans votre école française, on enseigne dans cette langue presque toute la journée, au moins trois jours sur cinq. On est bien loin du respect des règles, vous ne trouvez pas ? l'accusa le révérend.

— Personne ne s'en est plaint. Les règles ne sont pas aussi strictes que vous le prétendez.

— Mon cher Gordon, ou vous êtes complètement aveugle, ou alors vous êtes totalement inconscient. Les gens grognent de plus en plus dans cette province contre ce genre de tolérance excessive. Attendez-vous qu'ils vous prennent à partie avant de réagir ?

— Non. Je croyais que les institutrices faisaient du bon travail avec les enfants, se défendit-il encore davantage.

— Voilà ! Vous reportez sur elles la responsabilité de cette situation. Or, nous savons que dans la chaîne institutionnelle, il y a les élèves, les professeurs, les directeurs d'école, ensuite vous et finalement le gouvernement. Celui-ci a déjà établi des règlements très stricts. Si vous ne voulez pas être mis en cause, Gordon, il ne vous reste qu'à frapper le plus haut possible dans votre champ de compétence, recommanda Matthewson.

— Hum… fit Donnelly perplexe.

— À moins que votre allégeance n'ait changé ? demanda astucieusement le révérend.

— Non. Je vous ai déjà appuyé par le passé et je le ferai encore. Faites-moi confiance, concéda Donnelly.

— Nous avons déjà réussi à chasser bon nombre de ces indésirables de notre localité. Il ne faut pas en rester là, sinon nos efforts auraient été inutiles, ajouta le prêtre.

— Malheureusement, ils n'ont pas tous été remplacés, James, le reprit Gordon Donnelly.

— Nous y verrons en temps et lieu, le rassura le pasteur Matthewson.

La petite communauté francophone de Grouard fut terriblement secouée lorsque le président de la commission scolaire, le commerçant retraité Gordon Donnelly, congédia le directeur de l'école primaire sans préavis. Selon l'information qu'il donna, il avait agi à la suite de plaintes sur le trop grand nombre d'heures enseignées en français dans son établissement. Il n'en fallut pas davantage pour que les francophones de la ville se mobilisent. Ils étaient déterminés à envahir la prochaine réunion des commissaires pour manifester leur désaccord.

Joseph-Omer, habituellement de nature modérée, fulmina lui aussi lorsqu'il apprit la nouvelle de la bouche de sa femme.

— Jupiter ! Aussi ben dire qu'ils veulent plus qu'on existe !

— Calme-toi un peu, Joseph-Omer. C'est juste le directeur d'école qu'ils mettent dehors. C'est pas tous les Canadiens français de Grouard, atténua Florida pour apaiser son mari.

— C'est pareil, Jupiter !

— Ben là, Joseph-Omer, t'es en train de virer fou.

— On a des droits, Florida, Jupiter de Jupiter ! Comment ça se fait que quand c'est à nous qu'on fait offense, ç'est jamais grave tout d'un coup ? Pis qu'on soit toujours obligés de se plier à leur volonté ? On l'a toujours ben fondé autant qu'eux autres, ce Jupiter de pays-là ! C'est rendu que nos enfants peuvent même plus avoir un minimum d'éducation en français. Tu trouves ça juste, toi ? s'impatienta-t-il.

— Juste ou pas juste, commence pas à aller crier partout des affaires de même ! Ça serait pas bon pour notre commerce qui en arrache déjà suffisamment comme c'est là, lui recommanda sévèrement Florida.

— En tout cas, ils vont toujours ben avoir de mes nouvelles à la prochaine assemblée de la commission scolaire, se promit Joseph-Omer.

Le petit Armand les écoutait, assis au bout de la table devant ses cahiers de devoirs. Il profita du moment de silence qui s'était installé pour demander une faveur à sa mère.

— Maman, est-ce que je pourrais y aller, moi aussi, à

l'assemblée ? J'aimerais ça pouvoir leur dire que nous autres, on apprend plus facilement quand c'est enseigné en français. Pis que monsieur le directeur a ben fait de tolérer ça.

— C'est pas le temps de nous déranger avec ça, Armand, s'impatienta Florida. Des problèmes comme ceux-là, ça se règle entre grandes personnes.

— Le petit a raison ! s'anima Joseph-Omer, soudainement encouragé par cette perspective. Ce serait quelque chose de nouveau qu'un enfant vienne leur déclarer qu'ils sont dans l'erreur. Peut-être que ça les brasserait un peu. D'autant plus qu'Armand ferait juste dire tout haut ce que tout le monde pense tout bas.

— Ben voyons donc ! Il est ben trop jeune pour être mêlé à ces affaires-là, s'objecta Florida. À part de ça, voir si les commissaires d'école vont se mettre à écouter les enfants avant de prendre une décision. Tu rêves, Joseph-Omer.

— Penses-y comme il faut. Ce serait un peu comme le représentant de tous les élèves qui irait se faire entendre. Pis, s'il a de la misère à dire ce qu'il pense, je serai toujours ben là, moi, pour parler à sa place.

— Dis oui, maman, supplia Armand. Je te promets d'être poli, pis de surveiller le comportement de papa !

Florida ne put retenir un grand éclat de rire.

— Au moins, j'en ai un de mon bord, dit-elle. Écoute-moi ben, Joseph-Omer Boulanger. Nous autres, on est ni des avocats ni des notaires pour savoir parler en public et dire les choses comme elles doivent être dites. Avant de vouloir te lancer dans des débats qui pourraient tout aussi ben te retomber sur le nez, si tu fais pas assez attention, pourquoi tu vas pas demander au vicaire Régimbald de parler à notre place ? Lui, au moins, il est habitué à employer des grands mots, même si on arrive pas toujours à les comprendre.

— Justement, dit Joseph-Omer en faisant la moue.

— Essaie de le mettre dans ta poche, mon homme. C'est ma seule condition, affirma Florida en lui passant délicatement les mains autour du cou.

— Bon, j'irai le voir, accepta à regret Joseph-Omer. C'est ben parce que tu me le demandes. Autrement, je m'en serais passé !

* * *

Si les Canadiens français avaient l'intention de manifester leur désaccord auprès de la commission scolaire, les Canadiens anglais n'entendaient pas leur céder le pas pour autant. Nombreux étaient-ils à appuyer la décision de Gordon Donnelly, exaltés par quelques détracteurs finement choisis en secret. Tous ceux-là avaient la ferme intention de se regrouper derrière le président face aux opposants francophones.

À cette époque, un nouveau mouvement s'était solidement implanté dans l'Ouest, le Ku Klux Klan canadien. L'élimination du caractère français de la vie publique, notamment dans l'enseignement, devint leur principal cheval de bataille et trouva écho auprès de plusieurs politiciens locaux. D'ailleurs, cette haine envers les francophones s'exprimait ouvertement dans des pamphlets injurieux circulant impunément. Elle allait influencer bien des gens à l'esprit obtus parmi les détracteurs du fait français.

Willy Jobin en eut la preuve fâcheuse un certain soir, à son retour du Western, où ses visites à la belle Clara Manning se faisaient de plus en plus nombreuses. Légèrement grisé par l'alcool et la tête en fête, il marchait d'un pas serein dans les rues faiblement éclairées de la ville quand trois hommes surgirent d'un bosquet et lui obstruèrent le passage. Willy s'arrêta net, se tenant sur ses gardes. Il avait reconnu, au centre du trio, le grand Sam Perkins. À voir sa mimique haineuse, sans doute n'avait-il pas oublié la correction que Jobin lui avait administrée plusieurs années auparavant. Deux autres hommes avaient discrètement suivi Willy Jobin à distance. Ils refermèrent bientôt le piège autour de l'ex-matelot.

— Ça fait longtemps que je l'attends ce moment-là, mon bâtard de Français, gronda Perkins entre ses dents.

— C'est comme ça qu'on salue ses vieilles connaissances, Perkins ? Et tu me fais l'honneur de me présenter à tes petits copains, répliqua Jobin en maintenant tous ses sens en éveil.

— Tu vas vite comprendre pourquoi ils sont là. Pour nous autres, tu sauras que la pêche à la grenouille, c'est un plaisir qui se partage.

— Fais attention, Perkins. La plupart du temps, les grenouilles finissent par manger les mouches à merde comme toi.

Le grand Sam Perkins se rua aussitôt les poings serrés sur Jobin. L'ex-matelot évita le premier coup de poing et envoya son assaillant au sol à l'aide d'un savant croc-en-jambe. Le deuxième agresseur reçut un coup de coude sur le nez, ce qui l'immobilisa et le détourna pour quelques secondes. Le troisième, aussi lourd que costaud, se lança alors dans une charge de coups que Jobin n'arriva pas à éviter complètement. Les deux derniers, aux aguets, en profitèrent pour lui saisir les bras alors que Perkins revenait à la charge, plus furieux que jamais. Willy eut tout de même le temps de décocher un solide coup de pied entre les jambes du gros costaud avant que le grand Sam Perkins, salivant de rage, ne lui enfonce lui-même son poing au creux de l'estomac. À cinq contre un, malgré le courage dont Willy faisait preuve pour résister farouchement, l'énergie le quitta rapidement. Ses agresseurs saisirent alors l'occasion pour le marteler violemment des pires coups distribués un peu partout au corps et à la tête.

Ils traînèrent Jobin, inconscient, au pied d'un arbre où ils lui passèrent une ficelle autour du cou. Elle était attachée à un carton blanc sur lequel ils inscrivirent *FROG* avec le sang qui coulait de son visage tuméfié. Au verso, ils tracèrent les lettres K K K. Les assaillants lancèrent ensuite une corde autour d'une branche, qu'ils fixèrent solidement en la faisant glisser dans une boucle, et passèrent un nœud coulant fabriqué à la hâte autour de la gorge de la victime inerte. Heureusement, ils n'allèrent pas jusqu'à la pendaison, comme la subissaient parfois certains Noirs des comtés ruraux du sud des États-Unis. En fait, le but de ces fautifs était de semer la crainte chez les francophones, sans avoir à encourir les foudres de la justice. À cela s'ajoutait, évidemment, la vieille rancune de Sam Perkins qu'il avait enfin assouvie.

Cette nuit-là, deux buveurs éméchés, rentrant tardivement d'une veillée bien arrosée, entendirent les gémissements de Willy Jobin et lui portèrent secours. Ils le traînèrent en le soutenant par les épaules jusqu'à l'hôtel Western. Plus d'un fêtard amoché lors d'une bagarre avait été soigné à cet endroit. Cela se faisait discrètement et on évitait ainsi de soulever l'indignation au sein de la population de l'endroit. Clara Manning se précipita au chevet de Jobin. Elle passa une partie de la nuit à nettoyer et à panser les blessures de ce garçon dont elle était devenue amoureuse. Sans avoir de preuves formelles, elle se doutait bien à qui l'on pouvait imputer une telle brutalité.

La nouvelle ne tarda pas à faire le tour de la ville, car jamais jusqu'à maintenant la haine n'avait été poussée à un tel niveau. L'information était d'autant plus renversante si l'on considérait qu'on s'en était pris à un soldat à qui la communauté avait déroulé le tapis rouge il n'y avait pas si longtemps. L'assemblée de la commission scolaire, tant attendue, approcha donc dans un climat de suspicion, car aucune plainte contre les agresseurs n'avait été déposée auprès des autorités.

* * *

Cet événement affola Laura Harper lorsqu'elle l'apprit de la bouche de son père. Le lendemain, elle prétexta avoir quelques emplettes à faire et elle l'accompagna jusqu'à Grouard, assise sur les billes de bois que Cyril Harper voulait faire débiter au moulin à scie. Dès qu'elle sortit de la cour du commerce de bois, elle partit en toute hâte jusque chez les Duchesneau. Laura frappa nerveusement à la porte. Madame Duchesneau, une mèche de cheveux pendante sur la joue, regarda par le carreau avant d'ouvrir à la visiteuse.

— Mademoiselle Harper ! Quelle belle surprise !

— Il faut que je vous parle, Madame Duchesneau, c'est important.

— Seigneur ! Entrez et venez vous asseoir un peu, vous me semblez tout essoufflée.

— Euh... Non, merci. Je dois passer chez Barow's et ensuite rejoindre mon père au moulin. Je voulais vous dire que Willy Jobin s'est fait attaquer par des membres du Klan. Il y en a un certain nombre qui traînent en ville et qui essaient de nous monter les uns contre les autres. On m'a dit que Jobin avait failli se faire tuer. Ce sont des personnes dangereuses, ces gens-là. Je ne voudrais pas que votre fils soit leur prochaine victime. Vous imaginez ? Lui, un héros de la guerre ! Il devra surtout être prudent le soir, on ne sait jamais ce qu'ils peuvent manigancer. Voilà, je tenais à vous avertir pour éviter un autre malheur, l'informa la jeune femme.

— C'est très gentil à vous, Mademoiselle Laura. Je vous remercie beaucoup de vous inquiéter pour nous. J'avais déjà appris ce qu'on a fait au matelot Jobin.

— Ah ?

— J'ai le meilleur informateur qui soit, lui dit madame Duchesneau avec un grand sourire. Attendez voir, il n'est pas très loin. Tommy ?

Le grand hôtelier apparut dans l'embrasure du salon, habillé plutôt élégamment pour un jour de semaine. Madame Duchesneau replaça instinctivement sa mèche de cheveux dans sa coiffure ébouriffée.

— *Tou* as besoin de moi, Antonia ? demanda-t-il.

— Je voulais simplement te présenter mademoiselle Harper, qui s'inquiète pour nous à cause du Klan.

— Bonjour, Mademoiselle. Ne vous inquiétez pas, je veille sur eux maintenant, la rassura l'hôtelier.

— Attends-moi encore un peu, Tommy, s'il te plaît, le pria madame Duchesneau.

— Eh bien ! Je me sens tout à fait ridicule d'être venue vous inquiéter pour rien, s'excusa Laura Harper.

— Mais non ! Au contraire, vous êtes très gentille d'avoir pensé à nous. Pourquoi n'allez-vous pas voir Jean-Marie ? Il est en train de corder son bois de chauffage au soleil, près du hangar, lui suggéra madame Duchesneau.

— Euh… non, je ne veux pas le déranger dans son travail.

— Ça lui fera plaisir ! Ma fille va vous y conduire. Pamela ! Descends s'il te plaît !

On entendit des pas précipités à l'étage au-dessus, jusque dans l'escalier.

— Euh… C'est que je suis un peu pressée, je ne voudrais pas faire attendre mon père au moulin à scie, prétexta Laura intimidée.

— C'est pas un petit cinq minutes de plus, étiré à jaser, qui vont faire mourir Cyril. Ah ! Pamela. Je te présente mademoiselle Laura Harper.

— Je la connais, dit Pamela avec des yeux rieurs.

— Dans ce cas, conduis-la donc à ton frère pour qu'il puisse la saluer à son tour, exigea madame Duchesneau.

— Oh ! Oh… fit Pamela.

— Quoi ? lui demanda sa mère.

— Rien… Viens, Laura.

Gabardine s'appliquait à placer solidement en rangées égales le tas de bûches de bois franc pêle-mêle qu'il avait à ses pieds. Il ne remarqua pas l'arrivée des deux jeunes filles derrière lui. Elles le regardèrent un moment travailler en bretelles passées par-dessus sa camisole détrempée.

— Jean-Marie ?

— Quoi Pam ? J'ai pas fini, tu vois ben.

— Il y a quelqu'un pour toi, lui dit sa petite sœur.

— Hein ? Oh ! Laura...

Sa réaction fit rire Pamela qui se garda bien de l'imiter, même si elle en brûlait d'envie.

— Je ne voulais pas te retarder dans ton travail. Je passais et... voulut s'expliquer Laura embarrassée.

— T'inquiète pas, j'ai tout l'été devant moi. Je suis content de te revoir, dommage que je sois pas à mon mieux. Avoir su, je me serais préparé en conséquence, dit-il.

— Oh ! Oh..., fit encore Pamela.

— Pamela, tu peux retourner à la maison. Tu l'as rendu, ton service, lui fit comprendre Gabardine en fronçant les sourcils.

— Ah ! Ça s'en venait intéressant ! À la maison non plus, ils veulent pas que je les dérange, bougonna la jeune fille.

— Ben, va jouer avec Rodrigue, lui proposa son grand frère.

— Il est parti jouer avec la gang à Augustin, pis je suis trop vieille pour eux autres.

À ce moment, Laura sortit une pièce de cinq sous de sa bourse et la remit à Pamela.

— Va t'acheter une crème glacée et des friandises. Tu l'as bien mérité, dit-elle.

— Ouais ! Merci ! Rodrigue va être jaloux.

Pamela s'éloigna rapidement et ils l'entendirent encore parler pour elle-même à haute voix.

— Je vais la prendre à la vanille. Non, au chocolat. Ouais, au chocolat !

— Celle-là, c'est un vrai tourbillon, se plaignit Gabardine en secouant la tête.

— Elle est mignonne, affirma Laura.

Ils se turent, un peu mal à l'aise de se retrouver seul à seul sans s'y être préparés.

— As-tu décidé de me faire une petite visite surprise, question de voir si je travaillais ou ben si je flânais ? demanda Gabardine à la blague.

— Non, je ne suis pas très enquêteuse. Je voulais avertir ta famille de faire attention avec le Klan. Ce sont des dingues. Ta mère m'a dit que vous étiez déjà au courant pour Jobin.

— Ouais. J'aurais aimé ça être là pour le défendre. Je te jure que les choses se seraient déroulées autrement.

— Il vaut mieux ne pas te frotter au Klan, lui conseilla Laura. Mon père m'a dit qu'ils sont plusieurs à travailler dans l'ombre, mais qu'ils vont bientôt s'afficher de plus en plus ouvertement.

— Tant mieux, comme ça je connaîtrai ceux qui méritent mon poing sur le nez, dit-il.

— Franchement ! Tu es une vraie tête dure, Jean-Marie Duchesneau.

La remarque amusa Gabardine, et Laura tout autant de le voir rire. Ils se regardèrent en silence un instant et se sourirent.

— Tu as cordé tout ce bois depuis ce matin ? demanda Laura pour relancer la conversation.

— Non. J'ai commencé hier. Je profite du beau temps pour m'avancer. Comme ça, il pourra sécher tout l'été.

— Oui, c'est vrai. J'imagine que tu dois te sentir tellement heureux d'être de retour. Tu as retrouvé ta famille et tu peux faire ton travail sans que personne ne te lance des ordres.

— Pour les ordres, la mère ne donne pas sa place, dit-il amusé. C'est certain que je suis content d'être icitte. J'ai pensé souvent que je ne rentrerais jamais. Aujourd'hui, j'essaie d'oublier ce qui s'est passé au cours des dernières années. C'est pas évident. Il m'arrive souvent de faire des cauchemars affreux.

— Ça va passer avec le temps, ne t'en fais pas. Moi, quand je fais des cauchemars, c'est parce que je rêve d'Albert Pigeon, lui raconta Laura en pouffant de rire.

— Ah oui ? Il serait sûrement fou comme un balai s'il savait que tu rêves de lui, supposa Gabardine un peu moqueur.

— Pas s'il voyait mes rêves. La dernière fois, je le pourchassais avec une fourche !

— Ouille ! s'esclaffa Gabardine.

— Bon ! Je dois y aller, déclara Laura à regret. Je ne devais pas être partie aussi longtemps. Mon père m'attend au moulin à scie.

— Tu veux que je te reconduise ? proposa Gabardine.

— Non ! Je ne devais pas venir ici, tu comprends ? Ça m'embarrasserait un petit peu s'il nous voyait arriver ensemble, répondit-elle.

— C'est une visite ben trop courte, on a presque pas eu le temps de se parler. Tu crois que je pourrais aller te voir chez toi ?

Laura l'observa attentivement. Elle vit ses yeux confiants qui la regardaient sans ciller, son sourire accrocheur, ses cheveux humides sur les tempes et deux gouttes de sueur qui perlaient sur son front. Elle craqua.

— Avec plaisir !

Elle s'approcha rapidement et déposa un baiser sur sa joue. Ensuite, elle déguerpit presque en courant. À peine prit-elle le temps de lui faire un petit salut de la main. Gabardine la regarda s'éloigner béat de contentement.

— Ah oui, mes bûches ! Mes bûches, mes bûches, mes bûches... Mes bûches ! se mit-il à chanter.

* * *

Le congédiement du directeur d'école et l'affaire Jobin avaient finalement décidé Joseph-Omer à aller cogner à la porte du vicaire Régimbald afin de solliciter son aide. Le religieux le reçut dans son élégant petit bureau du presbytère. La décoration surprenait toujours celui ou celle qui y pénétrait pour la première fois. Quelques toiles reproduisant des scènes rurales égayaient la pièce alors qu'une autre, plus imposante et aux couleurs austères, représentait le Christ en croix. Celle-ci était accrochée au mur derrière son secrétaire. Quelques plantes, çà et là, ornaient le mobilier de leur jolie verdure. Une grande bibliothèque, face à la fenêtre donnant sur l'église, occupait un large pan de mur sur la gauche, tandis qu'un gros fauteuil en cuir brun, enfoncé dans un coin, ajoutait à la convivialité de l'endroit. Deux simples chaises en bois, à l'usage des visiteurs, attendaient devant le bureau massif. Tout était d'une propreté remarquable et aucun papier n'était laissé en désordre sur la surface de travail.

Lorsque Joseph-Omer s'avança dans la pièce sur l'invitation de son hôte, le plancher de pin clair craqua sous ses pieds chaussés de gros souliers à l'usure prononcée et rompit la quiétude des lieux. Le vicaire Régimbald lui désigna l'une des chaises d'un geste de la main et s'assit confortablement sur la sienne, capitonnée de cuir, derrière le meuble en chêne. Le forgeron parcourut la pièce d'un regard admiratif.

— Vous êtes ben installé en Jupiter icitte, ne put-il s'empêcher de dire au vicaire.

— Oui, n'est-ce pas ? Voyez-vous, j'ai la responsabilité de l'administration du diocèse, étant donné les absences répétées de Mgr Grouard. Vous savez à quel point il aime mener son ministère auprès des Indiens. Alors, j'ai cru bon m'aménager un lieu où je pourrais travailler à l'aise, grâce à la générosité de ma famille, bien entendu. Mais… j'ai l'impression que vous n'êtes pas venu jusqu'ici pour me parler de l'originalité de mon bureau, Monsieur Boulanger. Que me vaut l'honneur de votre visite ?

— Ben, vous avez sûrement entendu parler, comme tout le

monde, qu'on avait mis le directeur d'école à la porte parce qu'il laissait trop de place à l'enseignement du français.

— C'est de mon devoir d'être informé de ces choses-là, en convint le vicaire.

— C'est rendu que les Canadiens français ont plus le droit de faire quoi que ce soit si ça se fait pas en anglais. Même le matelot Jobin s'est presque fait tuer, l'autre jour, par une bande d'anti-français, déplora Joseph-Omer.

— À ce que je sache, Monsieur Boulanger, Willy Jobin a l'habitude de fréquenter des lieux malfamés. Ce n'est donc pas étonnant qu'un tel événement se produise à l'occasion, entre personnes qui ont trop bu. Il ne faut pas nécessairement y voir là une attaque contre tous les francophones.

— Pourtant, Monsieur le Vicaire, quand on vous passe une corde autour du cou comme si on allait vous pendre, ça ressemble drôlement à une menace de mort, précisa Joseph-Omer. Pis quand on signe KKK, ça veut tout dire.

— Admettons qu'ils ont dépassé les bornes ! Cela relève alors du travail des forces de l'ordre. C'est aux policiers qu'il faudrait vous adresser, mon cher Monsieur, déclara le vicaire Régimbald.

— Ouais... Bon, l'affaire Jobin, je voulais juste vous en glisser un mot pour vous mettre dans le contexte actuel. Si je viens vous voir, c'est plutôt pour la prochaine réunion de la commission scolaire, où ça risque de discuter fort.

— Discuter, dites-vous ? s'intéressa le vicaire à mi-voix.

Le religieux eut du mal à dissimuler sa passion pour l'art oratoire, mais il chercha tout de même à se maîtriser devant son hôte.

— Vous imaginez sans doute que je pourrais vous être d'une quelconque utilité ? reprit-il.

— Justement ! Vous avez plus de facilité que nous autres pour parler en public, admit le forgeron. Je suis sûr que vous pourriez apporter de bons arguments devant l'assemblée. Ça nous aiderait beaucoup dans la défense de notre cause.

— Je ne suis pas avocat, Monsieur Boulanger, rétablit le vicaire Régimbald avec un sourire suffisant.

— Peu importe, soutint Joseph-Omer. On serait ben contents si vous acceptiez de devenir notre porte-parole officiel.

— Je ne peux pas, trancha le vicaire en regardant Joseph-Omer droit dans les yeux.

— Quoi ?

— Je ne peux pas ! répéta-t-il en écartant les mains. J'ai reçu des directives très strictes, dernièrement, m'enjoignant de ne pas m'immiscer dans les affaires qui ne concernent pas l'Église catholique. Je n'ai donc pas autorité pour vous représenter dans vos discussions concernant le renvoi du directeur d'école.

— Ben là ! Il s'agit pas seulement du directeur d'école, Monsieur le Vicaire. C'est de l'avenir du français à Grouard pis dans le reste de cette province qu'il est question. On peut pas demeurer plantés là, les deux bras croisés à rien faire. En plus, vous oubliez que la religion est aussi enseignée à l'école. Il me semble que ça devrait vous concerner tout autant que nous autres, insista Joseph-Omer.

— Vous mélangez tout, Monsieur Boulanger ! s'impatienta le vicaire. L'enseignement religieux n'est pas remis en cause par la commission scolaire. Quant à l'avenir du français dans cette province, je veux bien reconnaître que la situation est préoccupante. Hélas, seul le pouvoir politique a droit de décision à ce chapitre pour en assurer la protection !

— Depuis que je suis déménagé icitte, Monsieur le Vicaire, j'ai pas encore vu le pouvoir politique décider à notre avantage. Qui nous aidera, si vous refusez de le faire ?

— Ce n'est pas un refus du cœur, croyez-moi, soupira le vicaire Régimbald. J'ai les mains liées, vous m'entendez ? Cependant, pour vous faciliter les choses à la prochaine assemblée, vous devriez peut-être insister sur les droits qui nous étaient conférés à l'origine, avant la création de cette province.

— Quels droits ? Qu'est-ce que vous voulez dire ? questionna le forgeron.

— Jadis, Monsieur Boulanger, les premiers colons blancs à s'établir dans cette province étaient francophones, comme vous le savez probablement. C'était les grands-parents du célèbre Louis Riel. Plus tard, vers les années 1840 je crois, on a vu apparaître les premières missions et les premiers villages francophones. Les congrégations religieuses, qui accompagnaient ces colons, ont alors fondé les premiers hôpitaux et elles ont ouvert les premières écoles.

— Tout ça ne règle pas notre problème ! se lassa Joseph-Omer.

— Voyez plutôt ce qui s'est produit par la suite, continua le vicaire sans se démonter. Tous ces établissements francophones, disséminés dans l'ouest du pays, ont fait en sorte qu'on a adopté, en 1875, l'Acte des Territoires du Nord-Ouest. Cet Acte prévoyait non seulement l'enseignement du français, mais aussi, par la suite, la création de districts scolaires francophones. À condition que nous soyons en majorité dans l'un des districts, ou une partie des Territoires du Nord-Ouest, ou encore une subdivision de l'un de ceux-ci. Le même Acte donnait également le droit à ces districts francophones de prélever des taxes scolaires afin d'ériger et d'administrer leurs écoles.

— On est loin de ça aujourd'hui, l'interrompit Joseph-Omer.

— Voilà ! Tout ça a été renversé en 1892, avec l'arrivée massive des anglophones et ensuite, avec la fondation de l'Alberta en 1905. Mais, entre nous, Monsieur Boulanger, ne trouvez-vous pas étrange, voire scandaleux, qu'on retire aux francophones des droits qu'on leur avait préalablement accordés ? C'est sur le rétablissement de ces droits que vous devriez travailler.

— Ouais. Ça sera pas facile d'en arriver là, réalisa

Joseph-Omer en se grattant la tête. Et pour le directeur d'école, qu'est-ce qu'il faudrait faire ?

— Insistez en grand nombre pour qu'on le maintienne dans ses fonctions. Vantez la qualité de son travail et soulignez les qualités morales qu'il a démontrées comme directeur d'école, suggéra le vicaire Régimbald. Il ne reste qu'à espérer que vous receviez une oreille attentive et, surtout, compréhensive, tant du président que de ses commissaires.

Joseph-Omer se leva, constatant qu'il ne pourrait tirer davantage du vicaire. Malgré les encouragements polis et les salutations du petit homme en soutane, il retourna chez lui le cœur gros, plus accablé encore qu'avant sa visite au presbytère. Dans son bureau, le vicaire Régimbald contemplait songeur sa petite église par la fenêtre, les deux mains croisées derrière son dos.

« Boulanger a sans doute raison, pensait-il. On s'attaque autant à notre langue qu'à notre religion. Et dire que Mgr Barbu m'a interdit de m'en mêler. Tout ce qu'on a construit depuis des années finira peut-être par disparaître complètement. Je me souviens encore de ce que disait cet emberlificoteur de Thompson, quand je suis arrivé ici. Une petite ville qui deviendrait un pôle d'attraction, presque le centre de l'Ouest canadien. Nom d'un chien ! On a tôt fait de réaliser que pour les politiciens, on n'était absolument rien du tout. Bande de... Allons, allons, Eugène ! Chasse-moi ces vilaines pensées de ton esprit. »

Lorsque Joseph-Omer rentra chez lui, sa femme l'attendait avec impatience pour connaître les détails de son entrevue chez le vicaire. Joseph-Omer, peu enthousiaste, lui rapporta les propos du petit prêtre.

— Je peux pas croire qu'un homme de son instruction ait refusé de s'impliquer dans notre cause, s'indigna Florida dès qu'elle put placer un mot.

— À l'entendre parler, il peut rien faire pour nous autres, lui résuma à nouveau Joseph-Omer. C'est sûr qu'il m'a donné des conseils en me faisant presque un cours d'histoire. Mais moi, je vois pas comment j'arriverai à démêler tout ça clairement devant l'assemblée de la commission scolaire.

— As-tu insisté, au moins, pour qu'il nous aide ?

— Ben oui, mais rien à faire ! Apparemment, l'Église veut pas qu'il s'en mêle. On arrivera pas à le faire changer d'idée. Il est ben trop tête de mule, pesta Joseph-Omer frustré devant cette situation.

— En tout cas, que je te voie pas aller le traiter de tête de mule devant tout le monde ! l'avertit Florida. Ça pourrait insulter ben des paroissiens.

— Pfut !

* * *

L'assemblée scolaire eut lieu, même si elle était appréhendée par plusieurs. Les gens se massèrent debout dans la plus grande classe de l'école, se divisant en deux blocs distincts, francophones et anglophones. Les derniers arrivés durent demeurer sur le perron de l'école, faute de place. On ouvrit quelques fenêtres pour leur permettre d'entendre la tenue des débats et pour donner un peu d'air frais à ceux de l'intérieur.

Assis à l'avant sur la chaise de l'institutrice, le président de la commission scolaire affichait l'air sévère qui le caractérisait si bien. Les commissaires, installés pour l'occasion derrière les pupitres d'écoliers tournés de chaque côté du bureau de l'enseignante, paraissaient nerveux devant l'ampleur qu'avait prise la réunion. Gordon Donnelly frappa cinq coups secs avec son maillet en bois pour mettre un terme au chahut de la foule.

— Je suis heureux de constater que vous vous êtes déplacés en grand nombre pour venir vous intéresser aux affaires de votre école, déclara-t-il. Ce n'est malheureusement pas toujours le cas.

À l'ordre du jour de cette assemblée, nous avons l'intention de discuter des prévisions de dépenses pour l'hiver prochain et de cibler le matériel scolaire qu'il nous faudra remplacer.

— On n'est pas venus icitte pour entendre parler du nombre de boîtes de craies que vous allez acheter, lança une voix tout au fond. C'est du congédiement du directeur Picard qu'on veut discuter.

— En ce qui me concerne, cette affaire est déjà réglée, décréta le président.

Il regarda par-dessus ses lunettes pour essayer de retracer la provenance de cette voix agressive.

— Il y a rien de réglé ! affirma un autre homme en s'avançant le bras tendu et l'index replié vers le sol, comme s'il tapait du morse. Vous avez congédié injustement le directeur Picard, même s'il faisait du bon travail. Vous auriez dû considérer qu'il a toujours pris à cœur l'éducation de nos enfants.

— Monsieur Picard ne respectait pas les règles gouvernementales. Nous avons donc convenu, à l'unanimité, qu'il valait mieux le remplacer dans l'intérêt de cette école, allégua Gordon Donnelly.

— Mon cul ! vociféra encore une voix dans l'assistance.

— *Shut up !* répliqua une autre voix sur le même ton.

— Messieurs, cette assemblée doit se dérouler dans le calme, imposa le président Donnelly en frappant deux coups de maillet qui claquèrent jusque dans la rue.

Le petit Armand, à qui on avait permis d'accompagner son père, leva alors la main pour demander la parole, comme il avait appris à le faire en classe.

— En voilà un au moins qui sait comment s'y prendre, observa Gordon Donnelly à l'adresse du public. Oui, jeune homme. As-tu des commentaires plus raisonnables à nous livrer ?

— Ben moi, je veux juste dire qu'il y a plein d'élèves canadiens-français, ici à Grouard, qui apprennent plus facilement quand on passe plus de temps dans notre langue en classe, affirma l'enfant dans un anglais impeccable. Monsieur Picard a bien fait de permettre davantage l'utilisation de notre langue maternelle, parce qu'on a presque tous de très bonnes notes.

— Ouais ! firent plusieurs voix en écho.

— Jeune homme, je suis heureux que vous ayez de bons résultats scolaires, admit le président. Mais là n'est pas la question. Lorsque le gouvernement dicte des règles, il faut les respecter. Sinon, c'est comme enfreindre les lois et nous devons alors en subir les conséquences.

— *Yeah !* approuvèrent plusieurs voix de l'autre côté de la classe.

— Nous avions des droits qui nous ont été retirés de façon arbitraire dans cette partie du Canada, affirma Joseph-Omer en prenant la parole la main en l'air. Nous sommes suffisamment de Canadiens français, icitte, pour que nos enfants puissent recevoir l'enseignement dans leur langue maternelle.

— *All Frenchmen in Québec !* clama une voix non identifiée de l'autre côté de la classe.

— *Frenchmen, in Québec ! Frenchmen, in Québec !* scandèrent plusieurs anglophones sur un ton qui ne laissait aucune place à la discussion.

Le président de la commission scolaire cogna à nouveau du maillet à répétition.

— Cher Monsieur, l'éducation relève du gouvernement provincial. Il est tout à fait normal dans cette province, à large prédominance anglophone, que la vie se déroule dans notre langue. L'enseignement en anglais dans votre école ne peut que faciliter l'intégration des enfants au reste de la communauté, affirma Gordon Donnelly.

— Et nous faire perdre notre culture, acheva Joseph-Omer.

— *Frenchmen, in Québec!* lancèrent à nouveau plusieurs voix avec véhémence.

Quelques autres coups de maillet fortement appliqués réussirent à peine à calmer le tumulte qui s'ensuivit.

— Dans cette province, il n'y aura qu'une langue, qu'une école et qu'un drapeau, proclama l'un des commissaires en martelant son pupitre du bout des doigts.

— Ben oui, c'est ça ! La langue anglaise, l'école anglaise et le drapeau anglais, railla un Canadien français visiblement hors de lui.

— Nous ne reviendrons pas sur une décision qui a été rendue de façon unanime, réitéra Gordon Donnelly.

— *Yeah !* fit à nouveau une partie de l'auditoire.

— Ça n'a pas d'allure ! cria quelqu'un d'autre.

— *Frenchmen, in Québec! Frenchmen, in Québec!* fut la réponse scandée en chœur par les anglophones irréductibles qui s'étaient entassés dans la classe.

Dans l'agitation qui en résulta et au travers des invectives que l'on commençait à se lancer, le président de la commission scolaire n'eut d'autre choix que de suspendre la réunion. Une échauffourée éclata entre certains membres des deux groupes rivaux.

— Va m'attendre dehors, Armand, lui ordonna son père.

— Pourquoi ?

— Je t'ai dit dehors ! Vite !

Armand n'eut d'autre choix que d'obéir et de sortir difficilement entre les gens qui se bousculaient au travers du tumulte des voix et des bureaux qui raclaient le plancher. Il attendit cinq bonnes minutes dans la rue, à ne voir que le dos des hommes qui regardaient par les fenêtres et par la porte de l'école. Puis, les choses semblèrent se calmer peu à peu. Ceux de l'intérieur sortirent un à un, l'air fâché. Joseph-Omer apparut à son tour, décoiffé et la chemise sortie de son pantalon. Il alla retrouver son fils sans donner d'explications.

— Papa, il te manque un bouton après ta chemise. Comment ça se fait ? demanda Armand.

— Hein ? J'ai dû m'accrocher quelque part, répondit vaguement son père.

— Je le dirai pas à maman.

— Merci.

— Bravo, papa.

Évidemment, aucune modification ne fut proposée par la commission scolaire quant au congédiement du directeur qui suscitait tant de grogne. Les jours suivants se succédèrent sous le signe de l'amertume. Plusieurs francophones se sentirent plus que jamais isolés. On venait de leur dire : « Intégrez-vous, assimilez-vous, ou bien partez ! »

Les partisans de la ligne dure ne représentaient pas nécessairement l'ensemble de la communauté anglophone. Toutefois, leur présence intimidante et leurs tactiques agressives allaient laisser de profonds sillons dans le cœur de bien des gens, et dans l'attitude de plusieurs autres.

Au cours de ces journées tristes, Florida ne reçut que des explications vagues de son mari sur le déroulement de l'assemblée. Tout ce qu'il disait se limitait au refus qu'ils avaient essuyé du président et de ses commissaires et au fait qu'ils avaient été appuyés en grand nombre par les anglophones. Elle se tourna donc du côté d'Armand qui s'était montré tout aussi discret. Elle alla le retrouver à l'avant du magasin alors qu'il nettoyait la vitrine. Florence suivait sa mère de près, curieuse d'entendre ce que son frère allait raconter.

— Armand, descends de ton tabouret, lui demanda Florida J'ai deux mots à te dire.

— Qu'est-ce que j'ai fait ?

— T'as rien fait pis t'as rien dit, c'est ça le problème. Depuis que vous êtes revenus de l'assemblée, ton père pis toi, j'ai l'impression que vous me cachez quelque chose. Tu devais pourtant me raconter tout ce qui s'y est passé.

— Il s'est rien passé, soutint Armand.

— Maman, Armand te raconte une menterie, suspecta Florence.

— Hé toi ! Papa l'a déjà dit, ce qui s'était passé. Ils ont pas voulu changer leur décision, c'est tout, coupa son frère.

— Vraiment tout ? lui demanda sa mère.

— Ben, quand on a insisté, il y a plein d'Anglais qui se sont mis à crier *Frenchmen in Québec*. Là, ça s'est mis à gueuler de tout bord tout côté, pis après ça tout le monde est parti.

— Ah tiens ! C'est nouveau, ça. Je commence à comprendre pourquoi ton père était pas content. Il est rien arrivé d'autre ? l'interrogea encore Florida.

— Pas à ma connaissance.

— En tout cas, si jamais tu caches quelque chose à maman, moi, je vais finir par le savoir, l'avertit sa sœur en le pointant du doigt.

— Il y a rien à savoir, sauf que tu cherches des poux, Florence.

— Maman ! Armand m'a dit que je cherchais des poux !

— Armand a raison, Florence.

— Hein ?

Le vicaire Régimbald avait été informé mieux que quiconque des péripéties de cette assemblée turbulente. Sauf qu'il l'avait été par le biais du confessionnal et ne pouvait donc pas en parler. Il se sentait abattu en rangeant son surplis blanc dans la sacristie de l'église et se laissa aller à la méditation.

« Je me demande bien si j'aurais pu changer le déroulement de cette réunion. J'ai beau être un fin causeur, il s'avère toujours impossible de convaincre quelqu'un qui ne veut pas entendre raison. Même si on a les meilleurs arguments du monde. C'est du moins ce que disait mon professeur de rhétorique. Quel avenir puis-je avoir ici, dorénavant ? Le diocèse s'amenuise et mon influence tout autant. C'en est rendu qu'on me bâillonne, nom d'un chien ! »

Le vicaire claqua le grand tiroir où il plaçait ses vêtements liturgiques et il serra les poings.

« Je crois que j'en ai suffisamment fait dans ce diocèse. J'ai passé mon temps à régler tous les problèmes et à remplacer un évêque idolâtré, parce qu'il est toujours parti en mission. Et moi ? Est-ce qu'il y a quelqu'un qui a pensé à moi ? Je ne vais pas continuer sur cette pente descendante. Oh ! que non. Aussitôt que Mgr Grouard se remontrera le bout de la barbe, je lui demanderai d'être transféré à Winnipeg, ou dans un autre diocèse d'importance. Il ne pourra pas me refuser ça, après tous les services que je lui ai rendus. Sinon, je claque la porte ! »

Eugène Régimbald se frotta le ventre en exprimant une grimace de douleur.

« D'autant plus que je dois me faire opérer. Le docteur Labonté a été très clair à ce sujet. Je ne peux plus me permettre d'attendre davantage. La recette de bonne femme de l'Antoinette Corbeil aura été un fiasco, c'est le moins qu'on puisse dire ! Quant à mon ancienne servante, la veuve Gladu qui m'a toujours fait si mal à manger, il faudra que je lui achète des actions dans une mine de sel avant de partir ! »

* * *

Willy Jobin avait alimenté beaucoup de conversations au sein de la communauté. Cela ne l'avait pas empêché de continuer à fréquenter la belle Clara Manning, sans se préoccuper du reste. Cependant, il s'efforçait de ne pas être vu en sa compagnie dans la salle du Western. À vrai dire, c'était bien plus pour lui éviter des ennuis que par couardise. Si ses entailles au visage achevaient de guérir, quelques-unes de ses côtes demeuraient encore sensibles. Évidemment, il connaissait ses agresseurs, mais il s'était obstiné à garder le silence et à ne rien dévoiler. C'est ce que lui reprochait à ce moment même la belle Clara, assise tout près de lui au pied du lit de sa modeste chambre d'hôtel. Elle serra les lèvres en voyant la grimace qu'il fit pour enfiler sa chemise en limitant ses mouvements.

— Pourquoi tu vas pas les dénoncer à la police, ceux qui t'ont fait ça ? lui demanda-t-elle sur un ton de reproche. Je suis certaine, moi, qu'il s'agit de Perkins et des autres abrutis qui se tiennent avec lui. Tu sauras, mon beau matelot, que je suis loin d'être la seule à penser ça.

Jobin soupira et la dévisagea longuement avant de se décider à répondre.

— Écoute, Clara. J'y ai pensé à tout ça. Je le sais ben qu'ils mériteraient que je les dénonce. Mais moi, j'en veux plus de guerre. J'en ai assez vu de l'autre bord. Comprends-tu ce que je veux dire ? Tout ce que je souhaite, c'est d'avoir la maudite paix ! Pis, si je l'ai pas icitte, ben je vais aller la chercher ailleurs.

— Je comprends que tu as tes raisons, Willy, s'inquiéta Clara Manning. C'est vrai que j'aimerais mieux que tu portes plainte, mais je suis pas placée pour parler.

— Comment ça ?

— Bah ! c'est une vieille histoire, avant que tu partes pour la guerre. J'étais partie ramasser des fleurs séchées et Perkins m'avait suivie sans que je m'en rende compte. Il s'est jeté sur moi comme un loup. Heureusement qu'Antoinette Corbeil et le prêtre passaient par là et qu'ils m'ont entendue crier, sinon Perkins aurait sûrement abusé de moi.

— L'écœurant ! Je vais lui faire payer chèrement d'avoir osé te toucher, se fâcha Willy.

— Oublie ça. C'est juste un paquet de troubles, ce bonhomme-là. Il en vaut pas la peine, l'apaisa Clara.

— Pourquoi t'en as pas parlé à la police ou à Tommy ? Pis les deux autres qui t'ont secourue, ils ont rien dit non plus ? Ils revenaient tout de même pas de la guerre !

— Je leur ai fait promettre de rien dire, avoua-t-elle.

— Pis toi, tu as rien dit, toi non plus ? insista Jobin.

— J'ai mes raisons, tu as les tiennes.

— Voyons, Clara ! J'espère qu'on commencera pas à se faire des cachotteries.

La jeune femme caressa doucement l'épaule de Willy Jobin et le regarda tristement.

— Non. À toi, je cacherai rien. J'avais peur que tu me juges, c'est tout. Avant d'arriver ici, quand je vivais à Saskatoon, ma mère est morte et j'ai été placée chez les religieuses avec mes petites sœurs. Mon père pouvait plus s'occuper de nous. Il buvait. Si ton enfer a été sur les champs de bataille, le mien a été au couvent. Je sais que je devrais pas dire ça, c'est méchant. C'est pourtant ce que je ressentais à ce moment-là. J'étais jeune, une grande adolescente rebelle ! Je voulais rien savoir de leurs règlements, ni de leurs prières ou de leurs interminables périodes de silence. Pas plus que de leurs travaux domestiques, d'ailleurs. Plus je me rebellais et plus elles me privaient et me confiaient les pires corvées. Ma chambre ressemblait à une cellule. Tu vois le portrait ? Alors, je me suis enfuie aussi loin que j'ai pu.

— J'aurais probablement fait la même chose, l'approuva Willy Jobin.

— Sauf que moi, je suis allée fouiller dans la petite caisse de la mère supérieure avant de disparaître. Je leur ai volé cent piastres. J'en avais de besoin pour survivre. C'est la raison pour laquelle je voulais pas que la police soit mêlée à mes histoires. J'avais peur d'être identifiée. Tant pis si j'ai pas pu dénoncer ce salaud de Perkins.

— C'est pas juste qu'il s'en tire aussi facilement à chaque fois, maugréa Jobin.

— Ouais… Bof ! J'ai toujours cru que la vie se charge souvent de te faire payer pour tes mauvaises actions. Comme pour moi avec ce vol, j'ai payé amplement, crois-moi.

Jobin baissa les yeux et prit la main de Clara dans la sienne.

— Maintenant, ce que je crains vraiment, reprit-elle, c'est que tu partes et que tu me laisses toute seule à Grouard avec cette bande d'idiots.

— Comment peux-tu t'imaginer que je partirais sans toi ? Tu es tout ce que j'aime. Je passe une journée sans te voir, pis j'ai l'impression de tomber malade. Si tu acceptes, ma belle Clara, on va se sortir d'icitte tous les deux en même temps, pis en gardant la tête ben haute, déclara l'ex-matelot.

— Déguerpir avec toi, Willy ? Rien qu'à y penser, je deviens folle de bonheur ! Mais où veux-tu qu'on aille ? Je connais seulement ce travail-là, moi. J'ai jamais eu la même vie que les autres femmes. J'ai pas voulu apprendre à tenir maison, confessa Clara en rougissant de sa condition.

— C'est pas grave, ça. Mon idée est ben simple. Ce serait de partir tous les deux pour Edmonton et de s'ouvrir un petit hôtel là-bas, continua Jobin.

En lui dévoilant son projet, il avait mis la main à la hauteur de ses yeux, comme s'il dessinait au fur et à mesure le décor qu'il imaginait dans ses rêves.

— Avec de belles petites tables en bois toutes neuves, un grand comptoir en acajou où tu travaillerais, pis plein de belles bouteilles attirantes pour les clients, posées sur des tablettes qu'ils auraient en pleine face. Quatre ou cinq chambres, pas plus. On aurait pas besoin de travailler comme des ânes du matin au soir. Des chambres ben propres, décorées avec goût, avec une belle commode pis des petits cadres accrochés aux murs. Un bon grand lit en plein milieu, dix fois plus confortable que celui-là.

— *Wow !* C'est un beau rêve, Willy.

— C'est pas juste un rêve. J'ai mis suffisamment d'économies de côté pour me lancer en affaires. Avec ton expérience, ta belle apparence pis mon petit brin de jugeote, je suis certain qu'on réussirait. Mais auparavant, il faut que tu acceptes, Clara.

— Accepter ? demanda-t-elle. Accepter quoi ?

— Accepter de m'épouser, voyons !

Le visage de Clara s'illumina et ses yeux s'embuèrent de larmes. Elle sauta au cou de Willy et le rabattit lourdement sur le lit.

— Aïe ! Mes côtes ! se lamenta Jobin.

— Oh ! pardon, j'y pensais plus, s'excusa Clara.

Elle lui passa une main dans les cheveux et l'embrassa à profusion, blottie contre lui.

— Dis-moi, Willy... dit-elle pensive au bout d'un moment. Crois-tu que les gens m'appelleront Madame Matelot à l'avenir ?

— Dois-je prendre ça pour un oui ? lui demanda à son tour Jobin.

— Tu le sais ben que je veux ! Je vais tout de même pas te laisser me filer entre les doigts, répondit-elle en l'embrassant encore une fois.

— Madame Matelot... répéta-t-elle au bout d'un moment en acceptant cette éventualité. Et vogue la galère !

Ils ne purent s'empêcher d'éclater de rire et tous deux enlacés, ils se roulèrent dans les couvertures en partageant cet instant d'immense bonheur.

Un nouveau départ

Quand nous regardons devant nous, le temps semble parfois figé tellement l'avenir nous apparaît lointain. À l'opposé, quand nous regardons derrière nous, nous sommes toujours surpris par la vitesse à laquelle il a filé. Joseph-Omer et Florida l'avaient bien constaté depuis qu'ils s'étaient établis dans l'Ouest. Ils songeaient déjà à orienter Armand vers les études supérieures, puisqu'il ne cessait de démontrer des aptitudes admirables à l'école. S'ils empruntaient cette direction, ils devraient certainement envisager de quitter Grouard, où la facilité à gagner sa vie allait toujours en s'amenuisant. Hélas, chaque fois qu'ils abordaient cette question entre eux, cela soulevait toujours les protestations butées d'Augustin. Pour rien au monde, le plus jeune de leurs fils ne désirait quitter cet endroit qui l'avait vu naître. Le choix s'avérerait difficile, mais il leur incombait d'en faire un.

Depuis longtemps déjà, Honoré exhortait les Boulanger à venir le rejoindre à Edmonton. Il leur promettait qu'ils y trouveraient du travail aisément. Cette idée ne déplaisait pas à Florida. Elle voyait là une occasion de se rapprocher de ses frères, particulièrement de Laurent dont elle s'était toujours sentie si proche.

Celui-ci avait vécu une période de veuvage difficile. Il s'était tout de même aménagé un nouveau bureau de consultation à même sa résidence. Il lui fallait maintenant se trouver une secrétaire qui l'aiderait à remettre de l'ordre dans son fatras de dossiers. Sa femme lui manquait cruellement dans tous les aspects de sa vie. La plupart du temps, il essayait de se changer les idées en travaillant de longues heures d'affilée, autrement il allait prendre un verre ou deux lors d'un congé bien mérité. Cette fois, l'occasion en valait la peine. Il venait d'apprendre que Willy Jobin et Clara Manning démarraient un petit hôtel au centre-ville.

Laurent s'y présenta le soir de l'ouverture officielle, désireux d'aller les encourager au lancement de leur commerce. Il laissa sa voiture à quelques pâtés de maisons du petit hôtel. Plusieurs clients se pressaient déjà à l'entrée et les places de stationnement à proximité étaient devenues inexistantes. Cette petite marche lui permit de bien voir l'enseigne lumineuse bleue qui scintillait dans la pénombre. Le docteur ne put s'empêcher de sourire. *The Seaman* désignait parfaitement le propriétaire de l'hôtel. À la porte, une jeune femme lui remit un coupon pour une consommation gratuite.

« Original », considéra-t-il.

À l'intérieur, l'atmosphère était festive et des gens discutaient partout avec animation et bonne humeur. Un gramophone derrière le bar diffusait une musique entraînante. Des rubans et des ballons multicolores étaient accrochés au plafond, et les serveuses en costume de matelot étaient débordées. Les murs de bois, peints en blanc sur la moitié du haut et en marine sur celle du bas, étaient ornés de bouquets de roses rouges en tissu. Quelques photos agrandies de bateaux à aubes avaient été placées à des endroits stratégiques. Le bar, quant à lui, remplissait les promesses de Willy Jobin par la richesse de son bois et par la diversité des bouteilles invitantes étalées sur les tablettes. Derrière celles-ci, des miroirs ingénieusement installés semblaient les dédoubler.

Laurent Gauthier se faufila à travers cette cohue de fêtards et s'installa à une petite place qui s'était libérée au bar. Jobin ne mit qu'une seconde à le reconnaître parmi tous ses clients. Il s'approcha tout de suite pour lui serrer la main.

— Docteur Gauthier ! C'est un honneur de vous recevoir parmi nous.

— Ce n'est pas une simple visite de courtoisie, ça me fait vraiment plaisir d'être ici. À ce que je vois, les choses ont l'air de rouler rondement, mon Willy, constata Laurent.

— C'est ben parti... J'ai eu la chance d'avoir Clara pour me donner de bons conseils avant l'ouverture. C'est à elle que revient le crédit.

Laurent regarda en direction de Clara Manning. Elle était ravissante derrière le bar dans sa petite robe blanche serrée à la taille. Elle servait avec un sourire charmeur trois clients à la fois qui blaguaient à propos de son *sex-appeal.* Clara aperçut le docteur Gauthier qui la contemplait du coin de l'œil et lui fit un petit salut amical.

— Sapristi ! Elle est tout simplement épatante, ta Clara, ne put s'empêcher de reconnaître le docteur Gauthier.

Jobin eut un léger rire de satisfaction.

— Elle sait très bien ce qu'elle fait, ne vous inquiétez pas. Alors, qu'est-ce que je vous sers, Doc ?

— Trois autres bières ! cria un client à l'autre bout du comptoir.

— Euh... un bourbon, commanda Laurent après un instant d'hésitation.

— *Yes !* Quelque chose de différent.

Laurent regarda le verre d'alcool que Willy venait de lui servir. Il n'était pas certain d'avoir pris la bonne décision en s'offrant une sortie alors qu'il avait tant de responsabilités à gérer. Il but une petite gorgée et secoua légèrement la tête. Il se replongea dans ses réflexions, se questionnant sur le sens qu'il devait donner à sa vie et en oublia presque le chahut autour de lui. Il ne vit pas davantage arriver cette femme qui fendait la foule avec assurance sans prêter la moindre attention aux hommes qui la regardaient passer. Elle se glissa aux côtés de Laurent et le poussa légèrement pour avoir accès au bar. Il n'eut d'autre choix que de lui céder un peu de sa propre place avec un raclement de gorge, ce qui la fit sourciller.

— Pardonnez-moi si je vous embête, dit-elle.

— Pas du tout. Voudriez-vous ma place ?

— Je veux *une* place, pas *votre* place, répondit-elle sur un ton qui ponctuait l'évidence.

— Ah bon, déglutit Laurent Gauthier.

— Garçon ! Un brandy, s'il vous plaît, commanda la nouvelle cliente.

— Il se nomme Willy. C'est un ami à moi, lui apprit le docteur pour se rendre intéressant.

La femme lui jeta un bref regard, l'air de se demander à quel singulier personnage elle avait affaire. Quand Willy lui apporta son verre, Laurent en profita pour l'examiner également en vitesse. Elle était jolie, sans être une beauté pulpeuse comme Clara pouvait l'être. Impeccablement coiffée, vêtue avec élégance d'une belle robe jaune très pâle de coupe dernier cri, un rouge à lèvres provocant appliqué avec soin, elle ne pouvait passer inaperçue. Elle tourna la tête et ses yeux bleus parcoururent la salle par-dessus l'épaule du docteur Gauthier.

— Ils font un sacré vacarme, reprit Laurent.

Elle le regarda encore une seconde, comme s'il venait d'apparaître dans son champ de vision.

— Vous êtes menuisier ?

— Pardon ?

— Vous travaillez dans la construction ? demanda-t-elle plus fort pour être certaine d'être bien comprise.

— Non, pourquoi ? J'en ai l'air ? demanda Laurent qui s'attendait à tout sauf à ça.

— Je ne sais pas de quoi vous avez l'air. Tout le monde sait pourtant qu'il y a un tas de gars dans la construction qui aiment aller prendre un verre après le boulot. Je me cherche un menuisier. Je vous ai posé la question à tout hasard.

— Je peux peut-être vous aider, lui proposa Laurent.

— Ah oui ? Qu'est-ce que vous faites comme travail ?

— Je suis médecin, répondit-il.

— Mince ! Désolée, je n'ai pas besoin d'un médecin.

— Vous m'avez mal compris. Je peux vous aider à trouver un bon menuisier. J'en connais un, lui dit Laurent, heureux de rendre ce service.

— Écoutez ! Si c'est pour me refiler un fainéant qui dort à l'ouvrage, ce ne sera pas nécessaire. Je viens justement d'en foutre un à la porte. Je ne cherche pas à le remplacer par du pareil. Par contre, si votre candidat est intéressant, il aura du travail à l'année avec moi, affirma-t-elle.

— À l'année ? répéta le docteur Gauthier.

— Oui, Monsieur. J'achète, je rénove, je revends, et la roue tourne.

— Ah bon... Celui que je connais est un peu original, mais c'est tout un menuisier. Je vous écris son nom et son adresse derrière ma carte.

— Qu'il soit original, ça, je m'en fous. Tout ce que je veux, c'est qu'il travaille fort et bien sans rechigner, dit-elle.

— Vous verrez ça avec lui, suggéra Laurent.

— Qu'est-ce que vous faites ici ? lui demanda-t-elle soudainement.

— Moi ? J'imagine que je cherche quelque chose également, répondit le docteur Gauthier un peu surpris par cette question.

— Vous cherchez quoi ?

— Je ne sais pas, fit-il évasif.

— Vous n'êtes pas sérieux, là ! jugea la jeune femme en haussant les sourcils.

— En fait, je me cherche une secrétaire, dit-il pour sauver la face.

— Eh ben ! vous n'êtes pas au bon endroit pour ça. Vous avez quand même une sacrée chance, je peux vous aider moi aussi.

— Vous en connaissez une ? demanda à son tour Laurent.

— Oui bien sûr, moi, répondit-elle avant de terminer son verre de brandy d'une lampée. On se revoit lundi matin à neuf heures. J'aurai eu le temps de donner mes consignes aux ouvriers.

Elle gratifia le docteur Gauthier d'un sourire et s'apprêta à partir en le laissant un peu abasourdi.

— Je ne connais même pas votre nom ! lança-t-il.

— Valérie, dit-elle en s'éloignant.

— Vous ne voulez pas savoir le mien ?

Elle lui montra la carte qu'il lui avait remise et disparut derrière les paires d'épaules qui se retournaient sur son passage. Willy Jobin apporta un deuxième bourbon au docteur Gauthier en lui faisant un clin d'œil.

— Vous avez le tour, Doc ! C'est ma tournée, vous valez bien ça.

— Sapristi…

* * *

Dans les jours qui suivirent, le docteur Gauthier se retrouva avec cette nouvelle secrétaire qu'il avait prise à l'essai, presque malgré lui. Il s'était dit qu'il la congédierait sans doute au bout d'une semaine ou deux. Cependant, plus le temps passait et plus il dut se rendre à l'évidence : elle était d'une remarquable efficacité administrative et son bureau ne s'en portait que mieux. Pour un médecin qui éparpillait facilement ses papiers importants, mademoiselle Valérie devenait indispensable. Elle était vive d'esprit, enjouée, fonceuse et dotée d'un sens des affaires inné. Laurent la regardait avec un mélange de respect et d'admiration après quelques semaines passées à son service.

Lorsque le docteur Gauthier informa sa petite sœur de Grouard de cette nouvelle situation, Florida sentit s'éveiller en elle quelques intuitions. Elle aurait souhaité être sur place pour constater si son flair la trompait ou non. Elle soupira après avoir reçu l'appel téléphonique de son frère.

— Une femme célibataire entre pas dans la maison d'un veuf, ou dans son bureau, sans remuer quelques émotions élémentaires, fit-elle remarquer à son mari.

Toutes ces petites appréhensions concernant son frère n'empêchaient pas Florida de poursuivre son labeur quotidien, repoussant encore un peu plus loin l'échéancier du départ qui finirait tôt ou tard par rattraper sa famille.

Joseph-Omer chassait également la jonglerie par le travail. Campé dans son atelier, il fignolait une rampe de galerie en fer forgé lorsqu'il entendit la porte de la boutique s'ouvrir. Quelqu'un entra, les pieds raclant le plancher de ciment fissuré par l'alternance des gels et dégels. Le forgeron ne releva pas la tête tout de suite, gardant toute sa concentration sur l'ouvrage qu'il cherchait à façonner sur l'enclume.

— Gériboire ! Ça travaille fort icitte !

Il n'en fallut pas plus pour que Joseph-Omer reconnaisse la voix de celui qui lançait si souvent cette expression. Il déposa son lourd marteau et regarda avec étonnement ce personnage sorti de nulle part.

— Tiens ! Bonjour, Monsieur Charron ! Hé ben... Si je m'attendais à vous voir encore icitte à Grouard, en plein mois de juin. Allez-vous passer l'été avec nous autres ?

— Ça se peut ben, hésita Charron en se grattant la tête. Ça va dépendre de ben des affaires...

— Jupiter ! Vous êtes donc ben rendu mystérieux. Êtes-vous venu me voir pour me demander conseil là-dessus ? lui demanda Joseph-Omer.

Le forgeron ne put s'empêcher d'afficher un sourire narquois que le bonhomme releva tout de suite en esquissant une grimace.

— Gériboire ! Comme si j'avais besoin des conseils d'un petit jeune comme toi, répliqua-t-il, piqué dans son orgueil.

— À mon âge, se faire encore traiter de petit jeune, je prends ça comme un compliment.

— Tant mieux pour toi, Boulanger. Non, non. Si je suis venu te voir, c'est plutôt pour te demander un petit service.

Joseph-Omer bourra sa pipe de tabac et craqua une allumette.

— Je vous écoute.

Charron se gratta de nouveau la tête en réfléchissant à la façon dont il pourrait le lui demander.

— Ben, pour faire une histoire courte, ça fait une couple d'hivers que je m'associe au vieux Baptiste pour faire de la trappe. Quand on revient au printemps, il m'héberge une bonne grosse semaine dans sa maison. Ça m'a donné l'occasion de connaître sa sœur, qui est pas mal plus jeune que lui, ben entendu…

— Laquelle de ses sœurs ? Il en a trois ou quatre, si je me rappelle ben, dit Joseph-Omer.

— Maria, gériboire ! Les autres sont mariées ! s'énerva le bonhomme. Maria est célibataire pis on s'adonne pas trop pire ensemble. À part de ça, elle est juste assez grasse à mon goût. C'est pas à dédaigner.

— Ah oui ! Celle qui a les yeux croches, se remémora Joseph-Omer.

— Gériboire ! Veux-tu ben me laisser finir ! Ça fait qu'on a décidé de se marier, pis de s'installer icitte, à Grouard, abrégea sans ambages le vieux garçon.

— Jupiter ! s'exclama le forgeron.

Il lâcha un nuage de fumée en venant bien près de s'étouffer.

— Je le sais qu'il y a plein de maisons à vendre icitte, pis la plupart du temps à un prix ben raisonnable, poursuivit Casimir sans prêter attention à la réaction ahurie de Joseph-Omer. L'affaire qu'il y a, c'est que la majorité de ces cambuses sont pas le diable mieux que mon vieux camp de chasse.

— Il faut quand même pas exagérer, Monsieur Charron.

— Qu'est-ce que t'as à dire contre mon camp de chasse ? demanda le trappeur suspicieux.

— Oh ! rien... Je voulais parler des maisons, esquiva habilement Joseph-Omer.

— En tout cas, nous autres on en veut une bonne, tant qu'à faire. On a été voir celle de ton ami, le gros Corbeil, pis elle a l'air encore solide. Le gros est pas terrible en général, mais dans la construction, il est un peu moins pire.

— Il serait heureux d'entendre ça, pensa tout haut Joseph-Omer.

— Ça fait qu'à ben y penser, je me demandais si tu l'appellerais pas avec ton téléphone pour lui dire qu'on serait peut-être intéressés à visiter ? finit par demander Charron.

— Ce serait mieux si c'était vous qui lui téléphoniez, suggéra Joseph-Omer.

— Moi ? J'ai pas l'habitude avec ces engins-là, se défendit Charron soudainement apeuré.

— C'est pourtant pas compliqué. Venez me voir de bonne heure après le souper. Honoré sera sûrement revenu chez lui à ce moment-là. On lui téléphonera pis vous pourrez lui faire savoir, vous-même, que vous êtes intéressé à sa maison. En plus, ça vous coûtera rien. Ça sera le service que vous m'avez demandé, Monsieur Charron.

Le bonhomme alla finir l'après-midi à l'atelier du vieux Baptiste dans l'attente de son premier appel téléphonique. À son grand soulagement, le vieux Baptiste sortit une bouteille de whisky qu'il gardait en réserve et lui en versa un petit verre. L'alcool chassa les papillons que le trappeur avait au creux de l'estomac. Son premier verre englouti, il ne se priva pas pour en redemander une autre rasade au vieil Indien. Quant à Baptiste, il s'abstenait de boire depuis très longtemps. Il avait fait trop de bêtises dans sa jeunesse, sous l'effet d'alcools souvent frelatés, et il en gardait d'amers regrets enfouis au creux de son âme.

Lorsque Casimir Charron revint chez les Boulanger, le whisky avait calmé ses anxiétés et, vraisemblablement, réduit un peu de sa vivacité d'esprit. Il refusa poliment la tasse de thé et le dessert que Florida lui offrait avec gentillesse. Le bonhomme prétexta devoir en finir rapidement avec cet appel téléphonique qui le tenaillait depuis quelques heures déjà. Joseph-Omer décrocha le récepteur de l'appareil fixé au mur de la cuisine. Il demanda à la standardiste de composer le numéro qu'il voulait joindre. Au bout de quelques secondes d'attente, une sonnerie émettant deux petits coups suivis d'un plus long se fit entendre au loin.

— Oui allô, répondit une voix douce à l'autre bout du fil.

— Antoinette ? C'est Joseph-Omer.

— Joseph-Omer ! Quelle belle surprise ! C'est pas à tous les jours que tu nous appelles.

— Ouais ben, j'ai pas toujours l'occasion de le faire…

— Dis à Antoinette que j'aimerais ça lui parler tantôt, s'empressa de chuchoter Florida en posant une main sur l'épaule de son mari.

Joseph-Omer hocha la tête pour montrer qu'il avait compris.

— Est-ce qu'Honoré se trouve dans les parages ? Après ça, Florida voudrait te jaser deux minutes, l'avisa Joseph-Omer.

— J'ai hâte de faire un brin de jasette avec elle, se réjouit Antoinette. Honoré est en train de se débarbouiller. Je te le passe.

Honoré, téléphone ! C'est Joseph-Omer, fit la voix atténuée de madame Corbeil qui s'éloignait de l'appareil.

— Ça sera pas long, souffla le forgeron à l'intention de Casimir qui se grattait nerveusement le lobe de l'oreille à ses côtés.

— Salut, Joseph-Omer ! claironna la voix chaleureuse de son vieil ami. Comment ça va ?

— Ça va ben, merci. Je te parlerai pas longtemps, Honoré. J'ai quelqu'un icitte pour toi. C'est pour une question d'affaires. Bon ben, je vais te le passer. Tu vas tout comprendre.

Charron s'épongea la main contre son pantalon crasseux et prit le récepteur. Il y jeta un regard effarouché avant de le porter à son oreille.

— Oui, Corbeil ? s'assura-t-il à voix forte. C'est moi, Charron !

Honoré Corbeil demeura bouche bée, raide comme une barre, devant cet appel aussi imprévu qu'une nuée de sauterelles.

— Allô ! ALLÔ ! appela le bonhomme de plus en plus fort.

— Je suis pas sourd, Charron ! Arrête de me crier dans les oreilles ! réagit Honoré avec acrimonie. Qu'est-ce que tu veux ? Viens pas me faire accroire que tu t'ennuies de moi ?

— Gériboire... traîna Charron sur un ton qui en disait long. L'ennui pis moi, ça fait pas bon ménage, surtout quand ça te concerne. Si je t'appelle, c'est à propos de ta maison, celle d'icitte à Grouard, poursuivit-il en se grattant le derrière. Elle est ben toujours à vendre ?

— Ben oui ! Tu dois pourtant avoir vu la pancarte ! À moins que ta vue baisse, comme tout le reste. M'aurais-tu trouvé un acheteur, par hasard ?

— C'est moi l'acheteur, gros concombre ! répliqua Charron subitement irrité. En autant que tu viennes pas m'étriper avec ton prix de gros monsieur d'Edmonton.

— J'ai jamais eu l'intention d'étriper personne, riposta Honoré. En tout cas, pas de cette manière-là. Si tu es vraiment intéressé, Charron, je vais monter à Grouard en fin de semaine prochaine. Tu viendras me rejoindre chez Joseph-Omer après la grand-messe de dimanche. On ira voir ça ensemble pis on discutera du prix.

— Dimanche, ça fait ben mon affaire. Je vais être là sans faute, le gros.

— Bon ! Là, tu vas passer le téléphone à Florida, ça a l'air que ma femme veut lui parler. Salut ben ! termina abruptement Honoré.

— C'est ça ! approuva Charron sur le même ton avant de tendre le récepteur à Florida.

— Ouais... C'était pas facile, fit remarquer Joseph-Omer au bonhomme.

— Le gros va monter icitte en fin de semaine prochaine, expliqua brièvement Charron. Non mais, c'est pas croyable, Boulanger. De toute ma vie, j'ai jamais vu quelqu'un d'aussi haïssable que Corbeil, gériboire !

— Hé ben ! marmonna Joseph-Omer en écarquillant les yeux.

* * *

Malgré le fait qu'ils avaient toujours entretenu des relations difficiles, Casimir Charron et Honoré Corbeil finirent par se mettre d'accord. Honoré n'avait pas démontré trop de surprise en voyant le trappeur accompagné de sa fiancée, Joseph-Omer s'étant donné la peine de le prévenir. Cela ne l'empêcha pas de jeter de temps à autre un regard de totale incompréhension vers la dodue Maria. Cependant, il se garda de passer des commentaires qui auraient pu nuire à l'aboutissement de la négociation. Le bonhomme afficha tout de même quelques réticences avant de sceller l'entente.

— T'es sûr que ta couverture coule pas, le gros ?

— Ben, elle coulait pas quand je vivais icitte.

— Oui, mais ça fait longtemps de ça. T'es sûr qu'elle coule pas aujourd'hui ? insista Charron.

— Comment veux-tu que je le sache ? Il mouille pas, répliqua le menuisier.

— Oui, mais s'il mouillait, la réparerais-tu si elle coulait ? s'enhardit le rusé bonhomme.

— Si ça te pisse sur la tête dans la maison, je vais venir te la réparer, ta damnée couverture !

— C'est tout ce que je voulais entendre. Vendu ! acheva Casimir Charron.

Quand les détails furent réglés, Honoré s'empressa de féliciter Charron et de serrer la main de Maria.

— Bonne chance, Madame, dit-il avec empathie.

— Merci, Monsieur Corbeil, répondit l'Indienne avec innocence.

« Tu vas en avoir besoin », pensa Honoré en gardant un visage impassible.

Honoré Corbeil parut soulagé lorsqu'il apporta l'heureuse nouvelle à sa femme qui l'attendait impatiemment chez les Boulanger.

— Mon Dieu que je suis contente ! s'exclama Antoinette. Ça va nous aider à payer toutes nos dettes à Edmonton.

— On est pas si mal pris que ça, s'objecta Honoré, mal à l'aise devant ses hôtes.

— Je me comprends, poursuivit Antoinette. Chose certaine, j'aurais jamais cru que ce serait le père Charron qui achèterait notre maison.

— Il faut dire que je lui ai fait un bon prix, se vanta Honoré fier de lui.

— J'espère que tu lui as pas donnée, au moins ? s'inquiéta tout à coup sa femme.

— Ben non ! Je te raconterai ça plus tard, répondit-il sur un ton plus ou moins persuasif.

— De notre côté, on est ben contents pour vous autres. Ça faisait tellement longtemps que vous espériez la vendre, votre maison, intervint Florida juste au bon moment.

— Oui ! C'est vrai ça. C'est une bonne affaire de faite, renchérit Joseph-Omer.

— Vous autres aussi, vous devriez vendre, leur conseilla Honoré. Ça rapporte du bel argent pis ça donne la chance de pouvoir repartir ailleurs, autrement qu'en ayant les mains vides. C'est pas d'hier qu'il y a plus une maudite cenne à faire icitte. Je vous apprendrai rien en vous disant ça.

— C'est vrai qu'on peut pas dire que ça roule fort de ce temps-là, admit Joseph-Omer.

— Regarde-moi par exemple, continua Honoré. Avec l'argent de la vente de ma maison, je pourrais peut-être ben m'acheter une automobile neuve que j'aurais en plus de mon vieux camion.

— Wo ! petit gars, désapprouva tout de suite Antoinette. Tu vas un peu trop vite en affaires à mon goût. Tu devras me passer sur le corps avant de te mettre à dépenser tout notre argent dans tes idées de grandeur.

Honoré se mordit les lèvres et ravala sa salive, sachant très bien qu'il ne sortirait pas gagnant d'une discussion avec sa femme à ce sujet.

— Toi par contre, Joseph-Omer, ça te serait utile en maudit une belle automobile, reprit Honoré qui cherchait à détourner l'attention. Tu gagnerais du temps en masse quand tu ferais tes livraisons. Les chevaux vont finir par disparaître du décor. Imagine-toi une minute que tu veuilles déménager, tout à coup. Tu embarques toute ta petite famille dans ta belle voiture flambant neuve, tu donnes deux ou trois coups de criard, pis en route pour Edmonton tout le monde ! C'est pas plus compliqué que ça.

— Jupiter ! C'est vrai que t'es vite en affaires. J'ai même pas mis mon commerce à vendre ! s'esclaffa Joseph-Omer.

— Un vrai fou ! Je l'ai toujours dit, soupira Antoinette en levant les yeux au ciel.

— N'empêche que pour une fois, j'ai peut-être raison, Antoinette ! s'emporta Honoré, exaspéré par les reproches de sa femme. Toi, mon Joseph-Omer, penses-y comme il faut. C'est pas des blagues que je te raconte là.

— Changement de propos, intervint encore une fois Florida pour calmer l'atmosphère, tu n'aurais pas eu des nouvelles de mon frère, par hasard, Honoré ?

— Pas vraiment, répondit le menuisier. Je l'ai juste entrevu, si c'est ça que tu veux savoir. J'ai beau travailler pour sa secrétaire, j'ai jamais le temps d'aller voir ton frère. Je suis aux ordres de Madame. Cours à droite, cours à gauche, change-moi ci, répare-moi ça, repeins icitte, ah non... c'est pas beau ! Mets de la tapisserie, ôte le lavabo, jette la division à terre, pose-moi une rampe, pose du tapis, pose-moi une clôture. Il y a de quoi devenir fou !

— Hum... fit Antoinette.

— Il faut toujours que ce soit impeccable, poursuivit Honoré, pis toujours à plein régime. Parce que Madame a des délais à respecter... C'est ben simple, il manque juste le fouet !

— Jupiter ! s'esclaffa Joseph-Omer.

* * *

Dans les semaines qui suivirent, ce ne fut pas tant l'idée de s'acheter une automobile que celle de mettre leur commerce en vente qui fit son chemin dans la tête des Boulanger. Si les amis Corbeil avaient mis plusieurs années avant de réussir à vendre leur maison de Grouard, alors il valait mieux réagir avant qu'il ne soit trop tard. Ce n'était pas une décision facile, mais c'était celle qui s'imposait d'elle-même. Le cœur gros, Joseph-Omer se leva à l'aube du lundi matin et alla placarder l'écriteau arborant l'inscription « À vendre » sur la façade du magasin général.

Une fois de plus, la nouvelle se répandit rapidement, ce qui n'est pas une vilaine chose lorsqu'on décide de vendre. Évidemment, le mauvais côté, c'est que ça n'attire pas que des acheteurs. Il y eut aussi cet incontournable noyau de curieux qui s'informèrent du prix et de la raison de la vente simplement pour le plaisir de rapporter la nouvelle et de susciter un peu d'intérêt autour d'eux. Malgré tout et de façon majoritaire, les résidants de Grouard se montrèrent respectueux et compatissants devant cette décision. C'est à regret qu'ils verraient une autre famille quitter leur agglomération qui n'en finissait plus de péricliter.

Dès les premiers jours, monsieur Harper avait remarqué lui aussi l'incontournable écriteau en faisant ses emplettes. Un peu plus tard, il fut l'un des premiers à exprimer ouvertement sa peine au cours d'un arrêt au magasin général.

— Ça m'a donné tout un choc quand j'ai vu la pancarte dans la vitrine, dit-il à Florida en payant son gallon d'huile à lampe. Vous êtes d'honnêtes gens pour qui j'ai toujours eu beaucoup de respect. Ça me fait tout drôle d'imaginer que vous ne serez plus là, Madame, debout derrière votre comptoir, pour nous servir.

Florida s'apprêtait à lui remettre sa monnaie. Elle s'arrêta net, un billet d'un dollar encore dans les mains.

— Si tous les clients étaient comme vous, Monsieur Harper, on en serait peut-être pas là. Malheureusement, les temps sont difficiles pour tout le monde. On a dû accepter même les mauvais payeurs. Pas besoin de vous dire que ce genre de situation nous aide pas beaucoup à faire fonctionner le commerce.

— Je comprends très bien, Madame Boulanger. C'est dommage. Votre mari est-il ici ? J'aimerais lui dire un mot.

— Ben oui. Il est en train de manger un morceau de tarte

dans la cuisine. Joseph-Omer ! Il y a monsieur Harper qui veut te voir ! héla Florida à haute voix. Oh ! désolée... votre monnaie, Monsieur Harper.

Joseph-Omer apparut par la porte entrebâillée qui donnait sur la cuisine. Il achevait d'avaler la dernière bouchée de sa pointe de tarte.

— Vous allez engraisser si vous mangez toutes les excellentes tartes de votre femme, le taquina monsieur Harper.

Joseph-Omer se lécha les lèvres de satisfaction.

— J'avoue que c'est pas facile d'y résister, admit-il de bonne grâce. Ça me ferait tout de même pas de tort de prendre un peu de poids. En voulez-vous ? Elles sont fraîches faites pis il en reste en masse.

— Mais non, ce n'est pas nécessaire. Je me souviens tout de même qu'elles étaient réellement délicieuses, ajouta-t-il en regardant Florida.

La marchande, flattée, laissa échapper un petit rire de satisfaction.

— Oui, oui ! Vous allez nous faire le plaisir d'en prendre un morceau avec une bonne tasse de thé chaud, ordonna gentiment Joseph-Omer. Apparemment, vous vouliez me parler de quelque chose. Dans ce cas-là, on sera plus à notre aise de l'autre côté.

— Vos tartes ont encore gagné, Madame Boulanger, conclut monsieur Harper en se laissant entraîner vers la cuisine.

Joseph-Omer permit à son invité de se délecter de quelques bouchées avant que son regard interrogateur ne vienne le sortir de l'état second dans lequel il était plongé.

— Ah oui... J'ai à vous parler de Gabardine, Monsieur Boulanger.

— Gabardine ? J'espère qu'il vous a pas causé d'ennuis, se soucia Joseph-Omer.

— Pas du tout ! Au contraire, Gabardine est un jeune homme

très bien élevé pour qui j'ai beaucoup d'estime. Vous savez sans doute qu'il fréquente ma fille depuis son retour de la guerre. Oh! la première année, c'est vrai qu'ils ne se voyaient pas aussi souvent. Mais depuis, c'est devenu beaucoup plus sérieux. Au point que Gabardine achètera dans les jours qui viennent la terre voisine de ma ferme. Il s'y construira une maison et ensuite il épousera ma Laura, lui apprit monsieur Harper.

— Jupiter! J'aurais dû y penser. On dirait ben que tout le monde a décidé de se marier ces temps-ci.

— C'est normal pour les jeunes amoureux de vouloir se marier, observa Cyril Harper.

— Pas juste les jeunes! Même le bonhomme Charron va se marier avec la sœur du vieux Baptiste, lui annonça sans ambages Joseph-Omer.

— *Holly cow!*

— Eh oui…

— C'est son affaire, même si c'est surprenant de sa part, reconnut monsieur Harper en raclant sa soucoupe. Revenons plutôt à Gabardine. Nous deviendrons tous deux associés lorsqu'il sera mon gendre. Nous pourrons faire l'élevage sur une plus grande échelle en ayant nos terres communes, expliqua-t-il. Je sais que vous l'avez toujours considéré pratiquement comme un fils, Monsieur Boulanger. Alors, je ne voudrais pas vous donner l'impression de prendre votre place et vous amener à penser qu'il vous laissera en plan.

— Ben non, voyons, sourit Joseph-Omer.

— Tant mieux! Parce que vous aurez toujours une grande place dans son cœur. Vous le connaissez, il est trop timide pour venir vous dire tout ça. Il a aussi exprimé un souhait auquel il tient beaucoup et je dois dire que je suis tout à fait d'accord avec lui. Il aimerait que vous lui serviez de père à son mariage. Ce serait un honneur pour nous tous.

— Si je m'attendais... Tout l'honneur est pour moi, Jupiter ! Vous lui direz que j'accepte avec plaisir. Dites-lui aussi de venir nous voir un peu plus souvent, avant qu'on s'en aille, suggéra Joseph-Omer.

— Je lui ferai le message, c'est promis. Vous venez de m'ouvrir la porte pour la deuxième chose pour laquelle je désirais vous parler, déclara monsieur Harper.

— Jupiter ! Attendez un peu, je vais me servir une autre tasse de thé.

— Gabardine pensait vous en glisser un mot lui-même, cette fois-ci. Comme il est à High Prairie en ce moment, pour se familiariser avec les encans de bovins, il m'a demandé de le faire à sa place par la même occasion.

— Est-ce qu'il y a une autre nouvelle qui m'aurait échappé ? s'inquiéta le forgeron.

— C'est davantage une chance de vendre votre commerce qu'une simple nouvelle.

— Déjà ? Ça fait pas trois semaines que je l'ai mis en vente, s'étonna Joseph-Omer.

— Les bonnes affaires sont rares. Quand elles se présentent, elles intéressent toujours des opportunistes. Vous avez une bâtisse solide, votre commerce est bien établi et vous êtes très bien situés au milieu de la ville. Gabardine a un ami qui vous ferait peut-être une offre. Auparavant, il voulait être certain que cet acheteur éventuel vous conviendrait. Il lui a même fait promettre d'attendre un peu, pour qu'on puisse d'abord sonder le terrain auprès de vous.

— Je comprends pas, constata Joseph-Omer intrigué. Est-ce que c'est un honnête homme ?

— Tout à fait, certifia monsieur Harper. Gabardine s'inquiète surtout parce que cet acheteur n'a pas l'intention de continuer à tenir le même genre de commerce que vous. Alors, il craint que vous ne l'interprétiez comme un désaveu à votre endroit.

— Pauvre petit gars ! Il s'en fait ben pour rien, se désola Joseph-Omer. De quel genre de commerce parle-t-on, exactement ? À moins que ce soit un bordel, je vois pas en quoi ça pourrait m'embêter.

— Hé ! Hé ! Justement... Non, non, c'est une blague, s'excusa monsieur Harper devant l'air éberlué de Joseph-Omer. Le jeune homme intéressé à votre propriété a l'intention d'installer un poste d'essence et d'utiliser votre atelier pour y faire de la mécanique automobile.

— Dans ce cas, vous direz à Gabardine qu'il me l'envoie en courant, son acheteur. On peut quand même pas arrêter le progrès. Des automobiles, on en voit partout de nos jours. C'est le genre de commerce qui devrait fonctionner à merveille avec tous les changements qui surviennent. Vous savez quoi, Monsieur Harper ? Moi aussi, je commence à penser que j'aurais besoin d'une automobile.

— Vraiment ?

— Jupiter... On aurait pas dit ça il y a pas si longtemps, admit Joseph-Omer après un court moment de réflexion.

* * *

La transaction cédant le magasin et la forge au nouveau commerçant s'effectua dans les jours suivants. Les Boulanger furent heureux qu'on leur permette de demeurer encore cinq semaines sur place. Ils pourraient écouler une grande partie de la marchandise avant d'effectuer les soldes finaux. Ce qu'on ne réussirait pas à vendre à prix réduit serait ensuite cédé à perte chez un autre marchand.

Durant ces quelques semaines de sursis, Joseph-Omer en profita pour acheter sa première voiture d'un concessionnaire récemment installé à High Prairie. Malgré son inexpérience en conduite automobile, il réussit à la ramener à bon port. Une dizaine de jours plus tard, il se rendait jusqu'à Edmonton pour y visiter une maison à louer. Son beau-frère, le docteur Gauthier, lui avait déniché cette propriété par l'entremise de sa secrétaire. Heureusement pour Joseph-Omer, les routes de jadis n'étaient absolument pas encombrées, ce qui facilita encore son apprentissage au volant. Le long périple lui permit d'apprécier son élégante Chevrolet sedan 1924 de couleur marine. Il constata avec fierté qu'elle ne manquait pas de faire tourner les têtes au hasard des rencontres. Il ne put s'empêcher d'avoir une pensée pour son ami Honoré.

« Il va sûrement saliver en la voyant, mon fanfaron d'Edmonton. »

La maison qu'il visita dans un quartier tranquille lui parut tout à fait convenable, quoique ayant légèrement besoin d'être rafraîchie. C'était l'une des trois propriétés que possédait mademoiselle Valérie. Joseph-Omer était satisfait d'avoir trouvé un logis aussi rapidement et il ne se fit pas prier pour verser un acompte au loyer à son retour au bureau de Laurent.

— La maison est impeccable et bien assez grande pour nous cinq. Elle est parfaite, dit-il à mademoiselle Valérie.

— Tant mieux ! J'espère que vous vous y plairez.

— D'autant plus que ce doit être mon ami Honoré qui l'a rénovée dernièrement.

— Ah ! vous le connaissez, celui-là ? demanda-t-elle sur un ton exaspéré.

— Euh... oui, hésita à répondre Joseph-Omer, incertain de savoir où elle voulait en venir.

— C'est vrai qu'il travaille très bien. Dommage qu'il soit toujours à prendre avec des pincettes, critiqua mademoiselle Valérie.

— Comment ça ?

— Orgueilleux, le monsieur. Difficile, en plus. Il fait trop chaud, il fait trop froid, il est fatigué, il a mal aux jambes, il manque de temps, les clous sont trop courts, la colle est pas bonne, le bois a des nœuds. Ouf ! J'ai parfois l'impression de devoir pousser dessus pour qu'il avance.

— Il lui manque juste le... l'enthousiasme, plaida Joseph-Omer, en se gardant bien de révéler qu'Honoré lui avait mentionné qu'il ne manquait que le fouet.

— Ouais, je devrai trouver une façon de lui en apporter, de l'enthousiasme, songea mademoiselle Valérie.

— Hum... Est-ce que je pourrais voir le docteur Gauthier avant de partir ? s'informa le forgeron.

— Vous nous quittez déjà ? J'imagine que vous ne souhaitez pas voir le docteur pour une consultation, puisque vous n'avez pas de rendez-vous, dit-elle.

— Euh... non, évidemment.

Mademoiselle Valérie ouvrit son carnet et parcourut l'horaire des rendez-vous du doigt.

— Je vais vous glisser entre deux patients, dit-elle à voix basse. Il faut me promettre de faire rapidement.

— D'accord, accepta Joseph-Omer en restant planté devant elle.

— Vous pouvez vous asseoir dans la salle d'attente, je vous ferai signe.

— Oui, oui.

De longues minutes s'écoulèrent avant que Joseph-Omer ne puisse enfin rencontrer son beau-frère, dûment accompagné à son bureau par sa secrétaire.

— À tout de suite, dit Valérie en refermant la porte derrière lui.

— Joseph-Omer ! Viens t'asseoir. Ça va toujours ? demanda le docteur Gauthier.

— Ben oui, et toi ?

— Super bien, merci. Et alors, cette maison ?

— La maison est irréprochable. C'est mieux que tout ce que j'avais imaginé et le prix de location me convient. Je l'ai réservée tout de suite.

— Excellent ! C'est un bon quartier et les enfants seront bien entourés. Florida sera heureuse elle aussi de se retrouver à Edmonton. On pourra se voir plus souvent, se réjouit le docteur Gauthier.

— C'est sûr. Il faudra d'abord réussir à contourner ta garde du corps, lui confia Joseph-Omer en indiquant du pouce la secrétaire dans l'autre pièce.

— Valérie ? Bof ! Elle est un peu pointilleuse et elle a du caractère, mais elle n'est pas méchante pour autant. Elle gagne à être connue. Tiens ! Pourquoi ne viens-tu pas au restaurant avec nous ce soir ? Ça te donnera l'occasion de faire plus ample connaissance.

— Euh… non merci, Laurent. J'ai déjà promis à Honoré que j'irais souper chez lui et que j'y passerais la nuit. Je vais repartir tôt demain matin. On se reprendra. Bon, je veux pas trop m'attarder, sinon j'en connais une de l'autre côté qui viendra me chercher par le chignon du cou.

— Tu exagères, Joseph-Omer.

— Probablement. En tout cas, je voulais te remercier de nous avoir trouvé une maison à Edmonton. C'est la deuxième fois que tu nous trouves un logement depuis qu'on est arrivés dans l'Ouest. Tu es doué pour nous tirer d'embarras.

— Il n'y a pas de quoi. Je suis content que ça puisse vous convenir. Si tu as besoin de n'importe quoi d'autre, fais-moi signe. Pas besoin d'avertir Valérie pour ça, souffla le docteur Gauthier.

— Je vais essayer de m'en souvenir.

Chez les Corbeil, les formalités n'existaient pas et Joseph-Omer s'y sentait comme chez lui. Dès son arrivée, d'ailleurs,

Honoré s'était précipité à l'extérieur suivi de son fils aîné pour aller admirer la nouvelle voiture des Boulanger.

— Maudit chanceux ! Maudit chanceux ! répétait Honoré. Te rends-tu compte de ce que ça me fait de te voir entrer dans ma cour avec ça ? Je pensais que j'étais pour tomber raide comme une barre.

— Ben voyons donc, c'est juste une automobile, Honoré, tempéra Joseph-Omer.

— Es-tu fou, toi ? C'est ben plus que ça. C'est beau comme ça se peut pas. Regarde-moi la couleur qui brille au soleil, la forme, pis les sièges là-dedans. C'est une vraie œuvre d'art, s'extasia Honoré.

— Jupiter ! Arrête un peu, j'oserai plus rouler avec ça, plaisanta le nouvel automobiliste.

— Dire que moi, je suis encore obligé de me contenter de mon vieux camion qui tombe en ruine. C'est pas juste… C'est à cause d'Antoinette, itou, qui veut rien comprendre ! Raoul, va dire à maman de venir voir l'automobile à Joseph-Omer.

— Achale-la pas avec ça, lui conseilla son ami mal à l'aise.

— Ben non. Je veux juste qu'elle la voie, c'est tout.

Lorsqu'Antoinette arriva en s'essuyant les mains sur son tablier, Honoré faisait encore le tour de la Chevrolet en la caressant au passage.

— Seigneur ! Joseph-Omer, tu te promènes pas à pied, déclara Antoinette en admirant sa voiture.

— C'est pas comme moi, répliqua aussitôt Honoré.

— Je te l'ai déjà dit qu'une automobile, c'était pas fait pour nous autres. Tu as déjà ton camion, c'est ben assez, réaffirma Antoinette.

— Oui mais, as-tu vu de quoi il a l'air, mon tacot, à côté de ce bijou-là ? En plus, le mien marche comme un mal de ventre. Je passe mon temps à le faire réparer au garage, se lamenta Honoré.

— Ouais, c'est vrai que le camion commence à faire pitié, admit sa femme.

— Je te le dis, Antoinette, je suis plus capable d'endurer ce supplice-là.

— Ben, savoir que tu garderais ton emploi pour mademoiselle Valérie, ça me dérangerait pas que tu changes de véhicule.

— Hein ? Pour de vrai, là ? demanda Honoré qui n'en croyait pas ses oreilles.

— J'imagine qu'on pourrait se gâter un petit peu, nous autres aussi. Avec un camion, évidemment, pas avec une belle automobile comme celle-là, précisa Antoinette.

— Ah que je suis content, ma belle Antoinette, la plus fine du monde !

— Jupiter... laissa échapper Joseph-Omer en secouant la tête.

— Bon, venez manger, j'ai une poule dans le fourneau. Honoré, tu me feras tes compliments plus tard. Arrive !

— Oui, ma douce.

Honoré attrapa le forgeron par un bras alors qu'il allait se diriger lui aussi vers la maison.

— T'as ben fait de venir, Joseph-Omer, tu viens de me sauver la vie !

— Honoré, tu me sacres à terre. Si je t'ai sauvé la vie à ce point-là, de ton côté, viendrais-tu m'aider à déménager quand ce sera le temps de le faire ?

— N'importe quand, mon homme. N'im-por-te quand !

— Arrange-toi pas pour perdre ton travail d'icitte ce temps-là, le prévint Joseph-Omer.

— Fais-toi-s'en pas. Si j'ai mon camion neuf, la Valérie pourra sortir son fouet tant qu'elle voudra. En plus, quand tu seras installé à Edmonton, je vais essayer de te faire travailler avec moi. Ça devrait pas être un problème, étant donné que tu es le beau-frère du médecin pis qu'elle l'haït pas, lui confia Honoré.

— On verra ben à ce moment-là. Pour l'instant, tu devrais pas faire attendre ta femme après le cadeau qu'elle vient de te concéder.

— Ouille ! c'est vrai. Vite, Joseph-Omer, avant qu'elle change d'idée.

* * *

Il y a de ces moments dans la vie où l'on voudrait que le temps s'arrête, pour que tout demeure inaltéré, immuable. Pour que les changements qui se précipitent vers nous n'aient pas plus de conséquences que la souvenance d'un mauvais rêve au réveil.

Les jours s'écoulèrent plus rapidement que les Boulanger ne l'auraient souhaité, dans la fébrilité de la liquidation des stocks et de l'empaquetage des effets personnels. L'ami Honoré Corbeil avait même commencé à faire quelques voyages de caisses à l'aide de son nouveau camion. Ils finiraient de ramasser plus tard ce qui pouvait bien attendre qu'on ait d'abord déménagé les membres de la famille.

Ce matin-là était comme tant d'autres pour la plupart des gens, quand les bruits de la ville se mêlent aux chants des oiseaux, sans que les résidants affairés qui déambulent d'un pas pressé n'y prêtent la moindre attention. Pour ceux qui vont partir, cependant, laissant à regret derrière eux des années de bonheur, le moindre souffle de vent, le moindre rayon de soleil, et même la moindre marque de soulier sur le parquet se revêtent entièrement d'un symbolisme particulier, inaccessible aux autres. Or, ce jour-là les avait rejoints.

Ensemble, les Boulanger passèrent dans tous les recoins de leur grande demeure, s'assurant de ne rien oublier. Dans chacune des pièces revisitées, ils s'imprégnèrent profondément des souvenirs qu'elles éveillaient en eux. Par la suite, ils retournèrent dans la grande pièce, celle qui fut leur magasin. On cogna à la porte alors qu'ils étaient tous là, rassemblés, les uns frôlant d'une main caressante le grand comptoir en pin noueux, les autres regardant les tablettes vides et se les imaginant encore débordantes d'accessoires hétéroclites.

Gabardine apparut dans le cadre de la porte d'entrée. Il enleva sa casquette alors que tous les Boulanger le saluèrent spontanément. Visiblement attristé, il jeta un coup d'œil circulaire sur ce vaste espace dénudé des marchandises qui s'y étaient entassées autrefois.

— Bonjour tout le monde. Je suis venu voir si vous aviez besoin d'aide. J'ai appris hier seulement que votre départ définitif était fixé pour ce matin, dit-il d'un air penaud.

— Ben comme tu vois, on a déjà pas mal tout ramassé, lui fit observer Joseph-Omer. Le peu qui reste encore suivra avec Honoré dans les prochains jours. C'est pas grave, on est ben contents que tu sois là.

— J'aurais aimé venir vous aider plus vite, s'excusa Gabardine. Monsieur Harper vous a déjà dit que je m'étais acheté une terre voisine de la sienne. J'ai commencé à construire ma maison dessus, pis ça occupe presque tout mon temps.

— T'en fais pas avec ça, Gabardine. C'est ben normal que tu penses à t'installer à ton goût avec ta future femme, reconnut Florida. Après tout, votre mariage approche rapidement, lui aussi. On est vraiment heureux de tout ce qui t'arrive. Merci d'être venu nous voir avant qu'on déménage.

— C'est la moindre des choses, Madame Florida. Au moins, la pluie battante des derniers jours s'est enfin arrêtée. Vous aurez du beau temps pour faire la route, bredouilla Gabardine toujours mal à l'aise.

Florida s'avança doucement vers lui, posa les mains sur ses larges biceps et le regarda directement dans les yeux.

— T'as pas à te sentir triste, ni coupable de quoi que ce soit, dit-elle. Pour nous la vie continue et pour toi, une nouvelle vie va commencer. Meilleure que celle que tu as connue jusqu'à présent. Les années qu'on a passées icitte, surtout à nos débuts quand tu venais nous aider, resteront à jamais gravées dans notre mémoire pis dans notre cœur. Ta gentillesse, ton honnêteté ont toujours été admirables, Jean-Marie. Sois fier de ce que tu es, parce que nous autres, on est ben fiers de toi. On te considère depuis longtemps comme un membre de la famille.

Gabardine aurait voulu répondre à ce compliment. Toutefois, la boule d'émotions qu'il sentait au fond de sa gorge l'en empêchait. Florida le comprit tout de suite. Pendant quelques secondes, elle lui donna affectueusement une véritable étreinte maternelle. Joseph-Omer s'avança à son tour en lui tendant la main.

— Merci beaucoup pour tous les petits services et tout le bonheur que tu nous as apportés, lui dit-il. C'est vrai que tu fais partie de la famille et, comme je sais que tu es un homme de parole, je vais te demander encore une faveur. Celle de venir nous visiter aussi souvent que tu le pourras, une fois que nous serons installés à Edmonton.

— Je vous le promets, acquiesça Gabardine d'une voix qui avait retrouvé tout son aplomb. C'est ben plus à moi de vous remercier, Monsieur Omer. Tout d'abord, pour la confiance que vous avez eue envers moi, quand j'étais rien qu'un ti-cul. Pis ensuite, pour l'exemple que vous m'avez donné. Votre façon de faire, votre manière de penser, ça m'a toujours soutenu. Même durant les pires moments de la guerre. Sans ça, je serais peut-être pas icitte aujourd'hui.

— Peu importe la raison. Le fait que tu sois là, c'est ça qui compte. Si tu tiens à nous aider encore un peu, il y a toujours ces grosses valises à charger, l'invita gentiment Joseph-Omer en pointant du doigt quelques grosses malles brunes entassées dans un coin.

Gabardine se réjouit de pouvoir rendre ce dernier service et il l'accomplit en un rien de temps.

À l'extérieur, le soleil réchauffait graduellement l'air frais du matin. Les garçons, résignés, se lançaient nonchalamment une balle de caoutchouc. Florence s'amusait à monter sur le large marchepied de la voiture puis à s'élancer d'un bond, aussi loin que le lui permettaient ses petites jambes frêles. Florida lâcha un soupir et ferma la porte du magasin à clé. Elle rejoignit lentement son mari qui la regardait, absorbé par cette scène qui s'enracinerait à jamais en lui.

— Voilà ! Vous êtes prêts à partir, maintenant, constata Gabardine. Si ça vous dérange pas, laissez-moi partir le premier. Je trouverais ça trop dur de vous voir quitter Grouard en me laissant icitte devant le magasin. Vous comprenez ?

— Je comprends ça, répondit Joseph-Omer. De notre côté, on aura moins l'impression d'abandonner quelqu'un en arrière. C'est aussi ben de même. Tu salueras ta mère pour nous. Tu lui diras de prendre soin d'elle pis qu'on en garde un très bon souvenir.

— Je lui dirai. Si ça peut vous rassurer, il y a Tommy Bradford qui semble vouloir en prendre soin assez sérieusement, les informa Gabardine.

— Jupiter, un autre ?

— Quoi ?

— Rien, je pensais tout haut. Ça n'a plus d'importance. Ce qui compte, c'est qu'elle soit heureuse et toi aussi, lui dit Joseph-Omer.

Après une dernière accolade, Gabardine ébouriffa gentiment les cheveux de Florence qui s'était rapprochée de sa mère. Il alla ramasser la balle qu'Armand avait laissée glisser entre ses mains et il la relança à Augustin. Le garçon l'attrapa fièrement et la présenta bien haut, comme un trophée que l'on porterait à bout de bras.

— Faites attention à vous autres, leur conseilla Gabardine d'une voix forte. Et prenez soin d'eux autres, ordonna-t-il en désignant du pouce, par-dessus son épaule droite, le reste de la famille qui attendait debout près de la voiture.

— À bientôt, dit Joseph-Omer.

Gabardine leur envoya la main et partit aussitôt d'un pas rapide, sans se retourner. Ils le regardèrent descendre une dernière fois le long de la rue principale.

— C'est ben plus que Gabardine qui s'en va là-bas, murmura Joseph-Omer à mi-voix. C'est toute une époque qui disparaît à grandes enjambées.

— Courage! On l'a dit tantôt que la vie continuait, lui fit remarquer Florida en se blottissant contre lui. C'est pas le moment de se décourager, mon mari.

— Tu dois avoir raison, encore une fois. Venez les enfants! C'est le temps de partir.

Les garçons accoururent et s'engouffrèrent de chaque côté de Florence à l'arrière de la voiture. La simple perspective de faire un long trajet en automobile suffisait à les remplir d'excitation. Le moteur de la Chevrolet démarra dans un ronronnement rassurant. Joseph-Omer tourna la tête afin de reculer avec précaution. Rien ne se produisit, sinon que la voiture se mit à avancer doucement vers la porte de la boutique de forge.

— Jupiter! s'exclama Joseph-Omer en appuyant sur le frein juste à temps.

— Il faut que tu lâches la *clutch*, papa, lui conseilla Augustin.

Le cadet des garçons s'était avancé près de l'épaule de son père pour surveiller la manœuvre.

— Comment ça se fait que tu sais ça, toi ? lui demanda Florida, surprise.

— C'est mon oncle Honoré qui me l'a montré, l'autre jour. On aurait dû s'acheter une Ford, nous autres aussi.

Joseph-Omer essaya de reculer, relâchant le frein et la pédale d'embrayage en même temps. Cette fois-ci, le moteur cala.

— Jupiter, de Jupiter, de Jupiter !

— Lâche pas, Joseph-Omer. Tu vas finir par l'avoir, l'encouragea Florida.

— On aurait donc dû s'acheter une Ford, soupira à nouveau Augustin.

— Pourquoi une Ford ? Tu la trouves pas belle, notre Chevrolet ? l'interrogea à nouveau sa mère.

— Oui. Mais une Ford, c'est ben meilleur. C'est mon oncle Honoré qui me l'a dit.

— Jupiter ! grogna à nouveau Joseph-Omer en redémarrant la voiture.

— Assis-toi comme il faut, Augustin. Je pense que ton père l'a pas trouvée drôle, celle-là, lui dit sa mère avec un petit sourire qu'elle essayait de dissimuler.

Joseph-Omer relâcha la pédale d'embrayage en appuyant vigoureusement sur l'accélérateur et recula, par à-coups, en travers au milieu de la rue.

— Bon ! Tu vois, on l'a eu ! se réjouit Florida.

— Jupiter d'invention du maudit ! continua de pester Joseph-Omer en prenant la route après quelques autres à-coups.

— Ben non, ben non. On est partis, là, le calma doucement sa femme.

Ils roulèrent tranquillement sur la grande rue dans le sens opposé à Gabardine, saluant au passage un voisin qui avait levé son chapeau vers eux. Ils regardèrent défiler les maisons devenues depuis longtemps familières. Ils se disaient, en hochant la tête, que de chacune de ces grandes habitations, on aurait sans doute pu tirer une histoire. Un peu plus loin, lorsqu'ils approchèrent de l'hôtel Western, ils aperçurent un petit regroupement d'hommes qui discutaient en face de la bâtisse. L'un d'entre eux, par sa gestuelle, donnait clairement l'impression d'être l'animateur principal de la discussion.

— C'est le grand Sam Perkins avec sa bande, maugréa Florida.

Joseph-Omer, sans dire un mot, accéléra d'abord imperceptiblement, mais toujours en conservant une progression constante. Rendus à la hauteur de l'hôtel, les deux roues de l'auto situées du côté de ce maigre attroupement traversèrent une large flaque d'eau brunâtre, vestige des dernières pluies. Au passage, elles éclaboussèrent plus qu'abondamment Perkins et ses camarades.

— Hon... Joseph-Omer. Tu les as tous arrosés ! lui dit Florida, gênée au point d'en porter les doigts à sa bouche.

— Hein ? Quoi ? Il y avait une flaque d'eau ? demanda innocemment son mari.

Il regarda dans son rétroviseur le grand Perkins brandir un poing en l'air et les autres, les bras en croix, examiner leurs vêtements souillés par les éclaboussures de boue. Heureusement, à cet instant, la distance qui le séparait déjà de Perkins lui épargna d'entendre les jurons proférés à son endroit.

— Fais pas semblant de pas avoir vu la flaque d'eau, mon haïssable, le rabroua Florida.

— Jupiter ! Il fallait ben leur laisser un petit souvenir, avoua finalement Joseph-Omer.

Ils se mirent à rire de bon cœur tous les deux. Les enfants, eux, se rasseyaient sagement après avoir suivi la scène aussi longtemps qu'ils le purent, agenouillés sur la banquette arrière de l'automobile. Armand croisa le regard de sa sœur et leva un pouce en l'air. Celle-ci l'imita aussitôt et Augustin, après un dernier coup d'œil derrière lui, leva le pouce à son tour avec un sourire de connivence.

La route fut longue et cahoteuse. Plus la journée avançait et plus la poussière reprenait ses droits sur cette chaussée de gravier. Par bonheur, ils s'arrêtaient à intervalles réguliers pour se délier les jambes et manger un peu. Le jour était à son déclin lorsqu'ils arrivèrent, fourbus, aux abords de la ville d'Edmonton. Ils firent une dernière halte dans l'un des rares postes d'essence de l'endroit. Un jeune homme longiligne s'amena prestement en s'essuyant les mains avec une guenille. Il la fourra ensuite dans la poche arrière de son pantalon picoté de taches d'huile.

— Faites le plein ! commanda Joseph-Omer sur le ton de celui qui savait ce qu'il fallait dire dans les circonstances.

— Oui, Monsieur ! obtempéra immédiatement l'employé.

— Vous vérifierez également le niveau d'huile, s'il vous plaît. Nous avons fait une longue route, ajouta le forgeron.

— D'accord, Monsieur. Vous arrivez d'où comme ça ? demanda le jeune pompiste.

Il jeta un bref coup d'œil aux visages fatigués à l'intérieur de la voiture pendant qu'il introduisait le bec du pistolet d'essence dans le réservoir. Florence, quant à elle, dormait déjà depuis un bon moment, sa tête reposant contre l'épaule de son grand frère.

— On arrive de Grouard, se borna à lui répondre Joseph-Omer.

— Ah ! de Grouard...

Le pompiste imberbe parut réfléchir pendant une seconde. Il tourna lentement la tête vers cet automobiliste inconnu à l'accent étranger.

— Et Grouard... questionna-t-il encore, c'est au Québec ?

Épilogue

Nous aurions pu croire que, au cours des années qui suivirent, le dynamisme qui imprégnait profondément Grouard, au début du vingtième siècle, aurait suffi à lui seul à relancer cette petite ville. Il n'en fut rien. L'absence du train, tant espéré, l'avait tué inexorablement. Sa population avait continué de décliner jusqu'à atteindre deux ou trois cents habitants. Cent ans plus tard, elle tourne maintenant autour de cinq cents habitants, en bonne partie constitués d'autochtones. La langue principale y est l'anglais. Seule la grande rue qui, autrefois, avait connu tant d'effervescence subsiste encore aujourd'hui, relique d'un autre temps.

Les résidants se sont dispersés un peu partout en Alberta. Plusieurs d'entre eux ont élu domicile à Edmonton, comme nous l'avons lu dans ce roman. D'autres se sont installés à High Prairie ou à Morinville, au nord de la capitale provinciale. Certains ont choisi Winnipeg, au Manitoba, où ils ont poursuivi la défense du français. Quelques familles, quant à elles, ont tout simplement préféré revenir au Québec.

De nos jours encore, on retrouve en Alberta des descendants de ces familles francophones vivant toujours dans leur langue maternelle. Ils ont résisté, malgré une volonté politique longtemps orientée contre eux. Ils ont formé des associations de Canadiens français, notamment à Edmonton, où ils se sont regroupés et y ont défendu leurs droits. Bien entendu, les petits-enfants et les arrière-petits-enfants de Grouard n'ont pas tous évité l'assimilation. Beaucoup d'entre eux ont oublié les mots de la langue de leurs ancêtres.

Une fois son déclin amorcé, la petite ville de Grouard a vite fait de devenir complètement oubliée, elle aussi. Elle a été décrite en Alberta comme un endroit où les gens se sont fait berner par des promesses non fondées et comme étant tout simplement une erreur historique. Pourtant, l'était-elle vraiment ?